ZAYDE

Histoire espagnole

MME DE LAFAYETTE

ZAYDE

Histoire espagnole

Présentation, notes, appendices,
table des personnages, chronologie et bibliographie
par
Camille ESMEIN-SARRAZIN

GF Flammarion

ISBN : 2-08-071246-2.

PRÉSENTATION

> Mme de Lafayette me disait que, de toutes les louanges qu'on lui avait données, rien ne lui avait plu davantage que deux choses que je lui avais dites ; qu'elle avait le jugement au-dessus de son esprit, et qu'elle aimait le vrai en toutes choses, et sans dissimulation. C'est ce qui a fait dire à M. de La Rochefoucauld qu'elle était vraie [1].

« Je viens de lire le roman de Segrais, madame. Rien n'est mieux écrit. Si tous les romans étaient comme celui-là, j'en ferais ma lecture [2] », écrit le comte de Bussy-Rabutin à l'une de ses correspondantes après avoir lu *Zayde*. « Peu de temps après que ma *Zaïde* [3] fut imprimée pour la première fois, le Père Bouhours me dit qu'il croyait qu'il n'y aurait pas grand mal à lire tous les autres romans s'ils étaient écrits de même », renchérit Segrais – qui signe le roman de Mme de

---

1. J. de Segrais, *Segraisiana ou Mélanges d'histoire et de littérature* (1722), dans *Œuvres diverses*, Amsterdam, F. Changuion, 1723, t. I, p. 50. Jean Regnauld de Segrais (1624-1701) est un poète et un romancier, entré à l'Académie française en 1662 ; il demeura chez Mme de Lafayette entre 1671 et 1676, qu'il aida à composer et corriger *Zayde* et *La Princesse de Clèves*.

2. Lettre à Mme du Bouchet du 5 février 1670 (voir appendices, p. 280).

3. Sur les différentes graphies du titre, voir la note sur l'édition, p. 44.

Lafayette – quelques années plus tard [1]. Ces jugements, qui font des romans du temps une lecture frivole, témoignent que *Zayde* (1670-1671) a été lue par ses premiers lecteurs comme une œuvre remarquable et innovante. La fortune du roman perdure au XVIIIe siècle, où l'on associe souvent *Zayde* à *La Princesse de Clèves* ; il arrive même que l'on préfère ce « roman excellent » pour sa fin heureuse à *La Princesse de Clèves* [2], dont le dénouement est tragique, et qu'on y voie une « fiction immortelle [3] ». Mais, aux siècles suivants, *Zayde* tombe dans l'oubli, tandis que *La Princesse de Clèves* est considérée comme le roman classique par excellence, voire comme l'unique roman du XVIIe siècle. La critique moderne, qui encense cette dernière, considère *Zayde* comme une œuvre de jeunesse qui n'a d'intérêt qu'en ce qu'elle précède le chef-d'œuvre, et parfois comme une « régression [4] » dans la carrière de la romancière qui avait écrit une première nouvelle, *La Princesse de Montpensier* (1662).

---

1. J. de Segrais, *Segraisiana…*, *op. cit.*, p. 216. La question de l'attribution du roman fut souvent discutée. Lors de sa publication, il est signé par Segrais, et précédé d'une *Lettre de l'origine des romans* signée par Huet et adressée à Segrais. Les contemporains ont cru pour cette raison que le roman était de Segrais, et maints témoignages le lui attribuent ; lui-même parle à plusieurs reprises de « ma *Zaïde* ». Mais différents éléments ont permis d'attribuer le roman à Mme de Lafayette : une mention de Segrais, une lettre de Mme de Lafayette à Huet, et enfin le témoignage réitéré et formel de Huet. Depuis le début du XVIIIe siècle, l'ouvrage est systématiquement attribué à Mme de Lafayette. Il est néanmoins attesté que la romancière consulta régulièrement Segrais, Huet, ainsi que La Rochefoucauld. Voir appendices, p. 270, 278, 279 et 282. Il n'est pas rare au XVIIIe siècle que des auteurs femmes aient recours à des prête-noms, ou publient sous l'anonymat.

2. C'est le cas de Lenglet-Dufresnoy (*De l'usage des romans*, « La Bibliothèque des romans », Amsterdam, Veuve Poilras, 1734, t. II, p. 53).

3. *Bibliothèque des romans*, novembre 1775, p. 164-165. Le roman connut neuf éditions au XVIIIe siècle.

4. « Par sa longueur comme par son registre, *Zaïde* apparaît comme une exception – et comme une régression – dans l'œuvre de Mme de Lafayette. Ce qui frappe tout d'abord, c'est sa conception archaïque » (M. Lever, *Romanciers du Grand Siècle*, Fayard, 1996, p. 218).

UN ROMAN ENTRE TRADITION ET INNOVATION

Le sous-genre qu'on appelle depuis Sorel le *roman héroïque* – l'expression est calquée sur celle de *poème héroïque* – connaît une période de triomphe avec la publication des œuvres majeures des Scudéry, *Ibrahim ou l'Illustre Bassa* (1641-1644), *Artamène ou le Grand Cyrus* (1649-1653) et *Clélie, histoire romaine* (1654-1660). Selon cette conception, dont la préface d'*Ibrahim* énonce la poétique contraignante, le roman est une épopée en prose, exigeant la même ampleur, offrant les mêmes ressources, soumis aux mêmes lois que l'épopée, mais mettant l'accent sur la peinture de l'amour. Les héros sont des personnages illustres, empruntés à une histoire lointaine, qui appartiennent à une humanité exemplaire. L'action, chargée de peu de matière, est ornée de récits intercalés, qui permettent, après une ouverture *in medias res*, d'informer le lecteur des événements qui l'ont précédée ; elle conduit à un dénouement heureux. Enfin, un sujet grandiose requiert un style en adéquation, conformément aux attentes du lecteur de roman de l'époque. Quand Mme de Lafayette écrit *Zayde*, le roman héroïque est sur le déclin, en raison d'écrits théoriques qui prônent des récits plus brefs, une matière plus vraisemblable et une écriture plus simple, mais surtout du fait d'une pratique que la romancière a elle-même initiée avec *La Princesse de Montpensier*, nouvelle d'une extrême sobriété.

En choisissant le cadre de *Zayde*, Mme de Lafayette semble revenir à la tradition du roman. Alors qu'elle a innové avec *La Princesse de Montpensier* en se fondant sur les *Mémoires* de Castelnau récemment publiés (1659) ou en puisant chez des historiens modernes, et surtout en choisissant l'époque du règne de Charles IX, elle place paradoxalement son deuxième roman dans la lignée des œuvres des Scudéry. L'éloignement est tant spatial (l'action se déroule en Espagne et s'étend au bassin de la Méditer-

ranée) que temporel (les événements auxquels il est
fait référence se situent entre 866 et 910). La construction est conforme au modèle épique : après un
début *in medias res*, cinq histoires insérées – dont l'une
se développe à deux stades différents de l'intrigue
principale – créent trois niveaux de narration.

Par beaucoup d'aspects, *Zayde* est un roman selon la
conception du temps, bâti sur le modèle héroïque. Le
personnel est typiquement romanesque : héroïne admirable, héros généreux, amant volage. On y rencontre les
topoï de ce sous-genre – enlèvement, tempête, désert,
naufrage, duel – ainsi que les péripéties convenues :
portrait perdu, lettre adressée à un personnage et reçue
par un autre, conversation surprise, coïncidence,
déguisement. En matière de construction, plusieurs
procédés sont repris aux romanciers antérieurs : inser-
tion de lettres dans le récit, recours au soliloque dans
lequel le personnage exprime à haute voix, comme au
théâtre, son agitation intérieure. Enfin, le schéma de
l'intrigue principale est conforme à la structure héritée
du roman grec : après des naufrages, des séparations,
des malentendus, des rivaux supposés, soit une longue
série d'épreuves, le triomphe social, politique et militaire du héros autorise son mariage avec l'héroïne.
L'abondance des actions, l'idéalisme des sentiments et
l'optimisme du dénouement principal remplissent les
attentes des lecteurs, qui se plaisent à ces procédés et
apprécient également la Providence qui règne sur
l'ensemble du récit. Celui-ci recherche la vraisemblance, les événements les plus improbables étant systématiquement justifiés : le naufrage de Zayde, la présence du portrait de Consalve entre les mains du père
de Zayde, la ressemblance de Consalve avec le prince
de Fez. Et les principaux caractères sont tracés avec
une grande cohérence : l'inquiétude et la mélancolie de
Consalve apparaissent dès les premières pages, de
même que le tempérament maladivement jaloux
d'Alphonse, cause de tous ses malheurs.

Pourtant, en dépit du caractère convenu de la forme
et des aventures, *Zayde* se détache à plusieurs égards de

la production des Scudéry. Les analyses psychologiques, le pathétique des sentiments, la tristesse sans illusion du héros se distinguent de l'optimisme du roman héroïque et rejoignent le ton des autres œuvres de la romancière. Surtout, Mme de Lafayette exploite la forme du roman héroïque pour faire des histoires insérées le lieu d'une réflexion sur la passion et ses excès, dont la fin est souvent tragique, en contrepoint de l'optimisme et de la grandeur de l'intrigue centrale, qui se termine par une conversion et un mariage. C'est principalement le cas dans l'« Histoire d'Alphonse et de Bélasire », où la romancière met au jour la confrontation dramatique des personnages : les différentes conversations des deux protagonistes sont autant d'étapes qui les conduisent à une rupture tragique.

Cette tension entre tradition et innovation oblige à poser la question du genre de l'œuvre. Si la composition d'ensemble et la matière de l'histoire principale la rapprochent du roman héroïque, les histoires secondaires font penser aux nouvelles qui, depuis les *Nouvelles françaises* de Segrais (1657) et plus encore depuis *La Princesse de Montpensier*, tendent à prendre la place du roman héroïque. Plutôt que de reproduire l'esthétique de ce roman, *Zayde* en reprend certains des éléments pour leur conférer une motivation nouvelle, et pose, à travers le caractère énigmatique du récit, la question du vraisemblable. En ce sens, *Zayde* apparaît comme une œuvre de transition : tout en conservant les aventures propres à l'ancien roman, Mme de Lafayette y place l'intérêt psychologique au premier plan [1]. La méthode, à l'inverse de celle qui fera la fortune de *La*

---

1. Voir sur ce point les analyses de Guiomar Hautcœur, *Parentés franco-espagnoles au XVIIᵉ siècle. Poétique de la nouvelle de Cervantès à Challe*, Honoré Champion, « Bibliothèque de littérature générale et comparée », 2005, p. 559-565, et « *Zaïde* de Mme de Lafayette ou les hésitations du genre romanesque au XVIIᵉ siècle », dans *Formes et imaginaire du roman. Perspectives sur le roman antique, médiéval, classique, moderne et contemporain*, dir. J. Bessières et D.-H. Pageaux, Honoré Champion, « Varia », 1998, p. 49-64.

Princesse de Clèves, consiste à partir du roman et à
l'enrichir par des techniques empruntées à la nouvelle [1].

Dans l'édition originale du roman, comme dans
toutes ses éditions au XVIIIe siècle, une *Lettre de l'origine
des romans* rédigée par Huet [2] figure en préface. Or ce
texte, présentant à la fois des éléments de la doctrine du
roman héroïque et des exigences témoignant d'une
prise de distance vis-à-vis de cette doctrine, propose
une conception du roman qui n'est pas aussi simple et
unifiée que les écrits théoriques des Scudéry. Tout
comme le roman qu'il accompagne, ce traité reprend
certains des éléments de la poétique antérieure (ouverture *in medias res*, histoires intercalées dans le récit, mul-
tiplication des narrateurs), en les associant à des exigences nouvelles du point de vue de la vraisemblance et
de l'effet. *Zayde* et le traité qui l'accompagnent se trouvent donc au croisement de deux poétiques qu'ils ten-
tent de concilier, ou du moins portent sur les problèmes
posés par l'esthétique antérieure un regard éclairé par
l'esthétique qui se fait jour. Les rares mentions de *Zayde*
dans le traité incitent à penser que ce roman remplit les
attentes de Huet en matière de composition, de bienséance et d'effet : la narration est « juste » et « polie », les
aventures « nouvelles » et « touchantes » [3].

UN ROMAN OÙ « LES RÈGLES DE L'ART
SONT OBSERVÉES AVEC GRANDE EXACTITUDE »

À l'époque où Mme de Lafayette écrit *Zayde*, la
fabrication d'un roman passe pour un art soumis à des

---

1. Voir les analyses de Jean Mesnard, selon lequel la « solution »
proposée par la romancière dans *La Princesse de Clèves* consiste à
« partir de la nouvelle et à l'enrichir par des techniques empruntées
au roman » (Mme de Lafayette, *La Princesse de Clèves*, éd. J. Mesnard, GF-Flammarion, 1996, p. 11).

2. Pierre Daniel Huet (1630-1721) est un homme d'Église et un
érudit, protégé de Montausier et évêque d'Avranches, qui s'inté-
ressa aussi bien aux sciences qu'aux belles-lettres.

3. Voir appendices, p. 278.

règles : chaque œuvre est jugée selon qu'elle correspond plus ou moins bien au modèle d'art narratif que
constituent les romans grecs, en particulier l'*Histoire
éthiopique* d'Héliodore [1]. C'est la leçon du traité de
Huet, qui juge de la valeur des œuvres narratives de
l'Antiquité grecque ou latine ou du Moyen Âge selon
leur adéquation à des règles de proportion et de
convenance. L'unité d'action autorise des histoires
secondaires et réside dans l'adresse technique avec
laquelle elles sont insérées dans l'histoire principale, et
non dans le rapport étroit entre les histoires que l'on
rencontre dans le roman. De même, la règle de l'unité
de temps veut que la durée de l'intrigue principale ne
dépasse pas une année, mais autorise des épisodes
bien antérieurs à cette temporalité. Dans *Zayde*,
l'action principale est constituée par le cheminement
de Consalve, qui cherche à connaître et retrouver
Zayde. La quête s'achève par la réintégration du héros
dans la cour de León [2] et par son mariage avec la
femme qu'il aime. Cette action principale est pro-
longée par des récits enchâssés répartis en six épisodes, et que la typographie détache de façon
significative : chaque histoire secondaire est précédée
d'un titre écrit en lettres capitales, et séparée du reste
du récit par un espacement. Les deux premiers épisodes interviennent dans la première partie. La
deuxième partie du roman s'ouvre par un récit destiné
à informer le héros sur ce qui s'est passé à la cour de
León depuis son départ. Puis trois histoires ont pour
fonction d'apprendre à Consalve, en même temps
qu'au lecteur, qui est Zayde, si elle aime Consalve, et
si celui-ci a un rival. En ce sens, pour ce qui est de la
« disposition du roman », « les règles de l'art sont
observées avec grande exactitude » [3].

---

1. Sur l'influence des romans grecs au XVIIᵉ siècle, voir L. Plazenet, *L'Ébahissement et la délectation. Réception comparée et poétiques du
roman grec en France et en Angleterre aux XVIᵉ et XVIIᵉ siècles*, Honoré
Champion, « Lumière classique », 1997.
2. Mme de Lafayette écrit « Léon », en francisant.
3. J. de Segrais, *Segraisiana…*, *op. cit.*, p. 10.

Structure du roman

ÉTAPES DU RÉCIT	NARRATEUR ET MODE DE NARRATION	PAGES
Début de l'histoire principale	Narrateur principal ; troisième personne du singulier.	49-66
Histoire de Consalve	Consalve ; première personne du singulier	67-105
Suite de l'histoire principale	Narrateur principal ; troisième personne du singulier.	105-126
Histoire d'Alphonse et de Bélaire	Alphonse ; première personne du singulier.	126-151
Suite de l'histoire principale	Narrateur principal ; troisième personne du singulier.	151-160
Histoire de Don Garcie et d'Hermenesilde	Don Garcie ; première personne du singulier.	160-164
Suite de l'histoire principale	Narrateur principal ; troisième personne du singulier.	164-189
Histoire de Zayde et de Félime	Félime ; première personne du singulier.	189-232
Histoire d'Alamir, Prince de Tarse	Félime ; troisième personne du singulier.	201-227
Suite de l'histoire principale	Narrateur principal ; troisième personne du singulier.	232-234
Suite de l'Histoire de Félime et de Zayde	Don Olmond ; troisième personne du singulier.	234-249
Suite et fin de l'histoire principale	Narrateur principal ; troisième personne du singulier.	249-267

L'intrigue principale découvre au lecteur Consalve, le héros, en disgrâce et obligé de se retirer dans un lieu reculé et secret, où il est accueilli par un compagnon d'infortune, Alphonse, et où un peu plus tard Zayde fait naufrage. En raison des histoires insérées qui viennent l'interrompre, la trame de l'histoire principale est composée de six étapes, qui toutes ont trait au parcours du héros, Consalve, et à ses amours avec Zayde. La première rapporte la naissance et le développement de la passion chez Consalve et s'étend sur sept jours, durée qui est indiquée et même soulignée ; le septième jour, Consalve devient jaloux et reconnaît ainsi qu'il aime Zayde. Il rapporte alors à Alphonse ses aventures antérieures et la raison pour laquelle il avait pris la résolution de ne plus s'attacher à une femme. La deuxième étape développe les relations entre Zayde et Consalve qui, ne parlant pas la même langue, sont contraints à une communication indirecte. La disparition soudaine et inexpliquée de Zayde laisse le héros désespéré et, pour lui prouver la relativité de sa souffrance, Alphonse lui raconte ses propres aventures. Dans la troisième étape, Consalve prend la décision de partir à la recherche de Zayde, ignorant absolument où elle se trouve ; de passage à Tortose, il l'entend sans la voir puis la voit sans pouvoir lui parler, avant d'être capturé par les troupes de don Garcie qui le ramènent à la cour. Un récit fait par le nouveau roi l'instruit des changements politiques survenus en son absence, et lui rend son statut initial. Puis, lors de la quatrième étape, le héros retrouve Zayde, sauve le père de celle-ci, puis blesse en duel son rival, Alamir. La première partie de l'histoire de Zayde lui apprend qu'il n'a pas de rival aimé, sinon le portrait d'un jeune homme qui lui ressemble, et la deuxième, qu'il est aimé de Zayde. Entre les deux, la cinquième étape montre les incertitudes du héros qui ne sait pas encore s'il est aimé. Enfin, la sixième et dernière étape lui permet de trouver la clé de l'énigme et d'obtenir la main de sa maîtresse.

L'« Histoire de Consalve » constitue un retour en arrière destiné à expliquer au lecteur les raisons pour lesquelles Consalve a quitté la cour et recherche la solitude. Consalve y raconte comment, après avoir été le favori du prince et l'amoureux d'une des plus belles jeunes filles de la cour, il est tombé en défaveur et a découvert que celle dont il se croyait aimé et ses amis l'avaient trahi. Il a pris alors le parti de quitter le monde, sans illusions sur une société où la sincérité semble avoir disparu. Cette histoire, relatée par Consalve à la première personne, se caractérise par la

diversité des modes de narration. Elle s'ouvre par un
long dialogue en style direct entre le prince, son favori
et l'ami de celui-ci : ce débat de casuistique amoureuse entre trois personnages qui représentent trois
types d'amoureux annonce les aventures à venir. Le
récit de la découverte que fait le héros de la trahison
de ses amis fait quant à lui l'objet d'une amplification
dramatique, quelques heures étant relatées en plusieurs pages. Mais surtout, l'« Histoire de Consalve »
introduit un ensemble de références qui construisent
l'unité de l'œuvre : le portrait de Consalve, l'opposition entre deux théories de l'amour (l'amour-estime,
dont nous est rapporté l'échec, et l'amour-passion), et
surtout la dichotomie entre être et paraître. En effet,
l'histoire s'ouvre sur l'harmonie trompeuse qui régit
les rapports du héros, alors persuadé que les apparences sont l'expression d'une réalité, avec le roi, le
prince, la femme aimée, son ami. Mais cette belle harmonie est détruite au terme de son récit, qui exprime
la discordance entre être et paraître dont le héros a fait
l'expérience. En ce sens, cette histoire, qui apparaît
comme un simple récit rétrospectif, éclaire l'intrigue
principale en justifiant l'attitude de Consalve à l'égard
de Zayde et sa méfiance vis-à-vis de l'amour : les
aventures qu'elle relate permettent d'éprouver la vali-
dité des théories énoncées initialement, et conduisent
à un examen où la valeur même de la sincérité est mise
en cause.

L'« Histoire de Don Garcie et Hermenesilde » a
un rôle fonctionnel et informatif. En effet, don Garcie
rapporte au héros les événements qui ont eu lieu
depuis son départ : la façon dont, avec l'aide des
comtes de Castille, il s'est rebellé contre le roi et a pris
le pouvoir après avoir épousé la sœur de Consalve,
puis les recherches qu'il a menées pour retrouver
celui-ci.

L'« Histoire de Zayde et de Félime » et la « Suite
de l'Histoire de Félime et de Zayde » constituent également des retours en arrière, mais sur des modes différents. La première a pour narratrice Félime, qui

raconte son enfance aux côtés de Zayde, leur rencontre avec Alamir, et sa passion malheureuse pour le
prince de Tarse. Elle confère une place particulière
aux scènes de rencontre et met au jour le caractère
irrationnel de la passion. La romancière démasque
l'erreur qu'il y a à croire qu'il est possible de soumettre les puissances affectives du moi au contrôle de
la raison. Félime-narratrice découvre et rapporte elle-
même cette erreur tragique, puis le narrateur en
montre la fin funeste dans l'intrigue centrale.

La « **Suite de l'Histoire de Félime et de Zayde** »
a pour narrateur don Olmond, qui relate ce qu'il a
« appris de Félime dans leur dernière conversation » à
l'intention de Consalve et du roi. L'intérêt de ce passage réside dans la manière nouvelle dont Mme de
Lafayette exploite l'histoire insérée. Le récit que le
narrateur avait fait de la rencontre de Consalve et de
Zayde du point de vue de Consalve est repris depuis
le début, sous un nouvel angle, éclairé par les vues
objectives de Félime, la confidente de Zayde. Les
informations fournies par le récit de Félime permettent alors de corriger les perceptions fallacieuses de
Consalve, en révélant les vrais sentiments et les
mobiles de Zayde (explication de ses pleurs, de ses
regards, de la lettre qu'elle écrivait).

Les deux autres récits intercalés diffèrent par leur
autonomie, puisqu'ils ne servent pas à compléter le
récit incomplet de l'histoire principale, ainsi que par
leur durée synthétique, car tous deux rapportent les
principaux éléments de la vie d'un personnage.

L'« **Histoire d'Alphonse et de Bélasire** » est un
récit rétrospectif fait par Alphonse à Consalve. Introduit à la manière d'un défi, il est justifié par sa valeur
exemplaire : « Si vous trouvez quelque consolation,
continua-t-il, d'apprendre par mon exemple, que vous
pourriez être plus infortuné que vous ne l'êtes ; je
veux bien vous raconter les accidents de ma vie,
quelque douleur que me puisse donner un si triste
souvenir » (p. 125). Contrairement à Consalve, le narrateur-personnage est ici responsable de son propre

malheur, puisque, par sa jalousie maladive, il a
détourné de lui la jeune fille qu'il aimait et tué l'ami
par lequel il croyait être trompé. La jalousie, omnipré-
sente dans le roman, prend ici une signification
particulière : elle est considérée à la fois comme un
élément inhérent à l'amour, comme une source de
souffrance et comme une tare. L'usage de l'imparfait,
temps de la répétition, marque la nature obsession-
nelle du caractère jaloux : « Je ne lui donnais plus de
repos ; je ne pouvais plus lui témoigner ni passion ni
tendresse ; j'étais incapable de lui parler que du
Comte de Lare » (p. 132). Les actions d'Alphonse,
dont le caractère maladif est souligné par le recours à
des formules itératives (« encore une fois », « pas pour
la dernière fois », « tant de fois », « toutes les fois », « les
nuits entières »), permettent ainsi de dessiner, à partir
d'une situation particulière, le type du jaloux.

L'« **Histoire d'Alamir, Prince de Tarse** », insérée
dans l'« Histoire de Zayde et de Félime », est rapportée
par Félime, qui tient son information de Mulziman, le
compagnon d'Alamir. C'est le seul cas où un narrateur
second introduit un troisième niveau de narration,
enchâssant une histoire à l'intérieur d'une histoire
insérée. La narratrice en souligne d'ailleurs la nécessité
en préambule : « Je ne vous en dirai pas tout le détail,
parce qu'il serait trop long, je vous apprendrai seulement ce qui est nécessaire pour vous faire connaître
Alamir et mon malheur. » La narratrice commence par
énoncer une maxime de conduite programmatique : « il
ne cherchait que le plaisir d'être aimé ; celui d'aimer lui
était inconnu ». Puis son propos est intégralement
consacré à montrer comment Alamir, dans la période
qui a précédé sa rencontre avec Zayde, multipliait les
aventures et n'avait de cesse de séduire toutes les
femmes qu'il rencontrait. La répétition des expressions
« être aimé », « aimer » ou « se faire aimer » rapportées à
Alamir (vingt-six occurrences) fait ainsi le portrait du
Maure en séducteur, courant de proie en proie et
jamais satisfait.

Unité et complexité

Une telle construction par enchâssement pose la question du point de vue adopté dans *Zayde*. Lorsque le narrateur présente lui-même des aventures, il lui appartient de les arranger dans l'ordre le plus naturel ; en revanche, dans un récit à la première personne, l'omniscience seule permet une narration concise et ordonnée, mais elle risque d'être suspecte du point de vue de la vraisemblance. L'« Histoire d'Alphonse et de Bélasire », épisode le plus moderne du roman, est le seul cas où le narrateur-personnage se cantonne au point de vue qui était le sien comme personnage. Dans tous les autres récits à la première personne, le *je* du narrateur-personnage adopte paradoxalement une position omnisciente. Ainsi Félime, qui rapporte les aventures d'Alamir, connaît-elle les pensées de toutes les femmes séduites par Alamir et les mobiles de leur action ; elle fait ainsi sien le point de vue de ces femmes souffrantes. Dans l'« Histoire de Consalve », Consalve-narrateur souligne son caractère de narrateur omniscient et de personnage, bipartition normalement incompatible : « Je ne vous redirai point tout ce qu'il [Don Olmond] me dit ; parce que je vous en ai déjà raconté la plus grande partie, pour donner quelque ordre à mon récit. Ce fut par lui que j'appris toutes les choses, que j'avais ignorées dans le temps qu'elles se passaient, comme vous l'avez pu juger » (p. 104). Le narrateur commente ici la technique romanesque utilisée : le lecteur n'a pas découvert l'histoire de Consalve dans l'ordre confus où celui-ci l'a vécue, mais dans l'ordre qu'il lui a donné en la racontant avec le triple recul du temps qui s'est passé depuis les événements, d'une connaissance complète des faits et des sentiments, et de leur mise en forme à l'intention d'un auditeur. Mais, souvent, ce point de vue apparemment omniscient révèle au lecteur la profonde méconnaissance de soi des personnages. En effet, les récits rétrospectifs, en particulier ceux d'Alphonse et de Consalve, sont censés montrer la prise de conscience que les aventures ont permise chez ces personnages. Néanmoins, ils font souvent douter le lecteur de la connaissance de soi et d'autrui qu'a engagée cette prise de conscience : Alphonse comprend-il Bélasire, et se comprend-il lui-même, lorsqu'il rapporte à Consalve sa vie passée ?

L'autre problème posé par cette structure d'enchâssement est celui de l'unité de la narration et de la matière du récit, puisque le schéma narratif du roman contraint le narrateur principal à s'effacer devant des narrateurs seconds. Après avoir présenté l'époque et le cadre, après avoir fait l'éloge de Consalve et conté les circonstances de la rencontre de Consalve et d'Alphonse, ainsi que de celle de Zayde, le narrateur premier se tait pour ne reparaître que dans de brefs commentaires, dans les liaisons entre les histoires, puis dans le dénouement. L'unité du récit tient néanmoins à la continuité de cette narration principale, et à la façon dont elle reprend à son compte les informations ou la leçon des histoires insérées. La seule façon dont le narrateur suscite des attentes de la part du lecteur consiste donc apparemment dans les effets d'annonce qu'il se permet, ou dans les conclusions qu'il tire des faits. Par exemple, lorsque, au début du récit, le héros se réfugie dans un lieu isolé, le narrateur aiguise la curiosité du lecteur par un avertissement : «Voilà donc Consalve établi dans cette solitude, avec la résolution de n'en sortir jamais : le voilà abandonné à la réflexion de ses malheurs, où il ne trouvait d'autre consolation que de croire qu'il ne pouvait plus lui en arriver : mais la Fortune lui fit voir qu'elle trouve jusque dans les déserts ceux qu'elle a résolu de persécuter » (p. 56).

D'autres éléments tendent à tisser une trame unique. Dans une matière aussi discontinue et faisant appel à un si grand nombre de personnages, des marques d'unité transparaissent par le biais de situations amoureuses qui se répondent, se répètent et s'opposent. Toutes les histoires font une grande place à la jalousie, qu'elle soit ressentie (Consalve, Alphonse) ou inspirée (Alamir), et la passion, peinte à sa naissance ou à son terme, conduit systématiquement les personnages à des attitudes extravagantes. Une autre constante est la difficulté qu'éprouvent hommes et femmes à communiquer. Par exemple, dans la première partie, l'amour et la jalousie rendent plus difficile l'interprétation de la réalité puisque Consalve, qui ignore la langue de Zayde et donc ne peut l'interroger, est poussé à saisir le moindre indice comme preuve de ses pressentiments. Mais, surtout, les effets de ressemblance, marqués par les travestissements de sexes, les échanges d'identité et plus encore la similitude des destins, jouent un rôle primordial : plusieurs femmes font retraite pour échapper à la souffrance des passions (Bélasire, Naria, Elsibery), plusieurs hommes mus par l'ambition connaissent un revers de fortune. L'unité de *Zayde* tient aussi au fait que les personnages ne sont pas étrangers les uns aux autres. Les deux histoires les plus éloignées de l'intrigue principale, celles d'Alphonse et d'Alamir, sont toutes deux rapportées à l'intention de Consalve et ont pour effet de le mettre en garde. Enfin, l'ensemble du récit converge vers un secret qui ne peut être éclairci qu'au dénouement, et à la résolution duquel tous les éléments concourent.

En ce sens, unité ne signifie pas simplicité, comme c'est le cas dans *La Princesse de Clèves*, mais plutôt ingéniosité : l'écriture est un art de l'orchestration qui invite le lecteur à démêler les fils, à anticiper, à être surpris par un effet qui n'avait pu être deviné. La lecture nécessite de peser et surtout de comparer chaque comportement et fait appel à l'art du déchiffrement [1].

UNE « HISTOIRE ESPAGNOLE »

Le titre *Zayde* est une référence immédiatement repérable par les contemporains à un roman espa-

---

1. F. Gevrey, *L'Esthétique de Mme de Lafayette*, Sedes, 1997, p. 45-52.

gnol publié en 1595 et traduit en français en 1608, *L'Histoire des guerres civiles de Grenade* de Perez de Hita, qui met en scène un personnage nommé Zayde. Ce titre introduit donc à un univers espagnol, l'effet étant redoublé par le sous-titre, qui annonce une « histoire » à la matière espagnole.

L'importance de l'Espagne dans la vie politique et littéraire au XVIIe siècle est significative. Après le traité des Pyrénées (1659), qui met fin à la guerre opposant depuis le siècle précédent les Bourbon aux Habsbourg, et qui réconcilie la France et l'Espagne, le jeune roi Louis XIV épouse l'infante Marie-Thérèse. Les échanges entre la France et l'Espagne, déjà fréquents depuis le début du siècle, se multiplient. De nombreux lettrés connaissent l'espagnol ; si ce n'est sans doute pas le cas de Mme de Lafayette, Segrais en revanche maîtrise et apprécie cette langue. L'influence de la littérature espagnole est remarquable : tragédie et comédie se mettent à l'école de l'Espagne en s'inspirant des œuvres de Calderón et de Lope de Vega. Quant à *L'Histoire des guerres civiles de Grenade*, où sont exposées les mœurs de deux peuples étrangers, les Espagnols et les Maures, elle repose sur un héroïsme chevaleresque et une atmosphère de galanterie qui marquent le roman héroïque (les ouvrages de La Calprenède et surtout *Almahide* des Scudéry), tandis que la nouvelle historique en reprend les mœurs raffinées (*Mathilde d'Aguilar* de Mlle de Scudéry, puis les ouvrages de Mme de Villedieu, de Mme de Gomez et de Mme de La Roche-Guilhen) [1]. En regard de ces œuvres, qui empruntent à Perez de Hita les mœurs mais aussi le cadre historique, *Zayde* fait exception : ce n'est pas Grenade et l'Andalousie du XVe siècle que Mme de Lafayette élit – peut-être parce que les événements liés à la chute

---

1. Dans le domaine romanesque, il faut également signaler l'influence très significative de *Don Quichotte*, traduit en 1614-1618, qui connut un grand succès tout au long du siècle en France et dont de nombreux romanciers reprennent les procédés.

de Grenade sont désormais bien connus de ses contemporains –, mais le royaume de León aux IXᵉ et Xᵉ siècles.

En qualifiant son ouvrage d'« histoire », Mme de Lafayette s'inscrit par ailleurs dans la lignée d'un ensemble d'auteurs qui refusent le terme « roman » ou lui préfèrent des dénominations qui ne mettent pas en avant le caractère fictionnel de l'œuvre. Le terme, susceptible de désigner à la fois un simple récit de faits et une narration historique, ne présume pas le caractère historique de l'ouvrage. Mais, tout comme les auteurs qui l'ont précédée, la romancière inscrit son œuvre dans un cadre historique bien défini : l'action se déroule en Espagne au tournant des IXᵉ et Xᵉ siècles, et s'étend à partir de la fin de la première partie à l'ensemble du bassin méditerranéen. Cette inscription historique est fondée sur des sources précises. En effet, la romancière s'appuie sur l'*Histoire générale d'Espagne* (1592) du jésuite Mariana, l'*Histoire générale d'Espagne* de Mayerne-Turquet (1597) et *L'Afrique* de Marmol, traduite par Perrot d'Ablancourt (1667). Les emprunts sont nombreux et permettent d'établir assez précisément les lectures faites par la romancière. Ils s'assortissent néanmoins d'une grande liberté dans le traitement des faits et dans l'identité des personnages, comme il apparaît dans le tableau suivant ainsi que dans la table des personnages (p. 284).

Si l'*incipit* du roman peut faire penser qu'il s'agit d'un texte historique, la romancière, qui renverse la chronologie des événements et surtout crée des personnages fictifs et des situations proprement romanesques, n'a pas cherché à le faire passer pour une relation historique. Certains des personnages sont assurément empruntés à l'histoire d'Espagne, comme ceux des comtes de Castille, du roi Alphonse III et de ses fils, ou encore du prince Alamir. Mais les besoins de la fiction entraînent une grande liberté dans le traitement de l'histoire.

Faits et chronologie dans *Zayde*	Chronologie historique
« ainsi cent cinquante ans après l'entrée des Maures, plus de la moitié de l'Espagne se trouvait délivrée de leur tyrannie » (p. 49)	La conquête a lieu vers 710, donc l'action du roman se situerait vers 860.
« De tous les Princes chrétiens qui y régnaient alors, il n'y en avait point de si redoutable qu'Alphonse Roi de Léon, surnommé le Grand » (p. 49)	Le règne d'Alphonse III s'étend en fait de 866 à 910.
« la fameuse bataille que le Roi de Léon gagna contre Ayola » (p. 66)	Cette bataille se situe durant l'année 910, sous le règne de Garcie Ier, après l'abdication d'Alphonse III, celui-ci étant lieutenant de son fils. Il meurt en décembre 910. Mme de Lafayette situe donc cette bataille bien avant sa date réelle.
« Don Ordogno son frère s'en alla en Biscaye. Il fut aussi malheureux dans son voyage, que le Roi fut heureux dans le sien. Don Ordogno fut défait, et pensa être tué ; et le Roi défit les Maures, et les contraignit de demander la paix » (p. 86)	Certains chroniqueurs chrétiens relatent un raid effectué par Ordogno contre les territoires musulmans en 901. Les Maures, conduits par Ibn-al-Kitt, attaquent Zamora le 10 juillet 901. Alphonse III les repousse et l'emporte.
Nugnez Fernando consent au mariage de don Garcie avec sa fille à condition que celui-ci se révolte contre son père. Alphonse III se retire à Zamora.	Alphonse III fait enfermer son fils Garcie, trop ambitieux. Ses autres fils et Nugnez Fernando l'obligent à abdiquer. Alphonse III se retire à Zamora en 910.
« Abdérame Roi de Cordoue, successeur d'Abdallah, vint lui-même s'opposer au Roi de Léon. Il s'approcha de Talavera dans l'espérance de faire lever le siège. Don Garcie avec le Prince Ordogno son frère, prit la plus grande partie de l'armée pour l'aller combattre, et laissa Consalve avec le reste pour continuer le siège » (p. 166) L'action se passe entre 910 et 914.	Prise de Talavera contre Abderrahman III en 918, par Ordogno. Garcie est mort au moment des faits.
« le Roi de Léon […] avait arrêté leur victoire, et les avait repoussés jusques aux portes d'Almaras ; en sorte qu'il ne restait de leur armée que l'infanterie où était Abdérame, et que Consalve venait d'attaquer » (p. 175)	On ne sait de quelle bataille il s'agit. Garcie n'a jamais été l'adversaire d'Abderrahman III (912-961), mais d'Abdallah, son prédécesseur.

Les noms sont changés (Sulla Bella, la fille du comte de Castille Diego Porcellos, devient Nugna Bella), et beaucoup de personnages sont inventés ou empruntés à *L'Histoire des guerres civiles de Grenade* de Perez de Hita (Zayde, mais aussi sans doute Alamir et Zuléma) [1]. La bataille d'Almaras, le seul fait militaire à être décrit assez longuement, et dont aucun historien ne fait mention, est manifestement relatée d'après la bataille de Rocroi, qui, le 19 mai 1643, opposa les armées du roi de France – sous les ordres de Louis de Bourbon, duc d'Enghien (le futur Grand Condé) – et celles de l'Espagne. On retrouve dans le roman le déroulement remarquable de celle-ci : victoire d'une aile, défaite de l'autre, changement de front du général victorieux tournant court contre l'infanterie, décharges des gens de trait, trois attaques, assaut final et clémence du vainqueur entouré de ses ennemis qui l'admirent, le tout en quelques heures. Consalve, qui se couvre de gloire à plusieurs reprises dans des combats contre les Maures, n'est pas sans faire penser à Condé. Le choix même de la cour de León tient peut-être à ce que les intrigues menées par les comtes de Castille ressemblent à celles des grands de la Fronde. Ainsi le mariage de Consalve et de Nugna Bella déplaît-il au roi, qui prend « pour une affaire d'État ce qui n'était en effet que de l'amour » (p. 75). Mêler passé proche et histoire lointaine est d'ailleurs un procédé destiné à rendre plaisante une histoire généralement peu connue, que l'on rencontre tout au long du siècle dans le roman.

L'histoire espagnole est librement remaniée à l'intention du public français. Cela explique le parti pris chrétien, qui conduit la romancière à exalter la vaillance des Espagnols et à narrer leurs victoires en un temps de domination arabe : à la barbarie des Maures, elle oppose la magnanimité et la grandeur chevaleresque des Espagnols (Consalve sauve Zuléma, épargne Alamir à deux reprises, et se montre généreux à l'égard des vaincus à Almaras) ; à l'impiété et au penchant pour le

---

1. Voir la table des personnages, p. 284-288.

plaisir des premiers, elle oppose le goût de l'introspection philosophique des seconds. L'exotisme du roman correspond également à la conception que la cour de Louis XIV se faisait de l'Espagne : magnificence des tenues des dames maures, mœurs grandioses (échange de présents sous forme de parfums d'Arabie, esclaves qui accompagnent les dames, coutume des bains, cérémonies rituelles, jeux et courses de chevaux). Autre élément topique, les thèses soutenues par les Espagnols ou les Orientaux ainsi que les sentiments qui les animent sont toujours forts : les personnages se distinguent par des pensées catégoriques, des points de vue intransigeants, des décisions impérieuses, des sentiments vifs. Le personnage d'Alamir, qui est impulsif, volage, cruel, ardent, est d'ailleurs directement emprunté à l'imagerie mauresque. Tous ces éléments, qui relèvent de la représentation traditionnelle et renvoient à l'imaginaire collectif, sont néanmoins peu exploités par la romancière, et confèrent au récit une couleur locale peu déterminante pour sa signification, à la différence des autres récits mauresques de la période. La dimension épique est également peu exploitée, et le recours y est bien moindre que chez Perez de Hita ou que dans *Almahide* des Scudéry. Ici, de simples allusions établissent la valeur guerrière des héros : le duel entre Consalve et Alamir n'est présenté que par la grandeur des combattants et le nombre de leurs blessures ; le siège de Talavera n'est décrit qu'allusivement, pour mentionner les « actions incroyables » de Consalve ; seule la bataille d'Almaras fait l'objet d'une description étendue.

MAGNIFICENCE ET GALANTERIE

Grandeur et fortune des personnages

Après la découverte de Zayde et de sa compagne sur le rivage, Consalve s'écrie : « Alphonse, que pensez-vous de ces deux personnes ? À en juger par leurs habits, *elles sont d'un rang au-dessus du commun* : comment se sont-elles exposées sur la mer dans une petite barque, ce n'est point dans un grand vaisseau qu'elles ont fait naufrage ? Celle que vous avez amenée à Zayde lui a appris une nouvelle, qui lui a donné beaucoup de douleur ; enfin *il y a quelque chose d'extraordinaire dans leur fortune* [1] » (p. 59-60). Le héros évoque deux éléments qui peuvent retenir l'attention du lecteur : le caractère remarquable des aventures de Zayde et de sa compagne, et le fait que leur extraction noble se lit sur leurs habits, sur leurs traits et dans leurs gestes.

À la lecture du roman, l'on est attentif à la grandeur des protagonistes qui, conformément à la tradition du roman héroïque, sont tous de haut rang. L'ensemble des actions de Consalve concourt à élaborer un système de valeurs héroïques : il recherche la gloire et défend son honneur, est capable de clémence face à ses ennemis, et épargne même son rival. Néanmoins, la romancière fait élection de personnages principaux qui, s'ils sont des princes et des grands, ayant accès au monde de la cour et susceptibles d'en montrer l'éclat, ne font pas partie, à l'exception de don Garcie et de Zayde, d'une famille royale, au pouvoir et à la richesse sans limite : le personnage de Consalve est inventé à partir d'un personnage historique ; celui d'Alphonse est également fictif, mais son nom, « un des plus illustres de la Navarre », donne à ses aventures un vernis de grandeur historique. La marge de manœuvre est alors plus grande que lorsqu'il s'agit de souverains, et, surtout, cela rend plausible le fait que Consalve, le fils d'un comte de Castille, à la suite d'un revers de

---

1. Nous soulignons. Consalve utilise la même expression plus loin dans le roman, toujours à propos de Zayde, mais sans la reconnaître, lorsque, après avoir surpris à Tortose une conversation entre celle-ci et Félime, il juge « qu'il y [a] quelque chose d'extraordinaire dans sa fortune » (p. 153).

fortune, perde tout à la fois ses richesses et son statut de favori lorsque son père est dessaisi de ses charges.

L'autre trait, plus remarquable encore, de ces personnages est leur caractère extraordinaire. En effet, tout au long du roman s'élabore une opposition entre le comportement ordinaire de ceux qui ne sont pas nommés et dont on ne rapporte pas les aventures (Consalve mentionne « l'inégalité ordinaire des jeunes gens », p. 84), et la fortune extraordinaire des personnages de premier plan. Le terme « extraordinaire » est d'ailleurs omniprésent dans le texte. Il peut servir à qualifier l'apparence extérieure de personnages : les enfants de Nugnez Fernando sont « d'une beauté extraordinaire », Alphonse et Consalve éprouvent l'un et l'autre lorsqu'ils se rencontrent le sentiment de leur valeur réciproque, et le premier ressent aussitôt le désir de « savoir qui était une personne qui lui paraissait si extraordinaire » (p. 50 et 54). Mais, plus qu'elle ne livre une description physique ou extérieure des personnages, Mme de Lafayette montre en eux l'infléchissement des qualités morales et le paroxysme des sentiments. Nugna Bella, chez laquelle l'ambition est à son comble, éprouve pour son ancien amant une « haine extraordinaire » ; Nugnez Fernando, afin de faire valoir toute sa valeur, est emporté par son ambition, et éprouve « le désir de faire quelque chose d'extraordinaire » (p. 104 et 85). La notion d'extraordinaire caractérise en particulier Alphonse et Consalve. La rencontre d'Alphonse et de Bélasire, qui fait penser à celle de la princesse de Clèves et de Nemours, où une reconnaissance immédiate révèle réciproquement aux deux personnages leur nature hors du commun, est en elle-même inédite ; puis la « conquête si extraordinaire », la « chose si admirable et si nouvelle » qu'il y a à se faire aimer d'une femme qui n'a jamais aimé attirent Alphonse dans une quête insatiable d'absolu (p. 129 et 134). Alphonse dénonce sa propre « extravagance » : « Mon emportement, et ma colère, avaient été au dernier degré, sur les trahisons que j'avais découvertes » ; il voit dans sa vie passée le « comble

des malheurs » (p. 52). Le cas de Consalve est différent : tout son récit conduit à prouver qu'il est élu
pour le malheur : « Quelle destinée que la mienne, dit-
il en lui-même ? » ; son interlocuteur Alphonse note
également le « malheur si extraordinaire » qui l'affecte
(p. 157 et 65). Néanmoins, un ensemble de traits
montrent dès le début qu'il est le héros et, comme tel,
qu'il relève d'une destinée héroïque. La rencontre de
Zayde, les mises en garde d'Alphonse, ses succès militaires et les retournements de situation en sa faveur
vont dans ce sens et le dotent d'une fortune hors du
commun. Seul le dénouement, en permettant de
découvrir des causes humaines derrière la fortune,
rendra Consalve à une humanité ordinaire.

Roman et galanterie

L'influence galante explique, dans les romans de
Mme de Lafayette, et en particulier dans *Zayde*, la présence de formes héritées de la mondanité : maximes,
questions galantes, conversations, lettres et portraits.
Les lettres, au nombre de six dans le roman, sont insérées selon l'usage qui a cours jusqu'alors dans les
romans : elles sont systématiquement introduites par
un titre et détachées du récit par l'usage de l'italique.
Mais il ne s'agit pas, comme dans *L'Astrée* ou dans les
romans de Mlle de Scudéry, de leur conférer le statut
d'ornement du discours voire de modèle d'écriture
épistolaire [1]. Ici, les lettres sont toutes brèves et ont un

---

1. Dans ces romans, lettres et poésies, en très grand nombre, sont
généralement repérables au moyen d'une table située en fin
d'ouvrage, et acquièrent une certaine indépendance par rapport au
récit. Elles sont destinées non seulement à distraire le lecteur par le
biais de formes et de styles qui se distinguent de ceux de la narration, mais également à proposer des modèles d'écriture épistolaire
ou poétique, à la façon des manuels, dont le lecteur peut s'inspirer
ou qu'il peut reproduire dans sa propre correspondance. Voir
M.-G. Lallemand, *La Lettre dans le récit. Étude de l'œuvre de Mlle de
Scudéry*, Tübingen, Gunter Narr Verlag, Biblio 17, 2000.

statut purement informatif (en particulier les deux
lettres adressées par don Olmond à Consalve), qui se
double d'une fonction dramatique pour deux d'entre
elles : la lettre de Nugna Bella à don Ramire, qui ne
parvient pas au destinataire escompté et dévoile à
Consalve la trahison dont il est l'objet, ainsi que celle
de Bélasire à Alphonse, qui annonce à celui-ci la rupture dont il est la cause.

Les maximes, proscrites par les théoriciens de la fin
du siècle pour leur fonction trop manifestement
didactique [1], sont néanmoins assez nombreuses dans
les romans de Mme de Lafayette, où elles servent à
exprimer une *doxa* sur les passions et de ce fait se rat-
tachent au désir d'énoncer une vérité persuasive sous
une forme généralisante. *Zayde* est fréquemment
ponctué de phrases qui rappellent les *Maximes* de La
Rochefoucauld, tant par la morale qu'elles transmet-
tent que par leur formulation. La maxime y fonc-
tionne le plus souvent comme un principe d'explication et, placée entre deux signes de ponctuation, elle
permet de faire passer d'une cause à une conséquence
dans le domaine psychologique :

> Le cœur de Don Ramire n'était pas d'une trempe à
> résister aux caresses d'un Prince, dont il voyait qu'il allait
> devenir le favori : l'amitié, et la reconnaissance, se trouvè-
> rent faibles contre l'ambition : il promit au Prince de lui
> garder le secret, et de le servir auprès d'Hermenesilde
> (p. 79-80).

---

1. C'est notamment le cas de Du Plaisir : « Il n'est point ici de
maxime, ni de politique, ni de morale. On ne parle point par
sentences ; l'on n'ajoute plus même de réflexions générales à une description, ou un récit. [...] Je crois cependant qu'il est une occasion, où
un trait de cette sorte est très agréable ; c'est lorsqu'au lieu d'avoir cet
air de maxime pour instruire, il a celui d'une autorité pour servir de
preuve » (*Sentiments sur l'histoire*, 1683, dans *Poétiques du roman. Scudéry, Huet, Du Plaisir et autres textes théoriques et critiques du XVIIe siècle
sur le genre romanesque*, éd. C. Esmein, Honoré Champion, « Sources
classiques », 2004, p. 776-777). Cette règle ne correspond pas à la
pratique des auteurs de nouvelles historiques, qui recourent fréquemment aux maximes, en particulier Saint-Réal et Mme de Lafayette.

Je goûtai des délices dans ces commencements, que je n'avais pas imaginées ; et qui n'a point senti le plaisir de donner une violente passion à une personne qui n'en a jamais eu même de médiocre, peut dire qu'il ignore les véritables plaisirs de l'amour (p. 130).

La formule sentencieuse peut également être intégrée dans la phrase :

[...] lorsque je revins à Léon, je connus bien que la gloire ne donne pas le même éclat, que la faveur (p. 86).

Ah ! Zayde, repris-je, ne m'ôtez pas la seule chose qui m'empêche de mourir de douleur : je ne survivrais pas à celle que j'aurais, si Alamir avait appris mes sentiments ; j'en serais inconsolable par le seul intérêt de ma gloire ; mais je le serais encore par l'intérêt de ma passion. Je puis me flatter qu'il m'aimerait, s'il savait que je l'aimasse ; je sais bien néanmoins que l'on n'est pas aimée pour aimer ; mais enfin c'est une espérance, et quelque faible qu'elle soit, je ne veux pas me l'ôter, puisque c'est la seule qui me reste (p. 200).

De telles formules sont utilisées aussi bien par le narrateur que par les personnages, qui y énoncent les maximes de leur propre comportement. L'expression sentencieuse est ainsi le support, à plusieurs moments du récit, d'une véritable théorie amoureuse, le roman se faisant non plus « recueil de beaux endroits » comme L'Astrée et les romans héroïques qui rassemblent lettres, poésies et portraits, mais casuistique amoureuse appliquée.

Les questions galantes constituent la principale inscription de la société de Mme de Lafayette dans Zayde. Cette occupation mondaine consiste, à partir d'une question, en général d'ordre sentimental, à proposer à tour de rôle différentes réponses correspondant au caractère de celui qui l'énonce (amant volage, fidèle, rationnel, passionné, etc.) ; elle connut un grand succès, qu'exploitèrent les romans contemporains. Les lecteurs des romans de Mlle de Scudéry

étaient familiers des longues pauses de l'action durant
lesquelles des personnages examinaient des cas et des
sentiments. Ces conversations, très développées, ont
contribué à l'intérêt et au plaisir pris par les lecteurs
du temps au *Grand Cyrus* ou à *Clélie*. Mme de
Lafayette fait une large place à ce type d'ornement
dans *La Princesse de Clèves* et dans *Zayde*. L'« Histoire
de Consalve » est ainsi entièrement conditionnée par
la conversation qui l'ouvre : Consalve, le prince et don
Ramire, y exposent trois points de vue distincts sur la
naissance de l'amour, qui apparaissent comme autant
de présages de la suite du récit, constituant elle-même
la réponse à ces questions initialement posées. De la
même façon, on peut considérer que l'« Histoire
d'Alphonse et de Bélasire » sert d'illustration à la question galante suivante : est-on plus malheureux
lorsque, comme le jaloux Alphonse, on est la cause de
son infortune, ou lorsque, comme le fidèle et droit
Consalve, on est trompé par sa maîtresse et ses amis ?
De plus, les questions d'amour ont un rôle essentiel
dans *Zayde* en ce qu'elles font le lien entre les divers
comportements, et rapprochent les situations par des
effets de miroir. Mais surtout, elles répondent aux
préoccupations des milieux mondains du siècle, le
salon de la marquise de Sablé se passionnant à
l'époque à laquelle Mme de Lafayette entreprend
Zayde pour des questions galantes qui trouvent, pour
plusieurs d'entre elles, une réponse dans le roman de
Mme de Lafayette : « Si une grande jalousie est signe
d'un plus grand amour ? », « Si l'on peut avoir de
l'amour pour une personne qui en a pour un autre ? »,
ou encore « Si un homme peut être aussi violemment
amoureux d'une femme, qu'il sait avoir aimé un autre,
que d'une qui n'a jamais rien aimé [1] ? »

---

1. Voir N. Ivanoff, *La Marquise de Sablé et son salon*, Les Presses
modernes, 1927, p. 138. Ces analyses portent sur une période
autour de 1667, les questions font partie d'une liste soumise par le
marquis de Sourdis à la marquise de Sablé (Portefeuilles Vallant,
BNF : F. fr. 17049, f. 39).

Les grands romans de Mlle de Scudéry présentaient de nombreux portraits dans lesquels elle exaltait les qualités de ses amis ; la société des années 1640-1650 avait aimé chercher les clés et lire ces portraits héroïcisés comme ceux des principales figures du temps. On trouve dans *Zayde* des survivances de cet usage : Alain Niderst propose de voir en Nugna Bella une transposition de Mme de Châtillon, là où d'autres l'interprètent comme une image de Mme de Longueville ; l'hypothèse a été faite que le modèle d'Alphonse serait La Rochefoucauld ; le mariage de Nugna Bella avec un prince allemand dévot pourrait être une allusion à celui d'Isabelle de Montmorency avec le duc de Mecklembourg. Par ailleurs, plusieurs analyses montrent que la bataille d'Almaras est décrite à partir de la victoire de Condé à Rocroi [1]. Enfin, deux conversations, qui opposent l'amour-passion et l'amour d'inclination, reflètent le point de vue des Précieuses sur l'amour et le mariage. Dans l'une, qui réunit Alphonse et Bélasire, celle-ci dit refuser le mariage car la possession éteint l'amour ; dans l'autre, qui oppose Consalve à don Ramire et don Garcie, le premier soutient l'opinion de l'hôtel de Rambouillet – autrement dit du salon le plus prestigieux à l'époque où écrit Mme de Lafayette – sur l'amour de connaissance. Ces conversations semblent en outre s'inspirer d'une conversation de *Clélie* entre Clélie, Horace et Aronce sur l'origine de l'amour, à cette différence près que Mlle de Scudéry donne la préférence à l'amour de connaissance (l'homme qu'aime Clélie, Aronce, est son frère adoptif), tandis que Mme de Lafayette juge l'amour profondément irrationnel [2]. Autant d'indices

---

1. Voir J. Hanse, *Rocroi, Le Grand Cyrus, Zayde et Bossuet*, Louvain, extrait des *Lettres romanes*, t. VIII, 1954, p. 115-138, et C. Achour, « Traditions françaises et influence hispano-mauresque dans *Zaïde* de Mme de Lafayette », *Cahiers algériens de Littérature comparée*, n° 2, 1967, p. 37-65.
2. Voir Mlle de Scudéry, *Clélie, histoire romaine*, Première partie (1654), éd. Ch. Morlet-Chantalat, Honoré Champion, « Sources classiques », 2001, livre I, p. 112-118.

qui orientent le regard vers l'entourage de Monsieur le
Prince et vers le temps de la Fronde.

Le roman, dont les aventures célèbrent « toute la
galanterie des Maures, et toute la politesse d'Espagne »,
correspond donc à un pacte de lecture galant et à une
littérature conçue comme morale, honnête et ingé-
nieuse à la fois, n'ayant d'existence que dans le cadre
d'une pratique mondaine, et étant tributaire de l'organisation des rapports sociaux et politiques [1].

DE L'ÉCONOMIE DU RÉCIT À LA MORALE DE L'ŒUVRE

À l'origine du clair-obscur qui caractérise *Zayde*,
réside la suppression de l'instrument naturel de la
communication, le langage parlé. En effet, toute la
première partie rapporte la passion immédiate de
Consalve pour un être dont on ne sait rien et avec qui
l'échange est nécessairement indirect, passant par des
regards, des gestes et des pleurs. La suite du récit
dévoilera que ce langage des signes était mal interprété
par chacun des deux interlocuteurs. L'originalité du
roman tient à cette situation de départ, où les deux
héros se retrouvent arrachés à leur passé, placés hors
du temps et du monde, et privés de toutes les ressources de la rhétorique. Or l'ensemble du récit va
leur révéler, comme aux lecteurs, que « ce n'[est] pas
toujours assez de pouvoir être entendu, pour se déterminer à se vouloir faire entendre » (p. 169).

Une esthétique du non-dit : obscurité et dévoilement

Zayde propose une galerie de types amoureux et
fournit un grand nombre de discours sur la passion.

---

1. Voir D. Denis, *Le Parnasse galant. Institution d'une catégorie littéraire au XVIIe siècle*, Honoré Champion, « Lumière classique »,
2001, p. 19 et *passim*.

Le roman apparaît en ce sens comme porteur d'un savoir. En effet, ses personnages se répartissent en différentes catégories : femmes fidèles (Elsibery), femmes de raison (Bélasire, Zayde), hommes dépravés (don Ramire, qui ne peut aimer qu'une femme qu'il ôterait à un autre ; Alamir, qui ne veut de maîtresse que désintéressée), hommes et femmes passionnés (don Garcie, Consalve, Félime) et surtout jaloux (Alamir et Alphonse, selon lequel « On est jaloux sans sujet [...] quand on est bien amoureux [1] », p. 111). Or, en dépit de cette typologie *a priori* simple, les personnages se révèlent incapables de deviner les sentiments d'autrui, et ce n'est qu'une fois instruits par les événements qu'ils les comprennent : ainsi de Félime sur Alamir, d'Alphonse sur Bélasire ou de Consalve sur Zayde. Ce dernier cas est le plus développé, d'autant que le narrateur souligne l'erreur d'analyse qui conduit le personnage à se convaincre de ce qu'il croit voir : « Il s'imagina alors que les larmes qu'il lui voyait verser, étaient pour un amant qui avait péri ; que c'était peut-être pour le suivre, qu'elle s'était exposée au péril de la mer ; et enfin il crut savoir, comme s'il l'eût appris d'elle-même, que l'amour était la cause de ses pleurs » (p. 62). Le roman propose néanmoins un savoir sur la passion, mais par le biais du narrateur ou de narrateurs seconds qui peuvent rétrospectivement lire dans les pensées. Par exemple, à plusieurs reprises, des personnages s'attachent aux modalités de la naissance de la passion, et répondent par là à une question énoncée par Nugna Bella : « Avons-nous du pouvoir sur le commencement, ni sur la fin de nos passions ? » (p. 87-88) :

---

1. Il réitère cette opinion dans un dialogue avec Bélasire : « Non, me dit-elle, je ne connais aucun des sentiments de l'amour. – Quoi pas même la jalousie, lui dis-je ? – Non pas même la jalousie, me répliqua-t-elle. – Ah ! Si cela est, madame, lui répondis-je, je suis persuadé que vous n'avez jamais eu d'inclination pour personne » (p. 129).

Après s'être un peu remis, il fit réflexion sur ses sentiments ; mais plus il en fit, et plus il trouva que son cœur était engagé. Il connut alors le péril où il s'était exposé, en voyant si souvent Nugna Bella : il connut que le plaisir qu'il avait trouvé dans sa conversation, était d'une autre nature qu'il ne l'avait cru : enfin il connut son amour, et qu'il avait commencé bien tard à le combattre (p. 88).

On ne peut exprimer ce que [ces] pensées produisirent dans l'âme de Consalve, et le trouble qu'apporta la jalousie dans un cœur, où l'amour ne s'était pas encore déclaré. Il avait été amoureux ; mais il n'avait jamais été jaloux : cette passion qui lui était inconnue se fit sentir en lui, pour la première fois, avec tant de violence, qu'il crut être frappé de quelque douleur, que les autres hommes ne connaissaient point. [...] la pensée de la voir partir, lui donnait déjà une douleur sensible ; enfin, c'était seulement par les douleurs que donne l'amour, qu'il s'apercevait d'en avoir ; et la jalousie et la crainte de l'absence le tourmentaient avant même qu'il connût qu'il était amoureux (p. 62-63).

Dans les deux cas, le personnage découvre un sentiment qui était déjà présent en lui avant qu'il le formule. Il connaît la nature de ses sentiments *a posteriori*, alors même qu'il n'est plus temps de les combattre.

Une telle connaissance *a posteriori* est symptomatique de la stratégie narrative de Mme de Lafayette [1] : la tension dramatique, que l'auteur ménage tout au long de son roman en n'éclairant qu'après coup la signification des paroles et des actes de ses héros, pique la curiosité du lecteur, et se trouve redoublée par l'interprétation le plus souvent erronée que le héros fait des événements. Pour la plupart des personnages, la connaissance vient trop tard : Consalve tombe amoureux à son insu et ne prend conscience de ses sentiments pour Zayde que lorsque son cœur est déjà engagé ; Félime, de même, apprend que l'on ne peut résister à une passion installée alors qu'elle est

---

1. Voir R. Francillon, *L'Œuvre romanesque de Mme de Lafayette*, José Corti, 1973, p. 69.

déjà éprise d'Alamir. Cette incapacité à connaître à temps se traduit dans la structure même de l'œuvre, où le récit principal, présenté dans la perspective de Consalve, n'est éclairé qu'après coup par les confidences des divers personnages intercalées sous la forme d'histoires secondaires. Ce qui n'est que procédé formel chez des romanciers comme La Calprenède ou Madeleine de Scudéry prend ainsi chez Mme de Lafayette une véritable signification : cette technique exprime sa conception de l'homme, condamné à ne voir clair en lui qu'après coup, et toujours partiellement.

À ce clair-obscur du récit concourt également la puissance trompeuse de l'imagination, qui conduit à interpréter les pensées des autres en l'absence de preuves. Plusieurs personnages dénoncent les interprétations douteuses ou erronées auxquelles ce procédé mène [1]. Ainsi Alphonse critique-t-il Consalve lorsque celui-ci interprète sans indice le comportement de Zayde : « Je veux, repartit Alphonse, que vous ne pensiez pas des choses si peu vraisemblables, et qui vous donnent tant de douleur » (p. 118). Ainsi également Bélasire reproche-t-elle à Consalve d'être persuadé qu'il a un rival : « – Peut-on avoir perdu la raison au point que vous l'avez perdue, me répondit Bélasire ? Songez-vous bien à vos paroles ? Vous dites que Don Manrique me parle pour vous ; qu'il est amoureux de moi ; et qu'il ne me parle point pour lui ; où pouvez-vous prendre des choses si peu vraisemblables ? N'est-il pas vrai, que vous croyez, que je vous aime, et que vous croyez que Don Manrique vous aime aussi ? » (p. 142). Alphonse et Bélasire invitent par là à ne pas porter de jugement trop hâtif, et font du roman une école de déchiffrement des signes.

Le portrait est à l'image de l'œuvre, combinant l'énigme et la prophétie. Ce tableau, qui ressemble étrangement à Consalve et dont Zayde est persuadée par une fausse prédiction qu'il représente l'homme

---

1. Voir G. Hautcœur, « *Zaïde* de Mme de Lafayette ou les hésitations du genre romanesque au XVIIᵉ siècle », art. cit., p. 55-57.

qu'elle doit aimer, reste mystérieux jusqu'à la fin du roman. L'on apprend alors que c'est un portrait de Consalve habillé en Maure que son père a perdu dans une campagne, que le père de Zayde a acquis, et qu'un astronome, connaissant les visées de celui-ci pour sa fille, a fait passer pour le portrait d'un prince arabe auquel Zayde était destinée. Ce portrait, « pivot de l'intrigue » selon Jean Rousset [1], est à l'origine de l'énigme qui règne jusqu'au dénouement. L'héroïne explique le fait qu'elle n'a pas reconnu Consalve dans son portrait par le caractère providentiel de la rencontre d'un homme ressemblant à ce portrait : « Il m'a paru extraordinaire d'avoir trouvé un homme qui ressemble à ce portrait, et d'avoir senti de l'inclination pour lui » (p. 240). Ce n'est donc pas la nature mystérieuse ou prophétique de cet objet, mais bien son caractère simplement logique, qui a empêché d'en voir le sens, dans un monde où les personnages croient encore que règne la Providence. Le portrait rejoint par là le jeu des apparences auquel tout concourt dans le roman.

Happy end *et pessimisme*

L'« Histoire de Consalve » place au centre du récit le thème, présent dans toute l'intrigue, des apparences trompeuses. Les aventures de Consalve, tout comme l'expérience de la cour de la princesse de Clèves, le conduisent à pratiquer un doute universel, c'est-à-dire à s'interroger sur tout ce qu'il croyait jusque-là. En ce sens, les romans de Mme de Lafayette ont partie liée avec la philosophie de Descartes et en mettent en pratique le scepticisme [2]. Mais les aventures de Consalve et de Zayde modifient la donne et mettent en question

---

1. J. Rousset, *Leurs yeux se rencontrèrent. La scène de première vue dans le roman*, José Corti, 1981, p. 150.

2. Voir P. Force, « Doute métaphysique et vérité romanesque dans *La Princesse de Clèves* et *Zaïde* », *Romanic Review*, vol. 83, 1992, p. 160-176.

la possibilité même de connaître les sentiments d'autrui, leçon que conforte le récit d'Alphonse. La faculté de douter – de la signification des faits et gestes de Zayde, pour Consalve, des sentiments passés et présents de Bélasire, pour Alphonse – apparaît alors comme la plus puissante des sources d'erreur, et devient capacité de se tromper soi-même.

Le scepticisme va de pair avec une conception pessimiste de l'amour, en particulier dans l'« Histoire d'Alamir Prince de Tarse » où, à l'exception de Zoromade, toutes les femmes choisissent la retraite ou la mort. L'amour-propre semble ne jamais être tout à fait étranger à la passion, l'amour n'étant pas un simple élan vers autrui ou un entier don de soi : Alphonse est fier d'être le premier à émouvoir Bélasire, Bélasire souhaite que son amant ne l'oublie pas, Alamir est flatté d'être aimé pour lui-même. On retrouve là des questionnements propres à Mme de Lafayette et à La Rochefoucauld. Alamir – et peut-être Alphonse – illustre un amour de soi qui l'emporte sur tout le reste. Le personnage de Bélasire n'est pas sans lien avec celui de la princesse de Clèves : toutes deux aiment passionnément un homme qui leur rend leur amour, toutes deux le lui avouent, mais finissent par renoncer au mariage par souci de leur devoir et surtout de leur « repos » ; une expérience de la jalousie, quoique de nature différente, les conduit l'une et l'autre à la conclusion que l'amour est impossible. Félime, qui dénonce la faillite du système de valeurs auquel elle avait adhéré en proclamant la spontanéité de la passion, n'a plus qu'à disparaître une fois ses aspirations évanouies, comme le fait Alphonse, et comme le font encore la comtesse de Tende [1] et la princesse de Montpensier.

Cette conception pessimiste de l'amour permet peut-être d'entrevoir ce que recouvre la notion de

---

1. La comtesse de Tende est l'héroïne de la nouvelle du même nom attribuée à Mme de Lafayette et publiée de façon posthume en 1718.

repos, qui clôt *La Princesse de Clèves* et sur laquelle
s'achève l'« Histoire d'Alphonse et de Bélasire ». Bélasire, comme la princesse, congédie l'homme qu'elle
aime en invoquant son « repos » : « comme je vois que
le dérèglement de votre esprit est sans remède, et que
lorsque vous ne trouvez point de sujets de vous tourmenter, vous vous en faites sur des choses qui n'ont
jamais été, et sur d'autres qui ne seront jamais ; je suis
contrainte pour votre repos et pour le mien, de vous
apprendre que je suis absolument résolue de rompre
avec vous, et de ne vous point épouser » (p. 145). En
même temps, elle ne cesse de lui dire qu'elle l'aime
encore, comme le fera la princesse, et de lui signaler le
caractère inouï de son amour : « je n'ai jamais eu
d'inclination pour personne que pour vous, et [...]
vous seul étiez capable de me donner de la passion.
[...] croyez que personne ne sera jamais si uniquement
ni si fidèlement aimé que vous l'avez été »
(p. 145-146). Dans une lettre qu'elle lui adresse ensuite,
où elle invoque à nouveau le « repos » qu'elle recherche,
elle parle de la « vie austère » qu'elle s'apprête à mener
pour y parvenir, tandis que la princesse de Clèves dit
s'apprêter à « [suivre] les règles austères que [son]
devoir [lui] impose [1] ». Le terme « repos » présente à
plusieurs reprises ce sens fort. Consalve, de même,
termine son récit en disant avoir trouvé, dans la solitude avec Alphonse, « le repos, et la tranquillité [qu'il]
avait] perdus » et que la vue de Zayde lui a ôtés ;
Alphonse, dans sa jalousie, soupçonne sa maîtresse
d'aimer suffisamment un autre homme « pour le préférer à [son] repos » ; Zoromade, enfin, reproche à
Alamir, à l'amour duquel elle a renoncé, de « venir
troubler [son] repos » en lui renouvelant des marques
d'intérêt après l'avoir abandonnée (p. 213). Ces différentes occurrences font de la notion de repos une
sorte d'idéal de vie sans passion, ou du moins sans les
troubles et les angoisses qu'elle engendre, soit qu'on
préfère à un amour dévastateur voire mortifère comme

---

1. *La Princesse de Clèves*, éd. cit., p. 228.

celui d'Alphonse une absence d'amour, soit qu'on refuse l'incertitude qui précède l'accomplissement de l'amour, comme Consalve tant qu'il le croit possible avant d'avoir fait l'expérience de la force des passions en rencontrant Zayde. Comme dans *La Princesse de Clèves*, la notion de repos n'est pas sans lien avec la religion, quoique leur relation demeure obscure : Bélasire, de même que la princesse, se retire dans un couvent, mais sans que l'on sache si elle y cherche un simple lieu éloigné du commerce des hommes ou si cela correspond à une quête spirituelle. Entre religiosité et sagesse antique, le lecteur ne peut trancher.

Au dénouement tragique de cette histoire insérée répondent les autres histoires secondaires dont le narrateur donne parfois le mot de la fin : celle de Consalve, qui conduit le héros à fuir la société, celle d'Alamir, où tous les protagonistes féminins choisissent la solitude ou la religion, celle de Félime, qui conduit au désespoir et à la mort. Elles sont autant de facettes d'une même vision du monde, selon laquelle les apparences sont mensongères, le beau cachant le laid. Et surtout, la conclusion en est que, dans une société qui accepte tacitement le mensonge, celui qui ne le reconnaît pas ne peut survivre. Il y a là encore un effet de transposition : malgré l'éloignement géographique et temporel, *Zayde*, comme *La Princesse de Clèves* ou les *Maximes* de La Rochefoucauld, est une dénonciation des faux-semblants de la société du temps. Dans un tel contexte, le dénouement heureux de l'intrigue centrale, qui se clôt sur une conversion et un mariage, ne peut qu'étonner le lecteur, qui jusqu'à la fin doute de l'issue des événements. Mais c'est en particulier la perspective apparemment providentialiste présidant au dénouement qui déconcerte. Alors que le lecteur vient d'apprendre que la prédiction faite à l'héroïne [1] n'en était pas une, le père de Zayde s'écrie :

---

1. Elle était promise à un prince arabe, que le portrait était censé représenter.

J'avoue toutefois que cette heureuse résolution n'était pas encore aussi ferme qu'elle le devait être ; mais je me rends à ce que le Ciel fait en ma faveur ; il me conduit, par les mêmes moyens dont j'ai prétendu me servir pour faire épouser à ma fille un homme de ma religion, à lui en faire épouser un de la sienne (p. 266).

Une telle fin va à l'encontre des dénouements romanesques traditionnels, puisque le destin procède ici non d'un oracle, mais de l'amour-passion, d'une inclination à laquelle le père consent. La romancière semble imiter et mettre à distance tout à la fois la reconnaissance par laquelle se terminent souvent les romans héroïques, dans lesquels, au terme d'épreuves et de séparations, les héros apprenaient qu'ils étaient destinés l'un à l'autre avant même de s'aimer. Ici, c'est le hasard de leur parcours qui les a réunis, et leur bonheur n'est pas un don du Ciel, mais le résultat de leurs efforts et de l'acceptation d'un monde de faux-semblants.

Ce dénouement heureux, malgré le scepticisme qui caractérise désormais le héros, pourrait alors suggérer qu'il faut accepter le compromis, comme un sage expédient selon lequel se guider. À l'idéal entrevu dans l'histoire de Consalve, et qui n'était pas atteignable, se substitue une mise en valeur de l'effort vers l'idéal, effort qui reste le seul geste de libération possible. En ce sens, *Zayde* pourrait être le dernier représentant d'un type de roman héritier du roman grec et du roman de chevalerie, illustrant encore la quête cyclique d'un héros valeureux et aimable, mais à travers un monde qu'il sait être fait d'illusions.

Camille ESMEIN-SARRAZIN.

NOTE SUR L'ÉDITION

Il n'y a pas de copie manuscrite de *Zayde*. Le texte que nous donnons à lire est celui de l'édition originale, qui comprend deux volumes (1670 et 1671). L'orthographe en a été modernisée, pour rendre la lecture plus aisée, en revanche nous avons privilégié une grande fidélité à la langue et à la présentation, afin de donner au lecteur moderne une idée aussi précise que possible de la forme matérielle d'un roman au XVIIᵉ siècle.

La modernisation de l'orthographe a impliqué de rares modifications du texte, pour lesquelles le principe a été le suivant : le terme a été corrigé lorsque la grammaire l'imposait, et corrigé entre crochets lorsqu'il était juste grammaticalement mais que l'intelligence du texte rendait nécessaire une modification. On a mis au pluriel tout ce qui méritait de l'être pour respecter l'usage moderne (dans la langue classique, l'accord se fait le plus fréquemment avec le sujet le plus proche, qu'il s'agisse de l'adjectif ou du verbe). Les genres des noms ont été conservés, dans la mesure où il s'agissait d'usages anciens ou poétiques, mais ils ont été modifiés en cas d'erreurs manifestes (comme lorsqu'un pronom ne correspond pas à son antécédent). Tous les autres cas de modifications ont entraîné le recours à des crochets : en cas d'erreur manifeste, ou de problème de terminaison verbale au regard de la concordance des temps, le mot corrigé a été mis entre crochets ; de la même façon, les confusions fréquentes dans la langue classique entre l'article possessif et l'article démonstratif au pluriel (ses/ces) ont été corrigées entre crochets.

En ce qui concerne l'onomastique, les noms de personnages historiques et de lieux ont été modernisés, afin de permettre une bonne compréhension, sauf lorsque l'écart avec le texte original nous a paru trop important (en ce cas, l'orthographe moderne est indiquée dans la table des personnages). Les noms des personnages fictifs n'ont pas été modifiés ; le prénom du personnage éponyme, souvent orthographié « Zaïde » dans la critique moderne, et pour lequel les deux orthographes étaient déjà en concurrence au XVIIe siècle (où parfois l'on rencontrait également « Zahyde »), a été maintenu dans l'orthographe choisie par Mme de Lafayette, qui est celle du personnage de Perez de Hita dans la traduction française que la romancière a pu consulter.

La capitalisation, très fréquente dans le texte original, n'y est pas toujours significative. Néanmoins, certains mots systématiquement pourvus d'une majuscule ont été maintenus sous cette forme, pour respecter la tonalité aristocratique du texte (« Roi », « Prince », « Comte », « Cour », « Royaume », etc.) et l'importance conférée à la providence (« Fortune », « Ciel »).

La ponctuation a été conservée. L'usage en est assez distinct de celui du français moderne : recours fréquent aux deux-points et au point-virgule ; disposition de la ponctuation forte (point d'exclamation, point d'interrogation) après l'incise indiquant le locuteur lorsqu'il y en a une, et non, comme en français moderne, immédiatement après le passage au discours direct (par exemple : « Ah ! Don Olmond, que me demandez-vous, répondit Félime ? » ; « Entre mes mains, s'écria-t-elle ! »). Néanmoins elle ne nuit pas à la compréhension du texte, permettant davantage de respirations mais également d'éclaircissements sur le sens : en témoignent l'usage des deux-points pour précéder une phrase ou une proposition indiquant la causalité, et le recours assez systématique à des virgules devant des propositions complétives ainsi qu'entre des éléments coordonnés. Une telle ponctuation, que l'on peut dire « pneumatique », sert à guider une lecture à haute voix ou à suggérer, à mimer la réalisation vocale, tandis que la ponctuation moderne est, elle, grammaticale. Les seules modifications ont été faites afin de respecter les usages modernes : les majuscules après les deux-points ou le point-virgule ont été supprimées ; en l'absence de point d'interrogation ou de point d'exclamation à la fin d'une question ou d'une exclamation (ce qui tient la plupart du temps à une erreur de typographe), mais également de signe de ponctuation forte à la fin d'une réplique, le signe attendu a été restitué.

En ce qui concerne la disposition du texte, enfin, nous avons conservé la distribution en paragraphes de l'édition originale, car ceux-ci correspondent à une logique et à une organisation. Cela peut donner lieu à de très longs paragraphes, lors d'un dialogue étendu ou d'un raisonnement qui inclut des précisions. Mais la logique qui préside à cette distribution est un élément déterminant la signification de l'œuvre. En revanche, les passages de dialogue ont été présentés selon les règles modernes, ce qui a imposé d'introduire des guillemets et des tirets ne figurant pas dans le texte original.

Un exemplaire de la première partie, conservé à la Bibliothèque nationale de France sous la cote Y2-1568, présente quelques différences avec les autres exemplaires que l'on a pu consulter, malgré une mise en pages et une page de titre identiques ; il s'agit sans doute d'une émission parallèle parue la même année et revue par l'auteur. Les modifications de la ponctuation, peu significatives, n'ont pas été relevées. En revanche les variantes textuelles, en petit nombre, sont signalées en notes, précédées de la mention « *Var.* ».

RÉFÉRENCES DES DICTIONNAIRES
UTILISÉS DANS LES NOTES

FURETIÈRE, Antoine, *Dictionnaire universel*, 1690 (abrégé en « Furetière »).

Dictionnaire de l'Académie, 1694 (abrégé en « *Académie* »).

ZAYDE

Histoire espagnole

Honor pulcherrima ipse tibi [1].

PREMIÈRE PARTIE

L'Espagne commençait à s'affranchir de la domination des Maures : ses peuples qui s'étaient retirés dans les Asturies [2], avaient fondé le Royaume de Léon ; ceux qui s'étaient retirés dans les Pyrénées, avaient donné naissance au Royaume de Navarre : il s'était élevé des Comtes de Barcelone et d'Aragon ; ainsi cent cinquante ans après l'entrée des Maures, plus de la moitié de l'Espagne se trouvait délivrée de leur tyrannie.

De tous les Princes chrétiens qui y régnaient alors, il n'y en avait point de si redoutable qu'Alphonse Roi de Léon, surnommé le Grand. Ses prédécesseurs avaient joint la Castille à leur Royaume : d'abord cette province avait été commandée par des gouverneurs, qui dans la suite des temps avaient rendu leur gouvernement héréditaire ; et l'on commençait à craindre qu'ils ne s'en voulussent faire Souverains. Ils s'appelaient tous Comtes de Castille ; les plus puissants étaient Diégo Porcellos et Nugnez Fernando : ce dernier était considérable par ses grandes terres et par la grandeur de son esprit ; ses enfants servaient encore à soutenir sa fortune [3], et à l'augmenter. Il avait un fils et

---

1. « L'honneur véritable t'en revient, toute belle. »
2. Province du nord-ouest de l'Espagne.
3. Le terme « fortune » est employé dans le roman avec différentes nuances. Il est pris ici au sens d'« avancement et établissement dans les biens, dans les charges, dans les honneurs » (*Académie*). Il peut

une fille d'une beauté extraordinaire : le fils qui s'appelait Consalve, ne voyait rien dans toute l'Espagne qu'on lui pût comparer ; et son esprit et sa personne avaient quelque chose de si admirable, qu'il semblait que le Ciel l'eût formé d'une manière différente du reste des hommes.

Des raisons importantes l'avaient obligé à quitter la Cour de Léon ; et les sensibles déplaisirs [1] qu'il y avait reçus lui avaient inspiré le dessein de sortir de l'Espagne, et de se retirer dans quelque solitude. Il vint dans l'extrémité de la Catalogne à dessein de s'embarquer sur le premier vaisseau qui ferait voile pour une des îles de la Grèce. Le peu d'attention qu'il avait à toutes choses, lui faisait souvent prendre d'autres chemins que ceux qu'on lui avait enseignés : au lieu de passer la rivière d'Èbre à Tortose [2], comme on lui avait dit qu'il le fallait faire [3], il suivit ses bords quasi jusques à son embouchure. Il s'aperçut alors qu'il s'était beaucoup détourné ; il s'enquit s'il n'y avait point de barque ; on lui dit qu'il n'en trouverait pas au lieu où il était ; mais que s'il voulait aller jusques à un petit port assez proche, il en trouverait qui le mèneraient à Tarragone [4]. Il marcha jusques à ce port, il descendit de cheval, et demanda à quelques pêcheurs s'il n'y avait point de chaloupes prêtes à partir.

Comme il leur parlait, un homme qui se promenait tristement le long de la mer, surpris de sa beauté et de sa bonne mine, s'arrêta pour le regarder ; et ayant entendu ce qu'il demandait à ces pêcheurs, prit la parole, et lui dit ; que toutes les barques étaient allées

---

également désigner « l'état, la condition où l'on est » (*Académie*). On le rencontre aussi pour suggérer un « cas fortuit » (*Académie*), heureux ou malheureux. Enfin, il peut désigner le destin.

1. Voir p. 104, note 1.

2. Ville de la province de Tarragone, sur la rive gauche de l'Èbre.

3. En langue classique, dans le cas d'un verbe suivi d'un infinitif, le pronom personnel objet de l'infinitif est placé en général devant le verbe principal plutôt que devant l'infinitif.

4. Ville portuaire de Catalogne, florissante dans l'Antiquité.

à Tarragone ; qu'elles ne reviendraient que le lendemain ; et qu'il ne pourrait s'embarquer que le jour
d'après. Consalve qui ne l'avait point aperçu, tourna
la tête, pour voir d'où venait cette voix, qui ne lui
paraissait pas celle d'un pêcheur. Il fut étonné de la
bonne mine de cet inconnu, comme cet inconnu
l'avait été de la sienne. Il lui trouva quelque chose de
noble et de grand ; et même de la beauté, quoiqu'on
vît bien qu'il avait passé la première jeunesse. Consalve n'était guère en état de s'arrêter à d'autres choses
qu'à ses pensées ; néanmoins la rencontre de cet
inconnu dans un lieu si désert, lui donna quelque
attention ; il le remercia de l'avoir instruit de ce qu'il
voulait savoir ; et il demanda ensuite aux pêcheurs où
il pourrait aller passer la nuit. « Il n'y a que ces
cabanes que vous voyez, lui dit l'inconnu, et vous n'y
sauriez être commodément. – Je ne laisserai pas d'y
aller chercher du repos, reprit Consalve ; il y a
quelques jours que je marche sans en avoir ; et je sens
bien que mon corps en a plus de besoin, que mon
esprit ne lui en laisse. » L'inconnu fut touché de la
manière triste dont il avait prononcé ce peu de
paroles ; et il ne douta point que ce ne fût quelque
malheureux. La conformité qui lui parut dans leurs
fortunes, lui donna pour Consalve cette sorte d'inclination, que nous avons pour les personnes, dont nous
croyons les dispositions pareilles aux nôtres.

« Vous ne trouverez point ici de retraite digne de
vous, lui dit-il ; mais si vous voulez en accepter une
que je vous offre derrière ce bois [1], vous y serez plus
commodément que dans ces cabanes. » Consalve avait
tant d'aversion pour la société des hommes, qu'il
refusa d'abord l'offre que lui faisait cet inconnu ; mais
enfin les instantes prières qu'il lui en fit, et le besoin de
prendre du repos, le contraignirent de l'accepter.

Il le suivit, et après avoir marché quelque temps, il
découvrit une maison assez basse, bâtie d'une manière
simple ; et néanmoins propre et régulière. La cour

---

1. *Var.* : offre proche d'ici

n'était fermée que de palissades de grenadiers, non plus que le jardin qui était séparé d'un bois par un petit ruisseau. Si Consalve eût pu prendre plaisir à quelque chose, l'agréable situation de cette demeure lui en aurait donné. Il demanda à l'inconnu si ce lieu était son séjour ordinaire, et si le hasard ou son choix l'y avaient conduit. « Il y a quatre ou cinq ans que je l'habite, lui répondit-il ; je n'en sors que pour me promener sur le bord de la mer ; et depuis que j'y demeure, je puis vous dire que vous êtes la seule personne raisonnable [1] que j'y ai vue. La tempête fait souvent briser des vaisseaux contre cette côte qui est assez dangereuse ; j'ai sauvé la vie à quelques malheureux, que j'ai retirés chez moi ; mais tous ceux que la Fortune y a conduits n'ont été que des étrangers, avec qui je n'eusse pu trouver de conversation, quand j'en aurais cherché. Vous pouvez juger par le lieu où je demeure, que je n'en cherche pas ; j'avoue néanmoins que je suis sensible au plaisir, de voir une personne comme vous. – Pour moi, repartit Consalve, je fuis tous les hommes ; et j'ai tant de sujet de les fuir, que si vous le saviez, vous ne trouveriez pas étrange, que j'eusse eu tant de peine à accepter l'offre que vous m'avez faite : vous jugeriez au contraire, qu'après les malheurs qu'ils m'ont causés, je dois renoncer pour jamais à toute sorte de société. – Si vous n'avez à vous plaindre que des autres, répliqua l'inconnu, et que vous n'ayez rien à vous reprocher, il y en a de plus malheureux que vous ; et vous l'êtes moins que vous ne pensez. Le comble des malheurs, s'écriat-il, c'est d'avoir à se plaindre de soi-même ; c'est d'avoir creusé les abîmes où l'on est tombé ; c'est d'avoir été injuste et déraisonnable : enfin, c'est d'avoir été la cause des infortunes dont on est accablé. – Je vois bien, reprit Consalve, que vous ressentez les maux dont vous me parlez : mais qu'ils sont différents de ceux qu'on res-

---

1. L'expression désigne non seulement un être doué de raison, mais aussi un être qui se conforme aux règles du code social placé sous l'égide de la raison ; on pourrait la rapprocher de celle d'« honnête homme ».

sent, quand sans l'avoir mérité on est trompé, trahi, et abandonné de tout ce qu'on aimait davantage [1]. – À ce que j'en puis juger, lui repartit l'inconnu, vous abandonnez votre patrie, pour fuir des personnes qui vous ont trahi, et qui sont la cause de vos déplaisirs : mais jugez ce que vous auriez à souffrir, s'il fallait que vous fussiez continuellement avec ces personnes, qui font le malheur de votre vie ; songez que c'est l'état où je suis ; que j'ai fait tout le malheur de la mienne, et que je ne puis me séparer de moi-même, pour qui j'ai tant d'horreur, pour qui j'ai tant de sujet d'en avoir, non seulement par ce que j'en souffre ; mais par ce [2] qu'en a souffert ce que j'aimais plus que toutes choses. – Je ne me plaindrais pas, dit Consalve, si je n'avais à me plaindre que de moi. Vous vous trouvez malheureux, parce que vous avez sujet de vous haïr ; mais si vous avez été aimé fidèlement de la personne que vous aimiez, pouvez-vous ne vous pas trouver heureux [?] Peut-être l'avez vous perdue par votre faute ; mais vous avez au moins la consolation de penser qu'elle vous a aimé, et qu'elle vous aimerait encore si vous n'aviez rien fait qui lui eût pu déplaire. Vous ne connaissez point l'amour, si cette seule pensée ne vous empêche d'être malheureux : et vous vous aimez vous-même plus que votre maîtresse, si vous aimez mieux avoir sujet de vous plaindre d'elle que de vous. – Le peu de part que vous avez sans doute à vos malheurs, répliqua l'inconnu, vous empêche de comprendre quel surcroît de douleur ce vous serait d'y avoir contribué ; mais croyez par la cruelle expérience que j'en fais, que de perdre par sa faute ce qu'on aime, est une sorte d'affliction, qui se fait sentir plus vivement que toutes les autres. »

_____

1. Dans la langue classique, les antécédents de « ce que » et « ce qui » peuvent être des personnes, alors que dans l'emploi actuel on se sert du démonstratif (« celui », « celle », « ceux », « celles » suivis de « que », « qui »).

2. _Var._ : parce que j'en souffre ; mais parce (Les deux graphies coexistent à l'époque, et sont ici possibles avec des nuances de sens différentes.)

Comme il achevait ces paroles, ils arrivèrent dans la maison, que Consalve trouva aussi jolie par-dedans, qu'elle lui avait parue par-dehors. Il passa la nuit avec beaucoup d'inquiétude ; le matin la fièvre lui prit, et les jours suivants elle devint si violente, qu'on appréhenda pour sa vie. L'inconnu en fut sensiblement affligé ; et son affliction augmenta encore par l'admiration, que lui donnaient toutes les paroles, et toutes les actions de Consalve. Il ne put se défendre du désir de savoir qui était une personne qui lui paraissait si extraordinaire : il fit plusieurs questions à celui qui le servait ; mais l'ignorance où cet homme était lui-même du nom et de la qualité de son maître, l'empêcha de satisfaire sa curiosité. Il lui dit seulement qu'il se faisait appeler Théodoric, et qu'il ne croyait pas que ce fût son nom véritable : enfin, après plusieurs jours de fièvre continue, les remèdes et la jeunesse tirèrent Consalve hors de péril. L'inconnu essayait de le divertir des tristes pensées dont il le voyait occupé ; il ne le quittait point : et bien qu'ils ne parlassent que de choses générales, parce qu'ils ne se connaissaient pas encore, ils se surprirent l'un et l'autre par la grandeur de leur esprit.

Cet inconnu avait caché son nom et sa naissance, depuis qu'il était dans cette solitude ; mais il voulut bien l'apprendre à Consalve. Il lui dit, qu'il était du Royaume de Navarre, qu'il s'appelait Alphonse Ximénès ; et que ses malheurs l'avaient obligé de chercher une retraite, où il pût en liberté regretter ce qu'il avait perdu. Consalve fut surpris du nom de Ximénès ; il le connaissait pour un des plus illustres de la Navarre ; et il fut vivement touché de la confiance qu'Alphonse lui témoignait. Quelque raison qu'il eût de haïr les hommes, il ne put s'empêcher d'avoir pour lui une amitié, dont il ne se croyait plus capable.

Cependant sa santé commençait à revenir ; et lorsqu'il se porta assez bien pour s'embarquer, il sentit qu'il ne quitterait Alphonse qu'avec peine. Il lui parla de leur séparation, et du dessein qu'il avait de se retirer aussi dans quelque solitude [1]. Alphonse en fut surpris et affligé ; il s'était tellement accoutumé à la douceur de la conversation de Consalve, qu'il n'en pouvait regarder la perte qu'avec douleur : il lui dit d'abord qu'il n'était pas en état de partir, et il essaya ensuite de lui persuader de n'aller point chercher d'autre désert que celui où le hasard l'avait conduit.

« Je n'oserais espérer, lui dit-il, de vous rendre cette demeure moins ennuyeuse : mais il me semble que dans une retraite aussi longue que celle que vous entreprenez, il y a quelque douceur à n'être pas tout à fait seul. Mes malheurs ne pouvaient recevoir de consolation ; je crois néanmoins que j'aurais trouvé du soulagement, si dans de certains moments j'avais eu quelqu'un avec qui me plaindre. Vous trouverez ici la même solitude, qu'aux lieux où vous voulez aller ; et vous aurez la commodité de parler quand vous le voudrez à une personne, qui a une admiration extraordinaire pour votre mérite, et une sensibilité pour vos malheurs, égale à celle qu'elle a pour les siens.

Le discours d'Alphonse ne persuada pas d'abord Consalve, mais peu à peu il fit de l'impression sur son esprit : et la considération d'une retraite privée de toute sorte de compagnie, jointe à l'amitié qu'il avait déjà pour lui, le fit résoudre à demeurer dans cette maison. La seule chose qui lui donnait de l'embarras, était la crainte d'être reconnu. Alphonse le rassura par son exemple, et lui dit, que ce lieu était tellement éloigné de tout commerce [2], que depuis tant d'années

---

1. Solitude : « Lieu éloigné du commerce, de la vue, de la fréquentation des hommes. [...] En ce sens, on dit d'un lieu qui cesse d'être fréquenté, qu'*il est devenu une solitude*, que *c'est une solitude* » (Furetière). Dans ce passage, les notions de solitude et de retraite sont centrales. Au XVIIᵉ siècle, la retraite consiste en un idéal profane de repos, à l'écart des préoccupations mondaines, qui peut se doubler d'une réflexion chrétienne sur la solitude, état de vie le plus propre à mener à la sainteté.

2. Commerce : « Trafic, négoce de marchandises, d'argent [...]. *Commerce* signifie aussi communication et correspondance ordinaire avec quelqu'un, soit pour la société seulement, soit aussi pour quelques affaires » (*Académie*). C'est ce second sens, fréquent à l'époque classique, que l'on rencontre ici.

qu'il s'y était retiré, il n'avait jamais vu personne qui
l'eût pu reconnaître. Consalve se rendit à ses raisons ;
et après s'être dit l'un à l'autre tout ce que se peuvent
dire les deux plus honnêtes hommes du monde, qui
s'engagent à vivre ensemble, il envoya de ses pierreries
à un marchand de Tàrragone, afin qu'il lui fît tenir les
choses dont il pourrait avoir besoin. Voilà donc Consalve établi dans cette solitude, avec la résolution de
n'en sortir jamais : le voilà abandonné à la réflexion de
ses malheurs, où il ne trouvait d'autre consolation que
de croire qu'il ne pouvait plus lui en arriver : mais la
Fortune lui fit voir qu'elle trouve jusques dans les
déserts ceux qu'elle a résolu de persécuter.

Sur la fin de l'automne, que les vents commencent
à rendre la mer redoutable, il s'alla promener plus
matin que de coutume. Il y avait eu pendant la nuit
une tempête épouvantable ; et la mer qui était encore
agitée, entretenait agréablement sa rêverie. Il considéra quelque temps l'inconstance de cet élément, avec
les mêmes réflexions qu'il avait accoutumé de [1] faire
sur sa Fortune ; ensuite il jeta les yeux sur le rivage, il
vit plusieurs marques du débris d'une chaloupe, et il
regarda s'il ne verrait personne qui fût encore en état
de recevoir du secours. Le soleil qui se levait, fit briller
à ses yeux quelque chose d'éclatant, qu'il ne put distinguer d'abord, et qui lui donna seulement la curiosité de s'en approcher. Il tourna ses pas vers ce qu'il
voyait, et en s'approchant il connut que c'était une
femme magnifiquement habillée, étendue sur le sable,
et qui semblait y avoir été jetée par la tempête. Elle
était tournée d'une sorte qu'il ne pouvait voir son
visage : il la releva pour juger si elle était morte ; mais
quel fut son étonnement, quand il vit au travers des
horreurs de la mort la plus grande beauté qu'il eût
jamais vue. Cette beauté augmenta sa compassion, et
lui fit désirer que cette personne fût encore en état
d'être secourue. Dans ce moment Alphonse qui l'avait
suivi par hasard, s'approcha, et lui aida à la secourir.

---

1. Qu'il avait l'habitude de.

Leur peine ne fut pas inutile, ils virent qu'elle n'était pas morte ; mais ils jugèrent qu'elle avait besoin d'un plus grand secours, que celui qu'ils lui pouvaient donner en ce lieu : comme ils étaient assez proche [1] de leur demeure, ils se résolurent de l'y porter ; sitôt qu'elle y fut, Alphonse envoya quérir des remèdes pour la soulager, et des femmes pour la servir. Lorsque ces femmes furent venues, et qu'on leur eut laissé la liberté de la mettre au lit, Consalve revint dans la chambre, et regarda cette inconnue avec plus d'attention qu'il n'avait encore fait. Il fut surpris de la proportion de ses traits, et de la délicatesse de son visage ; il regarda avec étonnement la beauté de sa bouche, et la blancheur de sa gorge ; enfin, il était si charmé de tout ce qu'il voyait dans cette étrangère, qu'il était prêt de s'imaginer que ce n'était pas une personne mortelle. Il passa une partie de la nuit sans pouvoir s'en éloigner. Alphonse lui conseilla d'aller prendre du repos ; mais il lui répondit qu'il avait si peu accoutumé d'en trouver, qu'il était bien aise d'avoir une occasion de n'en pas chercher inutilement [2].

Sur le matin, on s'aperçut que cette inconnue commençait à revenir, elle ouvrit les yeux ; et comme la clarté lui fit d'abord quelque peine, elle les tourna languissamment du côté de Consalve, et lui fit voir de grands yeux noirs, d'une beauté qui leur était si particulière, qu'il semblait qu'ils étaient faits pour donner tout ensemble du respect et de l'amour. Quelque temps après il parut que la connaissance lui revenait, qu'elle distinguait les objets, et qu'elle était étonnée de ceux qui s'offraient à sa vue. Consalve ne pouvait exprimer, par ses paroles, l'admiration qu'il avait pour elle ; il faisait remarquer sa beauté à Alphonse, avec

---

1. Le terme « proche » a ici, comme souvent dans la langue classique, un usage adverbial, dans lequel il est donc invariable, ce qui explique qu'il ne soit pas accordé.

2. Dans la langue classique, les négations « ne pas », « ne point », « ne jamais », « ne plus » encadrent le plus souvent le verbe à l'infinitif (ou le pronom qui le précède).

cet empressement que l'on a pour les choses qui nous surprennent, et qui nous charment.

Cependant la parole ne revenait point à cette étrangère ; Consalve jugeant qu'elle serait peut-être encore longtemps dans le même état, se retira dans sa chambre. Il ne se put empêcher de faire réflexion sur son aventure. J'admire, disait-il, que la Fortune m'ait fait rencontrer une femme dans le seul état, où je ne pouvais la fuir, et où la compassion m'engage au contraire à en avoir soin : j'ai même de l'admiration pour sa beauté ; mais sitôt qu'elle sera guérie, je ne regarderai ses charmes que comme une chose dont elle ne se servira, que pour faire plus de trahisons, et plus de misérables. Qu'elle en fera, grands dieux ! Et qu'elle en a peut être déjà fait ! Quels yeux, quels regards ! Que je plains ceux qui peuvent en être touchés, et que je suis heureux dans mon malheur, que la cruelle expérience que j'ai faite de l'infidélité des femmes, me garantisse d'en aimer jamais aucune [!] Après ces paroles, il eut quelque peine à s'endormir, et son sommeil ne fut pas long ; il alla voir en quel état était l'étrangère, il la trouva beaucoup mieux ; mais néanmoins elle ne parlait point encore, et la nuit et le jour suivant se passèrent, sans qu'elle prononçât une seule parole. Alphonse ne put s'empêcher de faire voir à Consalve, qu'il remarquait avec étonnement le soin qu'il avait d'elle. Consalve commença à s'en étonner lui-même ; il s'aperçut qu'il lui était impossible de s'éloigner de cette belle personne ; il croyait toujours qu'il arriverait quelque changement considérable à son mal, pendant qu'il ne serait pas auprès d'elle. Comme il y était, elle prononça quelques paroles, il en sentit de la joie et du trouble ; il s'approcha pour entendre ce qu'elle disait ; elle parla encore, et il fut surpris de voir qu'elle parlait une langue, qui lui était inconnue. Néanmoins il avait déjà jugé par ses habits, qu'elle était étrangère ; mais comme ses habits avaient quelque chose de ceux des Maures, et qu'il savait bien l'arabe, il ne doutait point qu'il ne pût s'en faire entendre. Il lui parla en cette langue, et il fut encore plus surpris de voir qu'elle ne l'entendait point : il lui parla espagnol, et italien ; mais tout cela était inutile ; et il jugeait bien par son air attentif et embarrassé, qu'elle ne l'entendait pas mieux : elle continuait néanmoins à parler, et s'arrêtait quelquefois comme pour attendre qu'on lui répondît. Consalve écoutait toutes ses paroles, il lui semblait qu'à force de l'écouter, il pourrait l'entendre [1]. Il fit approcher tous ceux qui la servaient, afin de voir s'ils ne l'entendraient point : il lui présenta un livre espagnol, pour juger si elle en connaissait les caractères, il lui parut qu'elle les connaissait ; mais qu'elle ignorait cette langue. Elle était triste et inquiète ; et sa tristesse, et son inquiétude augmentaient celles de Consalve.

Ils étaient en cet état, quand Alphonse entra dans la chambre, et y fit entrer avec lui une belle personne, habillée de la même façon que l'inconnue. Sitôt qu'elles se virent, elles s'embrassèrent avec beaucoup de témoignage d'amitié : celle qui entrait prononça plusieurs fois le mot de Zayde, d'une manière qui fit connaître, que c'était le nom de celle à qui elle parlait ; et Zayde prononça aussi tant de fois celui de Félime, que l'on jugea bien que l'étrangère qui arrivait se nommait ainsi. Après qu'elles eurent parlé quelque temps, Zayde se mit à pleurer avec toutes les marques d'une grande affliction, et elle fit signe de la main qu'on se retirât. On sortit de sa chambre ; Consalve s'en alla avec Alphonse, pour lui demander où l'on avait rencontré cette autre étrangère. Alphonse lui dit, que les pêcheurs des cabanes voisines l'avaient trouvée sur le rivage, le même jour et au même état qu'il avait trouvé sa compagne. « Elles auront de la consolation d'être ensemble, reprit Consalve ; mais Alphonse, que pensez-vous de ces deux personnes ? À en juger par leurs habits, elles sont d'un rang au-dessus du commun : comment se sont-elles exposées sur la mer dans une petite barque, ce n'est point dans

---

1. Le verbe « entendre » est ici pris dans le sens de « comprendre, pénétrer dans le sens de celui qui parle, ou qui écrit » (Furetière).

un grand vaisseau qu'elles ont fait naufrage ? Celle que vous avez amenée à Zayde lui a appris une nouvelle, qui lui a donné beaucoup de douleur ; enfin il y a quelque chose d'extraordinaire dans leur fortune. – Je le crois comme vous, répondit Alphonse, je suis étonné de leur aventure, et de leur beauté ; vous n'avez peut être pas remarqué celle de Félime ; mais elle est grande, et vous en auriez été surpris, si vous n'aviez point vu Zayde. »

À ces mots ils se séparèrent, Consalve se trouva encore plus triste qu'il n'avait accoutumé de l'être ; et il sentit que la cause de sa tristesse venait de l'affliction, qu'il avait de ne pouvoir se faire entendre de cette inconnue ; mais qu'ai-je à lui dire, reprenait-il en lui-même ; et que veux-je apprendre d'elle ? Ai-je dessein de lui conter mes malheurs ? Ai-je envie de savoir les siens, la curiosité peut-elle se trouver dans un homme aussi malheureux que moi ? Quel intérêt puis-je prendre aux infortunes d'une personne que je ne connais point ? Pourquoi faut-il que je sois triste de la voir affligée ? Sont-ce les maux que j'ai soufferts, qui m'ont appris à avoir pitié de ceux des autres ? Non, sans doute, ajoutait-il, c'est la grande retraite où je suis, qui me fait avoir de l'attention pour une aventure assez extraordinaire en effet ; mais qui ne m'occuperait pas longtemps, si j'étais diverti par d'autres objets.

Malgré cette réflexion, il passa la nuit sans dormir, et une partie du jour avec beaucoup d'inquiétude, parce qu'il ne put voir Zayde : sur le soir, on lui dit qu'elle était levée, et qu'elle venait de prendre le chemin de la mer : il la suivit, et la trouva assise sur le rivage, les yeux tout baignés de larmes. Lorsqu'il s'approcha d'elle, elle s'avança vers lui avec beaucoup de civilité, et de douceur ; il fut surpris de trouver dans sa taille, et dans ses actions, autant de charmes, qu'il en avait déjà trouvé dans son visage : elle lui montra une petite barque, qui était sur la mer, et lui nomma plusieurs fois Tunis, comme s'adressant à lui pour demander qu'on l'y fît conduire. Il lui fit signe en lui montrant la lune, qu'elle serait obéie ; lorsque cet

astre qui éclairait alors aurait fait deux fois son tour.
Elle parut comprendre ce qu'il lui disait, et bientôt
après elle se mit à pleurer.

Le jour suivant elle se trouva mal ; il ne put la voir,
depuis qu'il était dans cette solitude, il n'avait point
trouvé de journée si longue et si ennuyeuse.

Le lendemain, sans en savoir lui-même la cause, il
quitta cette grande négligence, où il était depuis sa
retraite ; et comme il était l'homme du monde le
mieux fait, la simple propreté le parait davantage que
la magnificence ne pare les autres. Alphonse le rencontra dans le bois, et s'étonna de le voir si différent
de ce qu'il avait accoutumé d'être. Il ne put s'empêcher de sourire en le regardant, et de lui dire, qu'il
était bien aise de juger par son habit, que son affliction
commençait à diminuer, et qu'il trouvait enfin dans ce
désert quelque adoucissement à ses malheurs. « Je
vous entends, Alphonse, répondit Consalve, vous
croyez que la vue de Zayde est le soulagement que je
trouve à mes maux ; mais vous vous trompez, je n'ai
pour Zayde que la compassion qui est due à son malheur, et à sa beauté. – J'ai de la compassion pour elle
aussi bien que vous, répliqua Alphonse ; je la plains, et
je voudrais la soulager ; mais je ne suis pas si attaché
auprès d'elle ; je ne l'observe pas avec tant de soin ; je
ne suis pas affligé de ne la point entendre ; je n'ai pas
tant d'envie de lui parler ; je ne fus point hier plus
triste qu'à mon ordinaire, parce qu'on ne la vit point,
et je ne suis pas aujourd'hui moins négligé que de
coutume : enfin, puisque j'ai de la pitié aussi bien que
vous, et que néanmoins nous sommes si différents, il
faut que vous ayez quelque chose de plus. »

Consalve n'interrompit point Alphonse, et il paraissait examiner en lui-même, si tout ce qu'il lui disait
était véritable : comme il était prêt de lui répondre, on
le vint avertir, selon l'ordre qu'il en avait donné, que
Zayde était sortie de sa chambre, et qu'elle se promenait du côté de la mer. Alors sans considérer qu'il allait
confirmer Alphonse dans ses soupçons, il le quitta
pour aller chercher Zayde. Il la vit de loin assise avec

Félime, au même lieu où elles étaient deux jours
auparavant ; il ne put se défendre de la curiosité
d'observer leurs actions ; il crut qu'il en pourrait tirer
quelque connaissance de leurs fortunes : il vit que
Zayde pleurait, il jugea que Félime tâchait de la
consoler ; Zayde ne l'écoutait pas, et regardait toujours vers la mer avec des actions, qui firent penser à
Consalve, qu'elle regrettait quelqu'un, qui avait fait
naufrage avec elle. Il l'avait déjà vue pleurer au même
lieu ; mais comme elle n'avait rien fait qui lui pût mar-
quer le sujet de son affliction, il avait cru qu'elle pleurait seulement de se trouver si éloignée de son pays : il
s'imagina alors que les larmes qu'il lui voyait verser,
étaient pour un amant [1] qui avait péri ; que c'était
peut-être pour le suivre, qu'elle s'était exposée au péril
de la mer ; et enfin il crut savoir, comme s'il l'eût
appris d'elle-même, que l'amour était la cause de ses
pleurs.

On ne peut exprimer ce que [ces] pensées produisirent dans l'âme de Consalve, et le trouble qu'apporta
la jalousie dans un cœur, où l'amour ne s'était pas
encore déclaré. Il avait été amoureux ; mais il n'avait
jamais été jaloux : cette passion qui lui était inconnue
se fit sentir en lui, pour la première fois, avec tant de
violence, qu'il crut être frappé de quelque douleur,
que les autres hommes ne connaissaient point. Il avait,
ce lui semblait, éprouvé tous les maux de la vie, et
cependant il sentait quelque chose de plus cruel, que
tout ce qu'il avait éprouvé. Sa raison ne put demeurer
libre, il quitta le lieu où il était pour s'approcher de
Zayde, dans la pensée de savoir d'elle-même le sujet
de son affliction ; et assuré qu'elle ne lui pouvait
répondre, il ne laissa pas de le lui demander. Elle était
bien éloignée de comprendre ce qu'il lui voulait dire,
elle essuya ses larmes, et se mit à se promener avec lui.

---

1. Amant : « Celui, celle qui aime d'amour une personne d'un
autre sexe » (*Académie*). L'idée de liens illégitimes est absente de ce
terme, comme de celui de « maîtresse », et la réciprocité de sentiments n'est pas impliquée.

Le plaisir de la voir et d'être regardé par ses beaux yeux, calma l'agitation où il était ; il s'aperçut de l'égarement de son esprit, et il remit son visage le mieux qu'il lui fut possible. Elle lui nomma encore plusieurs fois Tunis, avec beaucoup d'empressement, et beaucoup de marques de vouloir y être conduite. Il n'entendait que trop bien ce qu'elle lui demandait ; la pensée de la voir partir, lui donnait déjà une douleur sensible ; enfin, c'était seulement par les douleurs que donne l'amour, qu'il s'apercevait d'en avoir ; et la jalousie et la crainte de l'absence le tourmentaient avant même qu'il connût qu'il était amoureux. Il aurait cru avoir sujet de se plaindre de son malheur, quand il n'aurait fait que s'apercevoir, qu'il avait de l'amour ; mais de se trouver tout d'un coup de l'amour et de la jalousie ; ne pouvoir entendre celle qu'il aimait ; n'en pouvoir être entendu ; n'en rien connaître que la beauté ; n'envisager qu'une absence éternelle, c'étaient tant de maux à la fois, qu'il était impossible d'y résister.

Pendant qu'il faisait ces tristes réflexions, Zayde continuait de se promener avec Félime ; et après s'être promenée assez longtemps, elle alla s'asseoir sur le rocher, et se mit encore à pleurer en regardant la mer ; et en la montrant à Félime, comme si elle l'eût accusée du malheur qui lui faisait répandre tant de larmes. Consalve pour la divertir, lui fit remarquer des pêcheurs, qui étaient assez proches. Malgré la tristesse et le trouble de ce nouvel amant, la vue de celle qu'il aimait, lui donnait une joie qui lui rendait sa première beauté ; et comme il était moins négligé que de coutume, il pouvait avec raison arrêter les yeux de tout le monde. Zayde commença à le regarder avec attention ; ensuite avec étonnement ; et après l'avoir longtemps considéré, elle se tourna vers sa compagne, et lui fit observer Consalve, en lui disant quelque chose. Félime le regarda, et répondit à Zayde avec une action qui témoignait approuver ce qu'elle venait de lui dire. Zayde regardait encore Consalve, et reparlait ensuite à Félime ; Félime en faisait de même ; enfin elles firent

juger à Consalve qu'il ressemblait à quelqu'un qu'elles
connaissaient. D'abord cette pensée ne lui fit aucune
impression ; mais il trouva Zayde si occupée de cette
ressemblance, et il lui parut si clairement, qu'au milieu
de sa tristesse, elle avait quelque joie en le regardant,
qu'il s'imagina qu'il ressemblait à cet amant, qu'elle
lui paraissait regretter.

Pendant tout le reste du jour, Zayde fit plusieurs
actions qui lui confirmèrent son soupçon : sur le soir
Félime et elle se mirent à chercher quelque chose
parmi le débris de leur naufrage : elles cherchèrent
avec tant de soin, et Consalve leur vit tant de marques
de chagrin d'avoir cherché inutilement, qu'il en prit
encore de nouveaux sujets d'inquiétudes [1]. Alphonse
vit bien le désordre de son esprit ; et après qu'ils
eurent reconduit Zayde dans son appartement, il
demeura dans la chambre de Consalve.

« Vous ne m'avez point encore raconté tous vos
malheurs passés, lui dit-il ; mais il faut que vous
m'avouiez ceux que Zayde commence de vous causer.
Un homme aussi amoureux que vous me le paraissez,
trouve toujours de la douceur à parler de son amour ;
et quoique votre mal soit grand, peut-être que mon
secours, et mes conseils, ne vous seront pas inutiles.
– Ah ! Mon cher Alphonse, s'écria Consalve, que je suis
malheureux, que je suis faible, que je suis désespéré ;
et que vous êtes sage d'avoir vu Zayde et de ne l'avoir
pas aimée. – J'avais bien jugé, reprit Alphonse, que
vous l'aimiez ; vous ne voulûtes pas me l'avouer. – Je
ne le savais pas moi-même, interrompit Consalve ; la
jalousie seule m'a fait sentir que j'étais amoureux :
Zayde pleure quelque amant, qui a fait naufrage ; c'est
ce qui la mène tous les jours sur le bord de la mer ; elle
va pleurer au même lieu où elle croit que cet amant a
péri ; enfin, j'aime Zayde, et Zayde en aime un autre ;
et c'est de tous les malheurs, celui qui m'a paru le plus
redoutable, et celui dont je me croyais le plus éloigné.
Je m'étais flatté, que ce n'était peut-être pas un amant

---

1. *Var.* : sujets d'inquiétude.

que Zayde regrettait ; mais je la trouve trop affligée pour en douter ; j'en suis encore persuadé par le soin que je lui ai vu de chercher quelque chose, qui vient sans doute de ce bienheureux amant : et ce qui me paraît plus cruel que tout ce que je viens de vous dire, je ressemble, Alphonse, à celui qu'elle aime ; elle s'en est aperçue en se promenant ; j'ai remarqué de la joie dans ses yeux de voir quelque chose qui l'en fît souvenir : elle m'a montré vingt fois à Félime, elle lui a fait considérer tous mes traits ; enfin elle m'a regardé tout le jour : mais ce n'est pas moi qu'elle voit, ni à qui elle pense ; quand elle me regarde ; je la fais souvenir de la seule chose que je voudrais lui faire oublier : je suis même privé du plaisir de voir ses beaux yeux tournés sur moi, et elle ne peut plus me regarder sans me donner de la jalousie. »

Consalve dit toutes ces paroles avec tant de rapidité, qu'Alphonse ne put l'interrompre ; mais quand il eut cessé de parler : « Est-il possible, lui dit-il, que tout ce que vous m'apprenez soit véritable, et la tristesse où vous vous êtes accoutumé, ne forme-t-elle point l'idée d'un malheur si extraordinaire [?] – Non, Alphonse, je ne me trompe point, répondit Consalve ; Zayde regrette un amant qu'elle aime, et je l'en fais souvenir. La Fortune m'empêche bien de me former des malheurs au-dessus de ceux qu'elle me cause ; elle va au-delà de ce que je pourrais imaginer. Elle en invente pour moi qui sont inconnus aux autres hommes ; et si je vous avais raconté la suite de ma vie, vous seriez contraint d'avouer que j'ai eu raison de vous soutenir que j'étais plus malheureux que vous. – Je n'oserais vous dire, répliqua Alphonse, que si vous n'aviez point de raison importante de vous cacher à moi, vous me donneriez toute la joie que je puis avoir de m'apprendre qui vous êtes ; et quels sont les malheurs que vous jugez plus grands que les miens. Je sais bien qu'il n'y a pas de justice de vous demander ce que je vous demande, sans vous apprendre en même temps quelles sont mes infortunes : mais pardonnez à un malheureux, qui ne vous a pas caché son nom et sa naissance, et qui ne vous cacherait pas ses aventures, s'il vous était utile de les savoir ; et s'il vous les pouvait dire, sans renouveler des douleurs, que plusieurs années ne commencent qu'à peine d'effacer. – Je ne vous demanderai jamais, répliqua Consalve, ce qui pourra vous donner de la peine ; mais je me reproche à moi-même, de ne vous avoir pas dit qui je suis. Quoique j'eusse résolu de ne le déclarer à personne, le mérite extraordinaire qui me paraît en vous, et la reconnaissance que je dois à vos soins, me forcent de vous avouer, que mon véritable nom est Consalve ; et que je suis fils de Nugnez Fernando Comte de Castille, dont la réputation est sans doute parvenue jusques à vous. – Serait-il possible, s'écria Alphonse, que vous fussiez ce Consalve si fameux dès ses premières campagnes, par la défaite de tant de Maures, et par des actions d'une valeur qui a donné de l'admiration à toute l'Espagne ! Je sais les commencements d'une si belle vie, et lorsque je me retirai dans ce désert, j'avais déjà appris avec étonnement, que dans la fameuse bataille que le Roi de Léon gagna contre Ayola, le plus grand capitaine des Maures, vous seul fîtes tourner la victoire du côté des chrétiens ; et qu'en montant le premier à l'assaut de Zamora, vous fûtes cause de la prise de cette place, qui contraignit les Maures à demander la paix [1]. La solitude où j'ai vécu depuis, m'a laissé ignorer la suite de ces heureux commencements : mais je ne puis douter qu'elle n'y réponde. – Je ne croyais pas que mon nom vous fût connu, répondit Consalve ; et je me trouve heureux que vous soyez prévenu en ma faveur, par une réputation que je n'ai peut-être pas méritée. » Alphonse redoubla alors son attention, et Consalve commença en ces termes.

---

1. Reconstruite par Alphonse III en 893, la ville de Zamora fut le lieu d'une bataille entre les Maures et les troupes d'Alphonse en 901.

HISTOIRE DE CONSALVE

« Mon père était le plus considérable de la Cour de Léon, lorsqu'il m'y fit paraître avec un éclat proportionné à sa fortune. Mon inclination, mon âge, et mon devoir, m'attachèrent au Prince Don Garcie fils aîné du Roi. Ce Prince est jeune, bien fait, et ambitieux : ses bonnes qualités surpassent de beaucoup ses défauts ; et l'on peut dire qu'il n'en paraît en lui que ceux, que les passions y font naître. Je fus assez heureux pour avoir ses bonnes grâces, sans les avoir méritées, et j'essayai ensuite de m'en rendre digne par ma fidélité. Mon bonheur voulut que dans la première guerre où nous allâmes contre les Maures, je me trouvasse assez près de sa personne, pour le dégager d'un péril où sa valeur trop inconsidérée l'avait précipité. Ce service augmenta la bonté qu'il avait pour moi. Il m'aimait comme un frère, plutôt que comme un sujet. Il ne me cachait rien, il ne me refusait rien, et il laissait voir à tout le monde, qu'on ne pouvait être aimé de lui, si on ne l'était de Consalve. Une faveur si déclarée, jointe à la considération où était mon père, élevait notre maison à un si haut point, qu'elle commençait à donner de l'ombrage au Roi, et à lui faire craindre qu'elle ne s'élevât trop.

Parmi un nombre infini de jeunes gens, que la faveur avait attachés à moi ; j'avais distingué Don Ramire de tous les autres. C'était un des plus considérables de la Cour ; mais il s'en fallait beaucoup que sa fortune n'approchât de la mienne. Il ne tenait pas à moi que je ne la rendisse égale : j'employais tous les jours le crédit de mon père, et le mien pour son élévation. Je m'étais appliqué avec beaucoup de soin à lui donner part dans les bonnes grâces du Prince ; et lui de son côté par son esprit doux, et insinuant, avait si bien secondé mes soins, qu'il était après moi celui de toute la Cour, que Don Garcie traitait le mieux. Je faisais tous mes plaisirs de leur amitié ; l'un et l'autre éprouvaient déjà le pouvoir de l'amour ; ils me fai-

saient souvent la guerre de mon insensibilité ; et me
reprochaient comme un défaut, de n'avoir point
encore eu d'attachement.

Je leur reprochais à mon tour de n'en avoir point eu
de véritables. "Vous aimez, leur disais-je, ces sortes de
galanteries [1] que la coutume a établies en Espagne :
mais vous n'aimez point vos maîtresses. Vous ne me
persuaderez jamais que vous soyez amoureux d'une
personne, dont à peine vous connaissez le visage, et que
vous ne reconnaîtriez pas, si vous la voyiez en un autre
lieu qu'à la fenêtre, où vous avez accoutumé de la voir.

– Vous exagérez le peu de connaissance, que nous
avons de nos maîtresses, me repartit le Prince ; mais
nous connaissons leur beauté, et en amour c'est le
principal. Nous jugeons de leur esprit par leur
physionomie ; et ensuite par leurs lettres ; et quand
nous venons à les voir de plus près, nous sommes
charmés du plaisir, de découvrir ce que nous ne con-
naissions point encore. Tout ce qu'elles disent a la
grâce de la nouveauté ; leur manière nous surprend ;
la surprise augmente et réveille l'amour : au lieu que
ceux qui connaissent leurs maîtresses, avant que de [2]
les aimer, sont tellement accoutumés à leur beauté, et
à leur esprit ; qu'ils n'y sont plus sensibles quand ils
sont aimés. – Vous ne tomberez jamais dans ce malheur, lui répliquai-je ; mais, seigneur, je vous laisse la
liberté d'aimer tout ce que vous ne connaîtrez point,
pourvu que vous me permettiez de n'aimer qu'une
personne, que je connaîtrai assez pour l'estimer ; et
pour être assuré de trouver en elle de quoi me rendre
heureux, quand j'en serai aimé [3]. J'avoue encore que je

---

1. Galanteries : « les devoirs, les respects, les services que l'on
rend aux dames » (*Académie*).

2. « Avant que de », « devant que de », « à moins que de » suivis de
l'infinitif sont des tournures fréquentes dans la langue classique, là
où dans la langue moderne on attendrait « avant de », « à moins de ».

3. Le futur employé dans le texte, qui souligne la résolution du
héros, a été maintenu. On attendrait néanmoins le conditionnel
dans la langue moderne (je connaîtrais assez, j'en serais aimé), du
fait du statut hypothétique de ces propositions.

voudrais qu'elle ne fût point prévenue en faveur d'un autre amant. – Et moi, interrompit Don Ramire, je trouverais plus de plaisir à me rendre maître d'un cœur, qui serait défendu par une passion, que d'en toucher un, qui n'aurait jamais été touché : ce me serait une double victoire, et je serais aussi bien plus persuadé de la véritable inclination qu'on aurait pour moi ; si je l'avais vue naître dans le plus fort de l'attachement qu'on aurait pour un autre ; enfin ma gloire et mon amour se trouveraient satisfaits d'avoir ôté une maîtresse à un rival. – Consalve est si étonné de votre opinion, lui répondit le Prince ; et il la trouve si mauvaise, qu'il ne veut pas même y répondre : en effet, je suis de son parti contre vous ; mais je suis contre lui sur cette connaissance si particulière qu'il veut de sa maîtresse. Je serais incapable de devenir amoureux d'une personne avec qui je serais accoutumé ; et si je ne suis surpris d'abord, je ne puis être touché. Je crois, que les inclinations naturelles se font sentir dans les premiers moments ; et les passions, qui ne viennent que par le temps, ne se peuvent appeler de véritables passions. – On est donc assuré, repris-je, que vous n'aimerez jamais ce que vous n'aurez pas aimé d'abord. Il faut, seigneur, ajoutai-je en riant, que je vous montre ma sœur, pendant qu'elle n'est pas encore aussi belle, qu'elle le sera apparemment ; afin que vous vous accoutumiez à la voir, et que vous n'en soyez jamais touché. – Vous craindriez donc que je ne le fusse, me dit Don Garcie ? – N'en doutez pas, seigneur, lui répondis-je, et je le craindrais même comme le plus grand malheur, qui me pût arriver. – Quel malheur y trouveriez-vous, repartit Don Ramire ? – Celui, répliquai-je, de ne pas entrer dans les sentiments du Prince : s'il voulait épouser ma sœur, je n'y pourrais consentir par l'intérêt de sa grandeur ; et s'il ne la voulait pas épouser, et qu'elle l'aimât néanmoins, comme elle l'aimerait infailliblement, j'aurais le déplaisir de voir ma sœur la maîtresse d'un maître, que je ne pourrais haïr, quoique je le dusse. – Montrez-la-moi, je vous prie, devant qu'elle me puisse

donner de l'amour, interrompit le Prince ; car je serais
si affligé d'avoir des sentiments qui vous déplussent,
que j'ai de l'impatience de la voir, pour m'assurer moi-
même, que je ne l'aimerai jamais. – Je ne m'étonne
plus, seigneur, dit Don Ramire, en s'adressant à Don
Garcie, que vous n'ayez point été amoureux de toutes
les belles personnes, qui sont nourries dans le Palais,
et avec qui vous avez été accoutumé dès l'enfance :
mais j'avoue que jusques à cette heure j'avais été surpris, que pas une ne vous eût donné de l'amour ; et
surtout Nugna Bella, la fille de Don Diégo Porcellos,
qui me paraît si capable d'en donner. – Il est vrai,
repartit Don Garcie, que Nugna Bella est aimable :
elle a les yeux admirables ; elle a la bouche belle, l'air
noble et délicat ; enfin j'en aurais été amoureux, si je
ne l'eusse point vue, presque en même temps que j'ai
vu le jour. – Mais pourquoi ne l'avez vous pas aimée,
ajouta le Prince, s'adressant à Don Ramire, vous qui la
trouvez si belle ? – Parce qu'elle n'a jamais rien aimé,
répliqua-t-il : je n'aurais eu personne à chasser de son
cœur ; et je viens de vous avouer, que c'est ce qui peut
toucher le mien. C'est à Consalve, continua-t-il, à qui
il faut demander, pourquoi il ne l'a pas aimée ; car je
suis assuré qu'il la trouve belle : elle n'a point d'attachement, et il la connaît il y a déjà longtemps. – Qui
vous a dit que je ne l'aime pas, lui répondis-je en souriant, et en rougissant tout ensemble ? – Je ne sais,
répliqua Don Ramire ; mais à voir comme vous rou-
gissez, je crois que ceux qui me l'ont dit se sont trom-
pés. – Serait-il possible, s'écria le Prince en s'adressant à moi, que vous fussiez amoureux ? Si vous l'êtes,
avouez-le promptement je vous prie ; car vous me
donnerez une joie sensible, de vous voir attaqué d'un
mal, que vous plaignez si peu. – Sérieusement, répliquai-je, je ne suis point amoureux ; mais pour vous
plaire, seigneur, je vous avouerai, que je le pourrais
être de Nugna Bella, si je la connaissais un peu davantage. – S'il ne tient qu'à vous la faire connaître, dit le
Prince, soyez assuré que vous l'aimez déjà. Je n'irai
jamais sans vous chez la Reine ma mère ; je me

brouillerai encore plus souvent, que je ne fais avec le Roi ; afin que le soin qu'elle prend toujours de nous raccommoder l'oblige à me faire aller chez elle à des heures particulières ; enfin, je vous donnerai assez de lieu de parler à Nugna Bella, pour achever d'en devenir amoureux. Vous la trouverez très aimable ; et si son cœur est aussi bien fait que son esprit, vous n'aurez rien à souhaiter. – Je vous supplie, seigneur, lui dis-je, ne prenez point tant de soin de me rendre malheureux ; et surtout, prenez d'autres prétextes pour aller chez la Reine, que de nouvelles brouilleries avec le Roi ; vous savez qu'il m'accuse souvent des choses que vous faites qui ne lui plaisent pas, et qu'il croit que mon père et moi, pour notre grandeur particulière, vous inspirons l'autorité que vous prenez quelquefois contre son gré. – Dans l'humeur où je suis de vous faire aimer de Nugna Bella, repartit le Prince, je ne serai pas si prudent que vous voulez que je le sois : je me servirai de toutes sortes de prétextes pour vous mener chez la Reine ; et même quoique je n'en aie point, je m'y en vais présentement ; et je sacrifierai au plaisir de vous rendre amoureux un soir que j'avais destiné à passer sous ces fenêtres, où vous croyez, que je ne connais personne."

Je ne vous aurais pas fait le récit de cette conversation, dit alors Consalve à Alphonse ; mais vous verrez par la suite, qu'elle fut comme un présage de tout ce qui arriva depuis.

Le Prince s'en alla chez la Reine ; il la trouva retirée pour tout le monde, excepté pour les Dames, qui avaient sa familiarité. Nugna Bella était de ce nombre : elle était si belle ce soir-là, qu'il semblait que le hasard favorisât les desseins du Prince. La conversation fut générale pendant quelque temps ; et comme il y avait plus de liberté qu'à d'autres heures, Nugna Bella parla aussi davantage, et elle me surprit en me faisant voir beaucoup plus d'esprit, que je ne lui en connaissais. Le Prince pria la Reine de passer dans son cabinet, sans savoir néanmoins ce qu'il avait à lui dire. Pendant qu'elle y fut, je demeurai avec Nugna Bella, et plusieurs autres personnes, je l'engageai insensiblement dans une conversation particulière ; et quoiqu'elle ne fût que de choses indifférentes, elle avait pourtant un air plus galant, que les conversations ordinaires. Nous blâmâmes ensemble la manière retirée, dont les femmes sont obligées de vivre en Espagne, comme éprouvant par nous-mêmes que nous perdions quelque chose, de n'avoir pas la liberté entière de nous entretenir. Si je sentis dès ce moment, que je commençais à aimer Nugna Bella, elle commença aussi, à ce qu'elle m'a avoué depuis, à s'apercevoir que je ne lui étais pas indifférent. De l'humeur [1] dont elle était, ma conquête ne lui pouvait être désagréable ; il y avait quelque chose de si brillant dans ma Fortune, qu'une personne moins ambitieuse qu'elle, en pouvait être éblouie. Elle ne négligea pas de me paraître aimable, quoiqu'elle ne fît rien d'opposé à sa fierté naturelle. Éclairé par la pénétration, que donne une amour naissante [2], je me flattai bientôt de l'espérance de lui plaire ; et cette espérance était aussi propre à m'enflammer, que la pensée d'avoir un rival aimé, eût été propre à me guérir.

Le Prince fut ravi de voir, que je m'attachais à Nugna Bella ; il me donnait tous les jours quelque occasion de l'entretenir ; il voulut même que je lui parlasse des brouilleries qu'il avait [3] avec le Roi, et que je lui disse la manière, dont la Reine devait agir, pour le porter aux choses que le Roi désirait de lui. Nugna Bella ne manquait pas de donner ces avis à la Reine ; et lorsque la Reine s'en servait, ils ne manquaient jamais aussi de faire leur effet : en sorte que la Reine ne faisait plus rien dans ce qui regardait le Prince, qu'elle n'en parlât à Nugna Bella, et que Nugna Bella

---

1. Le terme « humeur » a très souvent une dimension morale dans la langue classique. Ici, c'est le caractère ambitieux du personnage qui est suggéré.

2. En français moderne, « amour » est masculin au singulier et masculin ou féminin au pluriel selon les usages. En français classique, il n'est pas rare de le rencontrer au féminin singulier.

3. *Var.* : brouilleries que j'avais

ne m'en rendît compte. Ainsi nous avions de grandes conversations, et dans ces conversations, je lui trouvai tant d'esprit, de sagesse et d'agrément [1] ; et elle s'imagina trouver tant de mérite en moi, et y trouva en effet tant d'amour, qu'il s'alluma entre nous une passion, qui fut depuis très violente. Le Prince voulut en être le confident : je n'avais rien de caché pour lui ; mais je craignais que Nugna Bella ne se trouvât offensée, que je lui eusse avoué qu'elle me témoignait quelque bonté. Don Garcie m'assura, que de l'humeur dont elle était, elle ne s'en offenserait pas : il lui parla de moi ; elle fut d'abord honteuse et embarrassée de ce qu'il lui dit ; mais comme il avait bien jugé, la grandeur du confident la consola de la confidence. Elle s'accoutuma à souffrir qu'il l'entretînt de ma passion ; et reçut par lui les premières lettres que je lui écrivis.

L'amour avait pour nous toute la grâce de la nouveauté ; et nous y trouvions ce charme secret, qu'on ne trouve jamais que dans les premières passions. Comme mon ambition était pleinement satisfaite, et qu'elle l'était même, avant que j'eusse de l'amour ; cette dernière passion n'était point affaiblie par l'autre : mon âme s'y abandonnait comme à un plaisir, qui jusque-là m'avait été inconnu, et que je trouvais infiniment au-dessus de tout ce que peut donner la grandeur. Nugna Bella n'était pas ainsi ; ces deux passions s'étaient élevées dans son cœur en même temps, et le partageaient presque également. Son inclination naturelle la portait sans doute plus à l'ambition qu'à l'amour ; mais comme l'une et l'autre se rapportaient à moi, je trouvais en elle toute l'ardeur, et toute l'application que je pouvais souhaiter. Ce n'est pas qu'elle ne fût quelquefois aussi occupée des affaires du Prince, que de ce qui regardait notre amour : pour moi, qui n'étais rempli que de ma passion, je connus avec douleur, que Nugna Bella était capable d'avoir d'autres pensées. Je lui en fis quelques plaintes ; mais je trouvai que ces plaintes étaient inutiles, ou qu'elles ne produi-

---

1. Agrément : « qualité par laquelle on plaît » (*Académie*).

saient qu'une certaine conversation contrainte, qui me laissait voir, que son esprit était occupé ailleurs. Néanmoins, comme j'avais ouï dire que l'on ne pouvait être parfaitement heureux dans l'amour, non plus que dans la vie, je souffrais ce malheur avec patience. Nugna Bella m'aimait avec une fidélité exacte, et je ne lui voyais que du mépris pour tous ceux qui osaient la regarder : j'étais persuadé qu'elle était exempte des faiblesses, que j'avais appréhendées dans les femmes : cette pensée rendait mon bonheur si achevé, que je n'avais plus rien à souhaiter.

La Fortune m'avait fait naître, et m'avait placé dans un rang digne de l'envie des plus ambitieux : j'étais favori d'un Prince que j'aimais d'une inclination naturelle ; j'étais aimé de la plus belle personne d'Espagne, que j'adorais ; et j'avais un ami, que je croyais fidèle, et dont je faisais la fortune. La seule chose qui me donnait quelque trouble, était de voir de l'injustice dans l'impatience que Don Garcie avait de commander ; et de trouver dans Nugnez Fernando, mon père un esprit inquiet, et porté, comme le Roi l'en soupçonnait, à se vouloir faire une élévation, qui ne laissât rien au-dessus de lui. J'appréhendais de me trouver attaché par les devoirs de la reconnaissance, et de la nature, à des personnes qui voudraient m'entraîner dans des choses, qui ne me paraissaient pas justes. Cependant, comme ces malheurs étaient encore incertains, ils ne me troublaient que dans quelques moments ; et je me consolais à en parler avec Don Ramire, en qui j'avais tant de confiance, que je lui disais jusques à mes craintes, sur les choses les plus importantes, et les plus éloignées.

Ce qui m'occupait alors, était le dessein d'épouser Nugna Bella. Il y avait déjà longtemps que je l'aimais, sans oser en faire la proposition : je savais qu'elle serait désapprouvée par le Roi ; parce que Nugna Bella étant fille d'un des Comtes de Castille, dont on craignait la même révolte, que de mon père, la politique ne voulait pas qu'on les laissât unir par un mariage. Je savais encore, que bien que mon père ne fût point opposé à mon dessein, il ne voudrait pas néanmoins qu'on fît la proposition de mon mariage, de peur d'augmenter les soupçons du Roi : de sorte que j'étais contraint d'attendre quelque conjoncture qui me fût plus favorable ; mais en l'attendant, je ne cachais point l'attachement que j'avais pour Nugna Bella. Je lui parlais toutes les fois que j'en avais l'occasion : le Prince lui parlait aussi très souvent : le Roi remarqua cette intelligence, et prit pour une affaire d'État, ce qui n'était en effet que de l'amour. Il crut que son fils favorisait mon dessein pour Nugna Bella, afin d'unir les deux Comtes de Castille, et de les attacher à ses intérêts : il crut qu'il voulait faire un parti considérable, et se donner une autorité qui balançât la sienne. Il ne douta point que les Comtes de Castille n'entrassent dans ce parti, par l'espérance de se faire reconnaître Souverains ; enfin l'union des deux maisons de Castille lui était si redoutable, qu'il déclara hautement, qu'il ne voulait point que je pensasse à Nugna Bella ; et défendit au Prince de favoriser notre mariage.

Les Comtes de Castille, qui avaient peut-être une partie des intentions dont le Roi les soupçonnait ; mais qui n'étaient pas en état de les faire paraître, nous ordonnèrent de ne plus penser l'un à l'autre. Ce commandement nous donna beaucoup de douleur : le Prince nous promit de faire bientôt changer de sentiments au Roi son père ; il nous engagea à nous promettre une fidélité éternelle ; et se chargea du soin de continuer notre commerce, et de cacher notre intelligence. La Reine qui savait, que bien loin de porter le Prince à la révolte, nous travaillions au contraire à l'en éloigner, approuva les desseins du Prince son fils, et voulut bien les favoriser.

Comme nous ne pouvions plus nous parler en public, nous cherchâmes le moyen de nous parler en particulier. Je pensai qu'il fallait que Nugna Bella changeât d'appartement, et qu'on la mît avec quelque autre des Dames du Palais dans un corps de logis, dont toutes les fenêtres étaient sur une rue détournée, et qui étaient si basses, qu'un homme à cheval y pou-

vait parler commodément. J'en fis la proposition au
Prince ; il la fit approuver à la Reine ; et on l'exécuta
sur quelque prétexte assez vraisemblable. Je venais
quasi tous les jours à cette fenêtre, attendre les
moments, que Nugna Bella me pouvait parler. Quelquefois je m'en retournais charmé des sentiments
qu'elle avait pour moi ; et quelquefois je m'en retournais désespéré, de la voir si occupée des commissions
que la Reine lui donnait. Jusques ici la Fortune ne
m'avait pas montré son inconstance ; mais elle me fit
bientôt voir, qu'elle ne se fixe pour personne.

Mon père qui avait connu les soupçons du Roi,
voulut lui faire voir par une nouvelle marque d'attachement, combien ils étaient injustes : il se résolut de
mettre ma sœur dans le Palais, quelque dessein qu'il
eût pris auparavant de la laisser en Castille. Un sentiment de vanité lui aida à prendre cette résolution : il
fut bien aise de faire voir à la Cour une beauté [1], qu'il
croyait une des plus achevées de toute l'Espagne. Il
était touché plus qu'aucun père ne l'a jamais été de la
beauté de ses enfants ; et en tirait une vanité, qu'on
pouvait appeler une faiblesse dans un homme comme
lui. Il fit donc venir sa fille à la Cour, et elle fut reçue
dans le Palais.

Don Garcie était à la chasse le jour qu'elle y entra ;
il vint le soir chez la Reine, sans avoir vu personne qui
lui en eût parlé ; j'y étais aussi ; mais retiré dans un
endroit, où il ne me voyait pas. La Reine lui présenta
Hermenesilde (c'est ainsi que s'appelait ma sœur), il
fut surpris de sa beauté, et il parut de l'admiration
dans cette surprise. Il dit qu'on n'avait jamais vu en
une même personne de l'éclat, de la majesté, et de
l'agrément ; qu'avec des cheveux noirs on n'avait
jamais vu un si beau teint, et des yeux si bleus ; qu'elle
avait de la gravité avec l'air de la première jeunesse ;

---

1. Beauté : « Il se dit figurément de toutes les choses qui sont
agréables, soit à l'œil et à l'oreille, soit à l'esprit. [...] Il se prend
aussi quelquefois pour la personne même des femmes qui sont
belles » (*Académie*).

enfin, plus il la regardait, et plus il lui donnait de louanges. Don Ramire remarqua cet empressement à louer Hermenesilde ; il n'eut pas de peine à juger que je pensais les mêmes choses que lui ; et me voyant à l'autre bout de la chambre, il m'aborda pour me parler de la beauté de ma sœur. "Je voudrais qu'il n'y eût que vous à la louer", lui dis-je. Comme je prononçais ces paroles, Don Garcie s'approcha par hasard du lieu où j'étais ; il parut étonné de me voir : il se remit néanmoins ; il me parla d'Hermenesilde, et me dit que je ne la lui avais pas dépeinte aussi belle qu'il l'avait trouvée. Le soir on ne parla que d'elle au coucher de ce Prince. Je l'observai avec beaucoup de soin, et je pris pour une confirmation de mes soupçons, de ce qu'il ne la louait pas devant moi aussi hardiment que les autres. Les jours suivants, il ne put s'empêcher de lui parler ; il me parut que l'inclination qu'il avait pour elle l'emportait, comme un torrent, à quoi il ne pouvait résister. Je voulus découvrir ses sentiments sans lui parler sérieusement. Un soir que nous sortions de chez la Reine, où il avait entretenu assez longtemps Hermenesilde ; "Oserais-je vous demander, seigneur, lui dis-je, si je n'ai point trop attendu à vous montrer ma sœur, et si elle n'est point assez belle, pour vous avoir causé de ces surprises, que je craignais ? – J'ai été surpris de sa beauté, me répondit ce Prince ; mais encore que je croie qu'on ne puisse être touché sans être surpris, je ne crois pas, qu'on ne puisse être surpris sans être touché."

L'intention de Don Garcie était de ne me pas répondre plus sérieusement que je lui avais parlé ; mais comme il avait été embarrassé, de ce que je lui avais dit, et qu'il avait senti son embarras ; il y eut un air de chagrin dans sa réponse, qui me fit voir, que je ne m'étais pas trompé. Il jugea bien aussi que je m'étais aperçu des sentiments qu'il avait pour ma sœur ; il m'aimait encore assez pour avoir quelque douleur de s'embarquer dans une chose, dont il savait bien que je serais offensé ; mais il aimait déjà trop Hermenesilde, pour abandonner le dessein de s'en faire aimer. Je ne prétendais pas aussi que l'amitié qu'il avait pour moi, lui fît surmonter l'amour qu'il avait pour elle. Je pensai seulement à prévenir ma sœur sur ce qu'elle devait faire, si le Prince lui témoignait de l'amour, et je lui dis de suivre en toutes choses les conseils de Nugna Bella. Elle me le promit, et je confiai à Nugna Bella, l'inquiétude que j'avais de l'amour de Don Garcie : je lui dis toutes les fâcheuses suites, que j'en appréhendais ; elle entra dans mes sentiments, et m'assura qu'elle s'attacherait si fort auprès d'Hermenesilde, que difficilement le Prince lui pourrait parler. En effet, elles devinrent tellement inséparables, sans qu'il y parût d'affectation, que Don Garcie ne trouvait jamais Hermenesilde sans Nugna Bella. Cet embarras lui donna tant de chagrin, qu'il n'en était pas connaissable ; et comme il avait accoutumé de me dire toutes ses pensées, et qu'il ne me parlait point de celles qui l'occupaient alors, je trouvai bientôt un grand changement dans son procédé.

"N'admirez-vous pas, disais-je à Don Ramire, l'injustice des hommes ? Le Prince me hait, parce qu'il sent dans son cœur une passion qui me doit déplaire ; et s'il était aimé de ma sœur, il me haïrait encore davantage. J'avais bien prévu le mal qui m'arriverait, si elle touchait son inclination ; et s'il ne change point les sentiments qu'il a pour elle, je ne serai pas longtemps son favori, même aux yeux du public ; car dans son cœur je ne le suis déjà plus." Don Ramire était persuadé comme moi de l'amour du Prince ; mais pour m'ôter de l'esprit une chose, qui me donnait de la peine : "Je ne sais, me répondit-il, sur quoi vous vous fondez, pour croire que Don Garcie soit amoureux d'Hermenesilde ? Il l'a louée d'abord, il est vrai ; mais je ne lui ai rien vu depuis, qui paraisse d'un homme amoureux ; et quand il l'aimerait, ajouta-t-il, serait-ce une chose si fâcheuse ? Pourquoi ne la pourrait-il pas épouser ? Ce n'est pas le premier Prince, qui a épousé une de ses sujettes ; il ne saurait en trouver une plus digne de lui ; et s'il l'épousait, quelle grandeur ne serait-ce pas pour votre maison ? – C'est par cette raison même, lui répondis-je, que le Roi n'y consentira jamais : je ne le voudrais pas sans son consentement ; peut-être même que le Prince ne le voudrait pas aussi ; ou qu'il ne le voudrait, ni assez fortement, ni assez longtemps pour l'exécuter. Enfin, c'est une chose qui ne se peut faire ; et je ne veux pas laisser croire au public, que je hasarde la réputation de ma sœur, sur l'espérance mal fondée d'une grandeur où nous ne parviendrons jamais. Si Don Garcie continue à aimer Hermenesilde, je la retirerai de la Cour." Don Ramire fut surpris de ma résolution ; il craignit que je ne me brouillasse avec Don Garcie ; il résolut de lui apprendre mes sentiments ; et il voulut s'imaginer qu'il pouvait les lui découvrir sans mon consentement ; puisque ce n'était que pour mon avantage : mais l'envie de se faire un mérite envers le Prince, et d'entrer dans sa confidence, eut sans doute beaucoup de part à cette résolution.

Il prit son temps pour lui parler seul ; il lui dit qu'il craignait de me faire une infidélité, en lui découvrant mes pensées contre mon intention ; mais que le zèle qu'il avait pour son service l'obligeait à lui apprendre, que je le croyais amoureux de ma sœur, et que j'en avais tant de chagrin, que j'étais résolu de l'ôter de la Cour. Don Garcie fut si frappé du discours de Don Ramire, et de la pensée de voir éloigner Hermenesilde, qu'il lui fut impossible de cacher son premier mouvement : il jugea ensuite, que puisque Don Ramire ne pouvait plus douter de l'intérêt qu'il prenait en ma sœur, il fallait le lui avouer, et l'engager par cette confidence à continuer de l'instruire de mes desseins. Il fut quelque temps à prendre cette résolution ; puis se déterminant tout d'un coup il l'embrassa, et lui avoua qu'il était amoureux d'Hermenesilde. Il lui dit qu'il avait fait ce qu'il avait pu pour s'en défendre en ma considération ; mais qu'il lui était impossible de vivre, sans être aimé d'elle ; qu'il lui demandait son secours, pour lui aider à cacher sa passion, et pour empêcher l'éloignement d'Hermenesilde. Le cœur de Don Ramire n'était pas d'une trempe à résister aux

caresses d'un Prince, dont il voyait qu'il allait devenir
le favori : l'amitié, et la reconnaissance, se trouvèrent
faibles contre l'ambition : il promit au Prince de lui
garder le secret, et de le servir auprès d'Hermenesilde.
Le Prince l'embrassa une seconde fois ; et ils exami-
nèrent ensemble, comme [1] ils se conduiraient dans
cette entreprise.

Le premier obstacle qui leur vint dans l'esprit fut
Nugna Bella, qui ne quittait point Hermenesilde. Ils
résolurent de la gagner ; et quelque difficulté qui leur
parût, par l'étroite liaison qu'elle avait avec moi, Don
Ramire se chargea d'en trouver les moyens. Mais il dit
au Prince, qu'il fallait qu'il travaillât lui-même à
m'ôter la connaissance que j'avais de sa passion ; qu'il
lui conseillait de me dire en riant, qu'il avait été bien
aise de me faire peur pendant quelque temps, pour se
venger des soupçons que j'avais eus d'abord ; mais
que cette peur allait trop loin, qu'il ne voulait pas me
laisser croire plus longtemps, qu'il eût des sentiments
que je pusse désapprouver.

Cet expédient parut bon à Don Garcie, il l'exécuta
aisément ; et comme il savait par Don Ramire les
choses qui m'avaient donné du soupçon, il lui était
aisé de dire qu'il les avait faites exprès, et il m'était
quasi impossible de n'en être pas persuadé. Ainsi je le
fus entièrement ; je me crus mieux avec lui, que je
n'avais jamais été. Je ne laissai pas de penser, qu'il
s'était passé quelque chose dans son cœur, qu'il ne
m'avouait pas ; mais je m'imaginai, que ce n'avait été
qu'une légère inclination, qu'il avait surmontée ; et je
crus même lui en devoir être obligé, comme d'une
chose qu'il avait faite en ma considération. Enfin je
demeurai satisfait de Don Garcie : Don Ramire le fut
beaucoup, de me voir l'esprit dans l'assiette [2] qu'il

---

1. Dans la langue classique, « comme » est fréquemment
employé dans l'interrogation indirecte, alors que la langue moderne
emploie « comment ».

2. Assiette : « se dit figurément de l'état et de la disposition de
l'esprit » (*Académie*).

désirait ; et il commença à penser comme il engagerait Nugna Bella dans la confidence, où il voulait l'embarquer.

Après en avoir à peu près imaginé les moyens, il chercha l'occasion de lui parler ; elle la lui donnait assez souvent, parce qu'elle savait, que je n'avais rien de caché pour lui, et qu'elle pouvait lui parler de tout ce qui nous regardait. Il commença à l'entretenir de la joie, qu'il avait du raccommodement qui s'était fait entre le Prince et moi : "J'en ai beaucoup aussi bien que vous, lui dit-elle, et j'ai trouvé Consalve si délicat sur le sujet de sa sœur, que je craignais qu'il ne se brouillât avec Don Garcie. – Si je croyais, madame, lui répondit-il, que vous fussiez de celles, qui sont capables de cacher quelque chose à leurs amants, lorsqu'il est nécessaire pour leur intérêt, ce me serait un grand soulagement, de parler avec une personne aussi intéressée que vous, dans ce qui regarde Consalve. Je prévois des choses, qui me donnent de l'inquiétude ; vous êtes la seule à qui je les puisse dire ; mais, madame, c'est à condition que vous n'en parlerez pas à Consalve même. – Je vous le promets, lui dit-elle, et vous trouverez en moi, tout le secret que vous pouvez désirer. Je sais que comme il est dangereux de cacher quelque chose à nos amis, il l'est aussi beaucoup de ne leur cacher jamais rien. – Vous verrez, madame, reprit-il, combien il est important de cacher ce que je veux vous dire. Don Garcie vient de donner de nouveaux témoignages d'amitié à Consalve ; il vient de l'assurer, qu'il ne pense plus à sa sœur ; mais je suis trompé, s'il ne l'aime passionnément. De l'humeur dont est ce Prince, il ne peut cacher longtemps son amour ; et de l'humeur aussi dont est Consalve, il n'en souffrira jamais la continuation. Il est infaillible, qu'il se brouillera avec lui, et qu'il perdra entièrement ses bonnes grâces. – Je vous avoue, lui dit Nugna Bella, que j'avais eu les mêmes soupçons ; et que par ce que j'en ai vu, et par de certaines choses que m'a dites Hermenesilde, et que je n'ai pas voulu qu'elle redît à son frère, j'ai eu peine à croire, que ce qu'a fait Don Garcie n'ait été qu'une affectation, et un dessein de faire peur à Consalve. – Vous en avez usé avec beaucoup de prudence, dit Don Ramire, et je crois, madame, que vous ferez bien à l'avenir, d'empêcher Hermenesilde de rien dire à son frère, de ce qui regarde le Prince. Il est inutile et dangereux de lui en parler ; si le Prince n'a qu'une médiocre passion pour elle, il la cachera sans peine ; et par le soin que vous prendrez de conduire Hermenesilde, elle pourra facilement l'en guérir : Consalve n'en saura rien, et ainsi vous lui épargnerez un chagrin mortel, et vous lui conserverez les bonnes grâces du Prince. Si au contraire la passion de Don Garcie est grande et violente, trouvez-vous impossible qu'il épouse Hermenesilde ; et trouveriez-vous, que nous servissions mal Consalve, de lui cacher quelque chose, si le secret que nous lui ferions, pouvait lui donner son Prince pour beau-frère ? Assurément, madame, l'on doit penser plus d'une fois à empêcher l'amour de Don Garcie pour Hermenesilde, et vous y devez même penser plus qu'une autre, par l'intérêt, que vous auriez d'avoir un jour pour Reine une personne, qui sera apparemment votre belle-sœur."

Ces dernières paroles firent voir à Nugna Bella, ce qu'elle n'avait point encore envisagé. L'espérance d'être belle-sœur de la Reine, lui fit trouver les raisons de Don Ramire encore meilleures qu'elles n'étaient ; et enfin, il la conduisit si bien où il la voulait mener, qu'ils convinrent ensemble, qu'ils ne me diraient rien ; qu'ils examineraient les sentiments du Prince, et qu'il agiraient ensuite selon les connaissances qu'ils en auraient.

Don Ramire ravi d'avoir si bien commencé, rendit compte au Prince de ce qu'il avait fait. Don Garcie en fut charmé, et il lui laissa un plein pouvoir de dire à Nugna Bella, tout ce qu'il voudrait de ses sentiments. Don Ramire retourna bientôt la chercher ; il lui fit un long récit de la manière dont il s'était conduit, pour faire avouer au Prince l'amour qu'il avait pour ma sœur : il ajouta qu'il n'avait jamais vu un homme si

transporté de passion ; qu'il s'étonnait de la violence
que ce Prince se faisait, de peur de me déplaire ; qu'il
n'y avait rien enfin qu'on ne dût attendre d'un homme
si amoureux : mais qu'il fallait au moins lui donner
quelque espérance qui entretînt son amour. Nugna
Bella demeura persuadée de ce que lui dit Don
Ramire, et elle lui promit de servir Don Garcie auprès
de ma sœur.

Don Ramire s'en alla porter cette nouvelle au
Prince ; il la reçut avec une joie incroyable ; il lui fit
mille caresses ; il ne pouvait se lasser de lui parler ; et
il eût voulu ne parler qu'à lui seul : mais il voyait bien,
qu'il ne fallait pas changer de conduite, ni cesser de
vivre avec [1] moi comme il avait accoutumé. Don
Ramire même avait soin de cacher sa nouvelle faveur ;
et les remords de sa trahison, lui faisaient toujours
craindre que je ne la soupçonnasse.

Don Garcie parla bientôt à Hermenesilde ; il lui
témoigna la passion qu'il avait pour elle, avec le plus
d'ardeur qu'il lui fut possible ; et comme il était véritablement amoureux, il n'eut pas de peine à lui persuader son amour. Elle était disposée à le recevoir
favorablement ; mais après ce que je lui avais dit, elle
n'osait suivre les sentiments de son cœur. Elle rendit
compte à Nugna Bella, de la conversation qu'elle avait
eue avec le Prince : Nugna Bella, sur les mêmes prétextes que lui avait donnés Don Ramire, lui conseilla
de ne me rien dire, et d'avoir une conduite, qui pût
augmenter l'amour du Prince, et conserver son estime.
Elle lui dit encore, que quelque répugnance que
j'eusse témoignée à l'attachement de Don Garcie, elle
devait croire que j'aurais de la joie d'une chose, qui
pourrait m'être avantageuse : mais que par de certaines raisons, je ne voulais point y avoir part, que les
choses ne fussent plus avancées. Hermenesilde qui
avait une déférence entière pour les sentiments de

---

1. La construction « vivre avec », que l'on rencontre fréquemment dans le texte, signifie « se comporter à l'égard de (quelqu'un) ».

Nugna Bella, entra aisément dans la conduite qu'elle
lui inspirait ; et son inclination pour Don Garcie, se
trouva fortement appuyée par d'aussi grandes espérances, que celle d'une couronne.

La passion que le Prince avait pour elle, était
conduite avec tant d'adresse, qu'excepté les premiers
jours, où l'on s'aperçut qu'il l'avait trouvée aimable [1],
personne ne soupçonna seulement qu'il en fût amoureux. Il ne l'entretenait jamais en public ; Nugna Bella
lui donnait les moyens de l'entretenir en particulier. Je
voyais bien quelque diminution dans l'amitié de Don
Garcie ; mais je l'attribuais à l'inégalité ordinaire des
jeunes gens.

Les choses étaient en cet état, lorsque Abdallah Roi
de Cordoue, avec qui le Roi de Léon avait eu une
assez longue trêve, recommença la guerre : la charge
de Nugnez Fernando lui donnait de droit le commandement des armées ; et quoique le Roi eût assez de
peine à le mettre à la tête de ses troupes, il ne pouvait
l'en ôter, à moins que de l'accuser de quelque crime,
et de le faire arrêter. On pouvait bien envoyer commander Don Garcie au-dessus de lui ; mais le Roi se
défiait encore plus de son fils, que du Comte de
Castille ; et il craignait de les voir ensemble avec un
grand pouvoir entre les mains. D'un autre côté, la Biscaye commença à se révolter. Il résolut d'y envoyer
Don Garcie, et d'opposer Nugnez Fernando à l'armée
des Maures. J'eusse été bien aise de servir avec mon
père ; mais le Prince souhaita, que je le suivisse en
Biscaye : et le Roi aima mieux que j'allasse avec son
fils, qu'avec le Comte de Castille : ainsi il fallut céder
à ce qu'on désirait de moi ; et voir partir Nugnez Fernando, qui s'en allait le premier. Il fut très fâché de ne
m'avoir pas auprès de lui ; et outre les raisons considérables, qui lui faisaient désirer que je fusse dans son
armée, celle de l'amitié tenait sa place. La tendresse
qu'il avait pour ma sœur et pour moi, était infinie : il
emporta nos portraits pour avoir le plaisir de nous voir

---

1. Aimable : « qui est digne d'être aimé » (*Académie*).

toujours, et de montrer la beauté de ses enfants, dont je crois vous avoir dit, qu'il était si préoccupé. Il marcha contre Abdallah, avec des forces assez considérables ; mais beaucoup moindres que celles des Maures ; et au lieu de s'opposer simplement à leur passage, dans des lieux où il fût fortifié par la situation, le désir de faire quelque chose d'extraordinaire, lui fit hasarder la bataille dans une plaine, qui ne lui donnait aucun avantage. Il la perdit si entière, qu'à peine put-il se sauver ; toute son armée fut taillée en pièces ; tous les bagages furent pris ; et jamais les Maures n'ont peut-être remporté une si grande victoire sur les chrétiens.

Le Roi apprit avec beaucoup de douleur, une si grande perte, il en accusa le Comte de Castille, et avec raison : mais comme il était bien aise de l'abaisser, il se servit de cette conjoncture ; et lorsque mon père voulut venir se justifier, il lui fit dire qu'il ne le voulait jamais voir ; qu'il lui ôtait toutes ses charges, qu'il était bien heureux, qu'il ne lui ôtât pas la vie, et qu'il lui ordonnait de se retirer dans ses terres. Mon père lui obéit, et s'en alla en Castille aussi désespéré, que le peut être un homme ambitieux, dont la réputation, et la fortune, venaient de recevoir une si grande diminution.

Le Prince n'était point encore parti pour la Biscaye ; une maladie considérable le retenait. Le Roi s'en alla en personne contre les Maures, avec tout ce qu'il put ramasser de forces : je lui demandai la permission de le suivre, et il me l'accorda ; mais avec peine. Il avait envie de faire tomber sur moi la disgrâce de mon père. Cependant, comme je n'avais point eu de part à sa faute, et que le Prince me témoignait toujours beaucoup d'amitié, le Roi n'osa entreprendre de me reléguer en Castille. Je le suivis, et Don Ramire demeura auprès de Don Garcie ; Nugna Bella parut extrêmement touchée de mon malheur, et de notre séparation ; et je m'en allai au moins avec la consolation de me croire véritablement aimé de la personne du monde que j'aimais le plus.

Le Prince n'étant point en état de partir, Don
Ordogno son frère s'en alla en Biscaye. Il fut aussi
malheureux dans son voyage, que le Roi fut heureux
dans le sien. Don Ordogno fut défait, et pensa être
tué ; et le Roi défit les Maures, et les contraignit de
demander la paix [1]. Ma bonne Fortune voulut, que je
rendisse quelque service considérable ; mais le Roi ne
m'en traita pas mieux : la réputation que j'avais
acquise, ne m'ôta pas l'air que donne la disgrâce ; et
lorsque je revins à Léon, je connus bien que la gloire
ne donne pas le même éclat, que la faveur.

Don Garcie avait profité de mon absence, pour voir
souvent Hermenesilde ; et il l'avait vue avec tant de
précaution, que personne ne s'en était aperçu. Il avait
cherché avec soin tous les moyens de lui plaire. Il lui
avait laissé espérer qu'il la mettrait un jour sur le trône
de Léon : enfin, il lui avait témoigné tant d'amour,
qu'elle lui avait entièrement abandonné son cœur.

Comme Don Ramire et Nugna Bella conduisaient
cette intelligence, ils étaient engagés à se voir souvent ;
et la beauté de Nugna Bella était de celles, dont la vue
ordinaire n'est pas sans danger. L'admiration que
Don Ramire avait pour elle, augmentait tous les jours,
et elle admirait aussi l'esprit de Don Ramire, qui en
effet était agréable. Le commerce particulier qu'elle
avait avec lui, et l'occupation des affaires du Prince et
d'Hermenesilde, lui avaient fait supporter mon
absence avec moins de chagrin, qu'elle ne s'était atten-
due d'en avoir.

Lorsque le Roi fut de retour, il donna au père de
Don Ramire les charges et les établissements [2] de
Nugnez Fernando. Je fis en cette occasion au-delà de
ce qu'on pouvait attendre d'un véritable ami. Après
les services que j'avais rendus dans ces deux dernières
guerres, je pouvais prétendre les charges qu'on ôtait à

---

1. Il peut s'agir de la bataille contre les Maures, commandés par
Ayola, gagnée beaucoup plus tard en réalité par Alphonse.
2. Établissement : « état, poste avantageux, condition avantageuse » (*Académie*).

mon père. Néanmoins, je ne m'opposai point à la disposition qu'en fit le Roi. J'allais trouver Don Ramire ;
je lui dis, que dans la douleur que j'avais de voir sortir
de ma maison des établissements si considérables,
l'avantage qu'il en recevait me donnait la seule consolation que je pouvais recevoir. Quoique Don Ramire
eût beaucoup d'esprit, il ne put me répondre ; il fut
embarrassé de recevoir des marques d'une amitié,
qu'il méritait si peu ; mais je donnais pour lors un sens
si avantageux à son embarras, qu'il ne m'eût pas
mieux persuadé par ses paroles.

Les charges de mon père dans une autre maison,
firent croire à toute la Cour, que sa disgrâce était sans
ressource. Don Ramire se trouvait quasi en ma place,
par les dignités que son père venait de recevoir, et par
la faveur du Prince. Cette faveur paraissait beaucoup,
quelque soin qu'ils prissent l'un et l'autre de la
cacher : et insensiblement tout le monde se tournait
du côté de ce nouveau favori, et m'abandonnait peu à
peu. Nugna Bella n'avait pas une passion si ferme,
que ce changement n'en apportât dans son âme. Ma
fortune autant que ma personne avaient fait son
attachement ; j'étais disgracié ; elle ne tenait plus à son
amant, que par l'amour ; et ce n'était pas assez pour
un cœur comme le sien. Il y eut donc dans son procédé une impression de froideur, qui me parut
bientôt. J'en fis mes plaintes à Don Ramire ; j'en parlai
aussi à Nugna Bella ; elle m'assura qu'elle n'était point
changée ; et comme je n'avais point de sujet précis de
me plaindre, et que je n'étais blessé que d'un certain
air répandu dans toutes ses actions, il lui était aisé de
se défendre : aussi le fit-elle, avec tant de dissimulation
et d'adresse, qu'elle me rassura pour quelque temps.

Don Ramire lui parla du soupçon que j'avais de son
changement, et il lui en parla dans le dessein de pénétrer ce qui en était ; et sans doute avec envie de
trouver, que je ne me trompais pas. "Je ne suis point
changée, lui dit-elle ; je l'aime autant que je l'ai aimé ;
mais quand je l'aimerais moins, il serait injuste de s'en
plaindre. Avons-nous du pouvoir sur le commence-

ment, ni sur la fin de nos passions ?" Elle dit ces
paroles en le regardant avec un air qui l'assurait si
bien, qu'elle ne m'aimait plus, que cette certitude qui
donnait de l'espérance à Don Ramire, lui ouvrit entièrement les yeux sur la beauté de cette infidèle : et il en
fut si touché dans ce moment, que n'étant plus maître
de lui-même : "Vous avez raison, madame, lui dit-il ;
nous ne pouvons rien sur nos passions ; j'en sens une
qui m'entraîne sans que je m'en puisse défendre ;
mais souvenez-vous au moins, que vous tombez
d'accord, qu'il ne dépend pas de nous d'y résister."
Nugna Bella comprit aisément ce qu'il voulait dire ;
elle en parut embarrassée, et il en fut embarrassé lui-
même : comme il avait parlé sans l'avoir prémédité, il
fut étonné de ce qu'il venait de faire : ce qu'il devait à
mon amitié lui revint en l'esprit dans toute son étendue ; il en fut troublé ; il baissa les yeux, et demeura
dans un profond silence. Nugna Bella, par des raisons
à peu près semblables, ne lui parla point. Ils se séparèrent sans se rien dire. Don Ramire se repentit de ce
qu'il avait dit ; Nugna Bella se repentit de ne lui avoir
rien répondu ; et Don Ramire se retira si troublé, et si
combattu, qu'il était hors de lui-même. Après s'être
un peu remis, il fit réflexion sur ses sentiments ; mais
plus il en fit, et plus il trouva que son cœur était
engagé. Il connut alors le péril où il s'était exposé, en
voyant si souvent Nugna Bella : il connut que le plaisir
qu'il avait trouvé dans sa conversation, était d'une
autre nature qu'il ne l'avait cru : enfin il connut son
amour, et qu'il avait commencé bien tard à le combattre.

   La certitude qu'il venait d'avoir, que Nugna Bella
m'aimait moins, achevait de lui ôter la force de se
défendre. Il trouvait quelque excuse à ne s'attacher à
elle, que lorsqu'elle se détachait de moi. Il trouvait des
charmes à entreprendre de se rendre maître d'un
cœur, que je ne possédais plus si entièrement, qu'il ne
pût concevoir de l'espérance ; mais que je possédais
encore assez pour trouver de la gloire à m'en chasser.
Toutefois quand il venait à considérer, que c'était

Consalve qu'il voulait chasser de ce cœur, ce Consalve, à qui il devait une amitié si véritable, ses sentiments lui faisaient honte ; et il les combattit de sorte, qu'il crut les avoir surmontés. Il résolut de ne plus rien dire de son amour à Nugna Bella, et d'éviter les occasions de lui parler.

Nugna Bella, qui n'avait à se repentir, que de n'avoir pas répondu à Don Ramire, comme elle l'aurait dû faire, ne fit pas de si grandes réflexions. Elle s'imagina, qu'elle avait eu raison de ne pas faire semblant d'entendre [1] ce qu'il lui avait dit ; elle crut qu'elle devait avoir quelque douceur, pour un homme, avec qui elle avait de si grandes liaisons : elle se dit à elle-même, qu'il ne lui avait pas parlé avec dessein, quoiqu'elle eût bien jugé, il y avait longtemps, qu'il avait de l'inclination pour elle : enfin, pour ne se pas faire honte, et pour ne s'engager pas à maltraiter [2] Don Ramire, elle ne voulut pas croire une chose, dont elle ne pouvait douter.

Don Ramire suivit pendant quelque temps le dessein qu'il avait pris, mais le moyen de l'exécuter [3] ? Il voyait tous les jours Nugna Bella ; elle était belle ; elle ne m'aimait plus ; elle le traitait bien ; il était impossible de résister à tant de choses. Il se résolut donc à suivre les mouvements de son cœur ; et il n'eut plus de remords sitôt qu'il en eut pris la résolution. La première trahison qu'il m'avait faite, rendait la seconde plus facile. Il était accoutumé à me tromper, et à me cacher ce qu'il disait à Nugna Bella ; il lui dit enfin, qu'il l'aimait ; et il le lui dit avec toutes les marques d'une passion véritable. En lui exagérant la douleur

---

1. « Faire semblant » n'a pas ici le sens de « feindre », mais de « sembler ».

2. Le sens n'est ici nullement physique, il signifie « faire préjudice à quelqu'un, lui faire un mauvais traitement, soit à tort, soit avec raison » (*Académie*) ; Nugna Bella se refuse à traiter mal don Ramire (en le repoussant).

3. Il y a ici ellipse du verbe et du pronom interrogatif, et la formule « le moyen de l'exécuter » doit être comprise comme « quel était le moyen de l'exécuter ».

qu'il avait de manquer à notre amitié, il lui faisait comprendre qu'il était emporté par la plus violente inclination, qu'on eût jamais eue : il l'assura qu'il ne pré-
tendait pas d'être aimé ; qu'il connaissait les avantages
que j'avais sur lui, et l'impossibilité de me chasser de
son cœur ; mais qu'il lui demandait seulement la grâce
de l'écouter, de lui aider à se guérir, et à me cacher sa
faiblesse. Nugna Bella lui promit le dernier, comme
une chose qu'elle croyait devoir faire, de crainte qu'il
n'arrivât quelque désordre entre nous : et elle lui dit
avec beaucoup de douceur, qu'elle ne lui accorderait
pas le reste ; puisqu'elle se croirait complice de son
crime, si elle en souffrait la continuation. Elle ne laissa
pas néanmoins de la souffrir ; l'amour qu'il avait pour
elle, et l'amitié que le Prince avait pour lui, l'entraînè-
rent entièrement de son côté. Je lui parus moins
aimable ; elle ne vit plus rien d'avantageux dans l'établissement qu'elle pouvait avoir avec moi ; elle ne vit
qu'un exil assuré en Castille ; elle savait que le Roi
avait toujours envie de m'y reléguer, et que [le] Prince
ne s'y opposait plus que par honneur : elle ne voyait
point d'apparence qu'il pût épouser Hermenesilde ;
elle était toujours la confidente de l'amour, qu'il avait
pour elle ; et par cet amour, et par celui de Don
Ramire, son crédit auprès de Don Garcie subsistait
toujours. Elle croyait le Roi moins disposé que jamais
à consentir à notre mariage ; il n'avait point de raisons
pour empêcher qu'elle n'épousât Don Ramire ; elle
retrouvait en lui les mêmes choses, qui lui avaient plu
en moi : enfin elle s'imagina, que la raison et la prudence autorisaient son changement ; et qu'elle devait
quitter un homme, qui ne serait point son mari, pour
un autre qui le serait assurément. Il ne faut pas toujours de si grandes raisons, pour appuyer la légèreté
des femmes. Nugna Bella se détermina donc à s'engager avec Don Ramire : mais elle était déjà engagée,
et par son cœur, et par ses paroles, quand elle crut s'y
déterminer. Cependant, quelque résolution qu'elle eût
prise, elle n'eut pas la force de me laisser voir, qu'elle
m'abandonnait dans le temps de ma disgrâce. Don

Ramire ne pouvait aussi se résoudre à déclarer sa perfidie ; ils convinrent ensemble, que Nugna Bella continuerait à vivre avec moi, comme elle avait accoutumé ; et ils jugèrent qu'il serait aisé d'empêcher, que je ne remarquasse son changement ; parce que comme je disais toujours à Don Ramire jusques à mes moindres soupçons, Nugna Bella en étant avertie par lui, les préviendrait aisément. Ils résolurent aussi d'avouer au Prince l'état où ils étaient, et de l'engager dans leurs intérêts. Don Ramire se chargea de lui en parler ; ce n'était pas une chose, qu'il pût faire sans peine ; la honte et la crainte d'être désapprouvé l'embarrassaient ; il se rassurait néanmoins par le pouvoir que lui donnait sur Don Garcie la confidence de son amour pour ma sœur. En effet, il tourna l'esprit de ce Prince, comme il le souhaitait. Il l'engagea même à parler à Nugna Bella en sa faveur ; et ce nouveau favori eut son maître pour confident, comme il était le confident de son maître. Nugna Bella qui avait appréhendé que le Prince ne condamnât son changement, eut de la joie de l'y trouver favorable : il se fit un redoublement de liaison entre eux ; ils prirent leurs mesures, pour bien cacher cette intelligence ; ils résolurent que comme les conversations particulières du Prince, et de Don Ramire pourraient me donner du soupçon, parce que vraisemblablement ils ne devaient point avoir de secrets pour moi, Don Ramire irait chez le Prince par un escalier dérobé, aux heures où il n'y avait personne, et qu'ils ne se parleraient jamais en public. Ainsi j'étais trahi, et abandonné par tout ce que j'aimais le mieux, sans m'en pouvoir défier.

Ma seule peine était de trouver quelque changement dans le cœur de Nugna Bella : je m'en plaignais à Don Ramire ; Don Ramire l'en avertissait, afin qu'elle se déguisât mieux : mais quand je lui paraissais en repos, il avait de l'inquiétude ; et il craignait, que je ne fusse rassuré par les véritables sentiments de Nugna Bella. Il voulait alors qu'elle ne me trompât pas si bien : elle lui obéissait, et me négligeait plus qu'à l'ordinaire ; ainsi il avait le plaisir de voir son rival se

venir plaindre à lui des mauvais traitements qu'il recevait par ses ordres. Il avait même quelquefois la joie,
lorsqu'il l'avait priée de se contraindre, d'apprendre
par mes plaintes, qu'elle ne se contraignait pas, autant
qu'il lui avait dit. C'était un tel charme pour sa gloire,
et pour son amour, d'avoir détruit un rival tel que je
lui paraissais, et de voir mon repos [1] dépendre de la
moindre de ses paroles ; que si la jalousie ne l'eût
point troublé, il aurait été l'homme du monde le plus
heureux.

Pendant que je n'étais occupé que de mon amour,
mon père ne l'était que de son ambition. Il fit tant de
cabales, et tant d'intrigues dans son exil, qu'il crut être
en état de se révolter ouvertement. Mais il fallait commencer par me retirer de la Cour, et je lui étais un
otage trop cher et trop considérable, pour le laisser
entre les mains d'un Roi, à qui il voulait faire la guerre.
Ma sœur ne lui donnait pas tant d'inquiétude ; son
sexe et sa beauté la garantissaient de ce qui lui pouvait
arriver. Il m'envoya un homme de confiance pour
m'apprendre l'état des choses ; pour me commander
de l'aller trouver à l'heure même, et de partir de la
Cour sans prendre congé du Roi, ni du Prince. Cet
envoyé fut bien surpris de me voir dans des sentiments si éloignés de ceux de mon père. Je lui dis que
je ne consentirais jamais à une révolte si injuste ; qu'il
était vrai que le Roi avait maltraité Nugnez Fernando
en lui ôtant ses charges ; mais qu'il fallait souffrir cette
disgrâce qu'il avait en quelque sorte méritée : que
pour moi, j'étais résolu de ne point quitter la Cour, et
que je ne prendrais jamais les armes contre le Roi. Cet
envoyé porta ma réponse à mon père. Il fut désespéré

---

1. Le terme « repos » a ici, comme à la fin de *La Princesse de
Clèves*, un sens très fort, que mentionnent les dictionnaires
contemporains : « Quiétude, tranquillité, exemption de toute sorte
de peine de corps ou d'esprit » (*Académie*). Ce sens apparaît à plusieurs reprises dans le roman, notamment lorsque Bélasire renonce
à son amant Alphonse : « Je suis contrainte pour votre repos et pour
le mien, de vous apprendre que je suis absolument résolue de rompre
avec vous, et de ne vous point épouser » (p. 145).

de voir tant de desseins prêts à réussir se renverser par ma désobéissance. Il me manda (quoiqu'en effet ce ne fût pas son dessein), qu'il continuerait ce qu'il avait entrepris : et que puisque j'avais si peu de soumission pour ses volontés, il ne changerait point de résolution, quand même le Roi de Léon me devrait faire trancher la tête.

Cependant, la passion que Don Ramire avait pour Nugna Bella, augmentait toujours ; et il ne pouvait plus supporter la manière, dont il fallait qu'elle vécût avec moi. "Enfin, madame, lui dit-il un jour qu'elle m'avait entretenu assez longtemps, vous le regardez avec les mêmes yeux que vous l'avez regardé ; vous lui dites les mêmes paroles ; vous lui écrivez les mêmes choses ; qui peut m'assurer que ce n'est plus avec les mêmes sentiments ? Il vous a plu, madame, et c'est assez pour vous plaire encore. – Mais vous savez, lui dit-elle, que je ne fais que ce que vous voulez. – Il est vrai, lui répliqua-t-il, et c'est ce qui rend mon malheur plus insupportable, qu'il faille que par prudence, je vous conseille de faire les choses, qui me désespèrent, quand vous les faites. Il est inouï, qu'un amant ait consenti qu'on traitât bien son rival ; je ne saurais plus souffrir, madame, que vous regardiez Consalve : il n'y a pas d'extrémité où je ne me porte pour le faire périr, plutôt que de vivre en l'état où je suis ; aussi bien après lui avoir ôté votre cœur, je ne dois pas compter pour beaucoup de lui ôter la vie. – Vous vous emportez avec tant de violence, lui repartit Nugna Bella, que je crois que vous ne suivrez pas votre emportement : vous considérerez combien de choses importantes vous découvririez en éclatant contre Consalve ; et quelle honte vous vous feriez à vous-même. – Je vois tout ce qu'il y a à voir, madame, répliqua Don Ramire ; mais je vois aussi, que s'il faut n'avoir guère de raison pour faire ce que je propose, il faut l'avoir perdue entièrement, pour souffrir qu'un homme aimable, et qui vous a plu, vous parle tous les jours en secret. Si je l'ignorais, j'aurais la cruelle douceur d'être trompé : mais je le sais ; je vous vois parler à lui ; c'est moi qui

lui porte vos lettres ; c'est moi qui le rassure quand il
doute de votre cœur : ah ! Madame, il m'est impossible de continuer à me faire tant de violence ; si vous
voulez me donner du repos, faites en sorte que Consalve sorte de la Cour ; et que le Prince consente à
l'envoyer en Castille, comme le Roi l'en presse tous les
jours. – Voyez je vous en conjure, reprit Nugna Bella,
quelle action vous me conseillez de faire ! – Oui,
madame, je la vois, reprit Don Ramire ; mais après
tout ce que vous avez fait, il n'est plus temps d'avoir
de ménagements ; et si vous avez celui de ne pas faire
éloigner Consalve ; je serai persuadé que j'aurai
encore plus de raison que je ne pense, de le vouloir
ôter d'auprès de vous. Encore une fois, madame, à
quoi puis-je juger que vous ne l'aimez plus ? Vous le
voyez, vous lui parlez, vous savez qu'il vous aime ;
votre cœur, dites-vous est changé ; mais votre procédé
ne l'est point : enfin, madame, rien ne peut me rassurer, si ce n'est que vous travailliez à l'éloigner ; et
tant qu'il me paraîtra que vous ne le voudrez pas, je
croirai que vous ne vous contraignez guère, quand
vous lui dites que vous l'aimez. – Hé bien, dit alors
Nugna Bella, j'ai déjà fait assez de trahisons pour
l'amour de vous, il faut encore faire celle-ci : mais
donnez-m'en les moyens, car le Prince refuse tous les
jours au Roi l'éloignement de Consalve ; et il n'y a pas
d'apparence qu'il l'accorde à une prière aussi déraisonnable que la mienne. – Je me charge, dit Don
Ramire, d'en faire la proposition au Prince ; et pourvu
que vous lui fassiez voir que vous y consentez, je suis
assuré de l'obtenir." Nugna Bella le lui promit ; et dès
ce soir Don Ramire, sur le prétexte de leurs intérêts
communs, proposa au Prince de m'éloigner, et de s'en
faire un mérite auprès du Roi. Le Prince n'eut point
de peine à y consentir ; il avait une si grande honte de
tout ce qu'il faisait contre moi, que ma présence lui
était un continuel reproche de sa faiblesse. Nugna
Bella lui parla comme elle l'avait promis à Don
Ramire : ils résolurent, qu'à la première occasion le
Prince ferait dire au Roi, qu'il ne s'opposait plus à

mon exil, et qu'il voulait bien qu'on m'éloignât de la Cour, pourvu qu'il parût à tout le monde que c'était contre son consentement.

Cette occasion se trouva bientôt : le Roi se mit en colère contre son fils pour quelque chose qu'il avait fait sans son ordre, et dont il m'accusait d'avoir donné le conseil. Le Prince n'osant aller chez le Roi, fit semblant d'être malade, et garda le lit quelques jours. La Reine, selon sa coutume, travailla à les raccommoder ; elle vint chez son fils, pour lui dire de la part du Roi, les plaintes qu'il faisait de lui. "Ce ne sont pas là, madame, répondit le Prince, les sujets du chagrin du Roi : j'en connais la cause ; il a une aversion invincible pour Consalve ; il l'accuse de tout ce qui lui déplaît ; il veut l'éloigner ; il sera toujours mal satisfait de moi tant que je n'y consentirai pas. J'aime tendrement Consalve ; mais je vois bien qu'il faut que je me fasse la violence de m'en priver, puisque je ne saurais qu'à ce prix avoir les bonnes grâces du Roi. Dites-lui donc s'il vous plaît, madame, que je consens à son éloignement ; mais à condition, qu'on ne saura point que j'y aie consenti." La Reine fut surprise du discours du Prince son fils : "Ce n'est pas à moi, lui dit-elle, à trouver étrange que vous ayez de la complaisance pour les volontés du Roi ; mais j'avoue que je suis étonnée, que vous consentiez à l'éloignement de Consalve." Le Prince s'excusa par de mauvaises raisons, et passa ensuite à un autre discours.

Pendant qu'ils parlaient, une des filles de la Reine, qui était mon amie, et celle de Nugna Bella, s'était trouvée par hasard si proche du lit, qu'elle avait entendu tout ce que la Reine et le Prince avaient dit sur mon sujet : elle demeura si surprise et si attentive à penser ce qui pouvait avoir causé un si grand changement dans l'esprit du Prince, que j'entrai dans la chambre, et que je commençai à lui parler devant qu'elle m'eût aperçu. Je lui fis la guerre de sa rêverie : "Vous devez m'en être obligé, me dit-elle ; je viens d'entendre une chose dont je suis si étonnée, que je ne la puis comprendre." Elvire (c'est ainsi que s'appelait

cette fille) me conta alors ce qu'elle avait entendu, et
me donna une surprise encore plus grande, que
n'avait été la sienne. Je lui fis redire la même chose une
seconde fois ; comme elle achevait, la Reine sortit, et
interrompit notre conversation. Je sortis avec elle ; et
n'ayant pas l'esprit en état de demeurer auprès du
Prince, je m'en allai seul dans les jardins du Palais,
pour faire réflexion sur une si étrange aventure.

Je ne pouvais m'imaginer, qu'un Prince qui me traitait si bien, voulût me faire chasser de la Cour sans
sujet : je ne pouvais comprendre, ce qui lui pouvait
faire souhaiter mon éloignement : je ne pouvais
deviner ce qui l'obligeait à me témoigner de l'amitié,
lorsqu'il n'en avait plus : enfin, je ne pouvais croire,
que ce que je venais d'apprendre fût véritable ; et que
Don Garcie eût la faiblesse de m'abandonner.
Comme je l'aimais beaucoup, j'étais touché de son
changement jusques au fond de l'âme : ne pouvant
soutenir la douleur que je ressentais ; je voulus chercher Don Ramire, pour avoir le soulagement de me
plaindre avec lui.

Dans cette pensée je m'approchai du Palais ; je
trouvai un des officiers de la chambre de Don Garcie,
que j'avais donné à ce Prince, et qui était plus proche
de sa personne qu'aucun autre. Je lui dis de voir si
Don Ramire n'était point chez le Prince, et de le prier
de ma part de me venir trouver à l'heure même. Cet
officier me répondit, qu'il n'y était pas, qu'il n'y vien-
drait sans doute selon sa coutume, qu'après que tout
le monde serait retiré. Je demeurai extrêmement surpris de ces paroles ; je crus d'abord ne les avoir pas
bien entendues : néanmoins elles me firent de l'impression ; il me revint plusieurs choses dans l'esprit,
qui me firent soupçonner, que Don Ramire avait
quelque intelligence avec le Prince, qu'il ne me disait
pas. Dans un autre temps je n'eusse pas eu ce
soupçon ; mais ce que je venais d'apprendre de l'infidélité de Don Garcie, me forçait à croire, que tout le
monde me pouvait tromper. Je demandai à cet officier, si Don Ramire allait souvent chez Don Garcie,

aux heures où il n'y avait personne : il me répondit, qu'il était surpris que je lui fisse cette demande ; et qu'il croyait que je n'ignorais, ni les conversations de Don Ramire avec le Prince, ni le sujet de leurs conversations. Je lui répliquai, que je ne savais ni l'un ni l'autre, et que je trouvais fort étrange qu'il ne m'en eût pas averti. Il crut que je faisais semblant de n'en rien savoir, pour découvrir s'il me dirait la vérité ; et me voulant faire voir qu'il était incapable de me rien cacher, il me conta l'amour du Prince pour ma sœur, et la part qu'y avait Don Ramire. Il me dit, qu'il les en avait entendus parler plusieurs fois, lorsqu'ils croyaient n'être écoutés de personne ; et qu'il avait su le reste de celui à qui le Prince confiait ses lettres pour Hermenesilde. Ainsi j'appris tout ce qui se passait, à la réserve de ce qui regardait Nugna Bella.

Je ne cherche plus, m'écriai-je, tout transporté de colère, d'où vient le changement de Don Garcie : la trahison qu'il me fait, lui rend ma présence insupportable. Quoi, Don Garcie aime ma sœur ! Ma sœur le souffre, et Don Ramire est leur confident ! Je m'arrêtai à ces mots, ne voulant pas faire voir mon ressentiment à cet officier, et je lui défendis de parler de ce qu'il venait de m'apprendre. Je me retirai chez moi avec un trouble qui m'ôtait la connaissance de moi-même : lorsque je fus seul, je m'abandonnai à la rage et au désespoir ; je fis mille fois le dessein d'aller poignarder le Prince, et Don Ramire ; j'eus toutes les pensées de colère, et de vengeance, que peut donner l'excès de l'emportement. Enfin, après avoir un peu remis mon esprit, pour me donner le temps de choisir les moyens de me venger, je résolus de me battre contre Don Ramire ; de porter Nugna Bella à se retirer en Castille ; d'obtenir de son père la permission de l'épouser ; et comme il était dans le même dessein de révolte que le mien, de me joindre à eux, de les animer [1], de déclarer

---

1. La ponctuation originale a été maintenue, car elle est correcte. Il est néanmoins possible que la virgule qui sépare « animer » et « de » soit un ajout de l'imprimeur. Le sens ne serait alors pas le même.

rre au Roi de Léon, et de renverser le trône où
Garcie devait monter. Je m'arrêtai à cette résolu-
1, bien qu'elle fût contraire à tous les sentiments
1e j'avais eus jusques alors ; mais j'étais emporté par
la violence de mon désespoir.

Je devais voir Nugna Bella ce même soir ; j'en atten-
dais l'heure avec impatience ; et l'espérance de la trouver sensible à mon malheur, me donnait le seul soulagement, dont je pouvais être capable. Comme je me
préparais à sortir, un homme en qui elle se fiait, et qui
m'apportait souvent de ses lettres, m'en donna une de
sa part ; et me dit, qu'elle était bien fâchée de ne me
pouvoir entretenir ce soir-là ; mais qu'il lui était impossible, pour les raisons que je trouverais dans sa lettre. Je
lui repartis, qu'il était absolument nécessaire, que je lui
parlasse ; que j'allais lui faire réponse ; et que je le priais
d'attendre. J'entrai dans mon cabinet ; j'ouvris la lettre
de Nugna Bella ; et j'y trouvai ces paroles.

LETTRE

*Je ne sais si je vous dois remercier de la permission que
vous me donnez, de témoigner de la douleur à Consalve,
lorsqu'il partira. J'eusse été bien aise que vous me l'eussiez
défendu, pour avoir quelque raison de ne pas faire une
chose, qui me donnera tant de contrainte. Quoi que vous
ayez souffert de la conduite que j'ai eue avec lui depuis son
retour, j'en ai plus souffert que vous : vous n'en douteriez
pas, si vous saviez la peine que je trouve à dire à un
homme que je n'aime plus, que je l'aime encore, quand je
suis même au désespoir de l'avoir aimé, et que je rachèterais de ma vie, de n'avoir jamais prononcé que pour vous
toutes les paroles qu'il faut que je lui dise. Vous connaîtrez
lorsqu'il sera éloigné, les injustices que vous me faites ; et
la joie que vous me verrez à son départ, vous persuadera
mieux que toutes mes paroles. Hermenesilde est en colère
contre le Prince, de ce qu'il parla hier assez longtemps à
une personne, dont elle lui a déjà témoigné quelque jalousie ; c'est ce qui l'a empêchée de suivre la Reine, lorsqu'elle*

est allée chez lui : qu'il ne lui fasse pas connaître qu'il le
sache ; je lui ai promis de n'en rien dire ; il est si vérita-
blement aimé d'elle, qu'il...

Ma lettre a été interrompue en cet endroit, par une
chose qui me met dans une inquiétude mortelle : une de
mes compagnes a entendu aujourd'hui tout ce que le
Prince a dit à la Reine sur le sujet de Consalve ; elle l'en
a averti à l'heure même ; et elle vient de me le dire, comme
une chose qui doit me surprendre et m'affliger. Il est
impossible, que Consalve ne vous soupçonne d'avoir su
quelque chose des desseins du Prince, et qu'il ne démêle
une grande partie de la vérité. Voyez quel embarras cela
peut faire ; cette pensée me trouble à un point, que je ne
sais ce que je fais ; je vais lui écrire, que je ne puis le voir
ce soir ; car je ne saurais m'exposer à lui parler, que vous
ne l'ayez vu, et que je ne sache par vous ce que je lui dois
dire. Adieu, jugez de mon inquiétude.

Je fus si hors de moi-même en achevant de lire cette
lettre, que je ne savais ce que je voyais, ni ce que je faisais. Mon emportement, et ma colère, avaient été au
dernier degré, sur les trahisons que j'avais découvertes ; mais c'étaient des sentiments trop faibles, et
trop communs, pour celle que le hasard venait encore
de me découvrir. Je demeurai sans parole et sans
mouvement ; et je fus longtemps en cet état, sans avoir
que des pensées confuses, qui tenaient mon esprit
accablé sous le poids de ma douleur.

Vous m'êtes infidèle, Nugna Bella, m'écriai-je tout
d'un coup ! Vous joignez à votre changement l'outrage
de me tromper, et de consentir que je sois trompé par
ce que j'aimais le mieux après vous ! C'est trop de
malheurs à la fois, et ils sont d'une nature, qu'il serait
plus honteux d'y résister, que d'en être accablé. Je
cède à la cruauté du plus malheureux sort, dont un
homme ait jamais été persécuté. J'ai eu de la force et
des desseins de vengeance contre un Prince ingrat, et
contre un ami infidèle ; mais je n'en ai point contre
Nugna Bella : j'étais plus heureux par elle, que par
tout le reste du monde ; puisqu'elle m'abandonne,

tout m'est indifférent ; et je renonce à une vengeance qui ne me pourrait donner de joie. Je me suis vu il n'y a pas longtemps, le premier homme de tout le Royaume, par la grandeur de mon père, par la mienne propre, et par la faveur du Prince ; je me croyais aimé des personnes, qui m'étaient les plus chères. La Fortune me quitte ; je suis abandonné par mon maître ; je suis trompé par ma sœur ; je suis trahi par mon ami ; je perds ma maîtresse, et c'est par cet ami que je la perds ! Est-il possible, Nugna Bella, que vous m'ayez quitté pour Don Ramire ? Est-il possible, que Don Ramire ait voulu vous ôter à un homme qui vous aimait si passionnément, et dont il était lui-même si tendrement aimé ? Fallait-il que je vous perdisse l'un par l'autre, et qu'il ne me restât pas au moins la faible consolation d'avoir un des deux avec qui me plaindre !

Des réflexions si cruelles, ne me laissaient plus l'usage de la raison : la moindre des infortunes dont je fus accablé dans cette journée, eût été capable de me donner une douleur mortelle. Ce grand nombre de malheurs me mettait de l'égarement dans l'esprit, et je ne savais auquel donner mon attention. Celui qui avait apporté la lettre de Nugna Bella, me fit dire, qu'il en attendait la réponse ; je revins comme d'un songe, lorsqu'on entra dans mon cabinet ; je répondis, que je l'enverrais le lendemain, et j'ordonnai qu'on me laissât en repos.

Je me mis encore à considérer l'état où j'avais été, et celui où je me trouvais : une si cruelle expérience de l'inconstance de la Fortune, et de l'infidélité des hommes, m'inspira le dessein de renoncer pour jamais au commerce du monde, et d'aller finir ma vie dans quelque désert. Ma douleur me faisait voir, que c'était le seul parti que je pouvais prendre. Je n'avais de retraite qu'auprès de mon père ; je savais le dessein qu'il avait de se révolter ; mais quelque désespéré que je fusse, je ne pouvais me résoudre à prendre les armes [1] contre un Roi, dont je n'avais point reçu d'outrage. Si je

---

1. *Var.* : le dessein qu'il avait de prendre les armes ; mais quelque désespéré que je fusse, je ne pouvais me résoudre à me révolter

n'eusse été abandonné que de la fortune, j'aurais pris plaisir à lui résister, et à faire voir que je méritais ce qu'elle m'avait donné : mais après avoir été trompé par tant de personnes, que j'avais tant aimées, et dont je me croyais si assuré, de quelle espérance pouvais-je encore me flatter ? Puis-je mieux servir un maître, disais-je, que j'ai servi Don Garcie ? Puis-je mieux aimer un ami, que j'ai aimé Don Ramire ? Et puis-je avoir plus d'amour pour une maîtresse, que j'en ai pour Nugna Bella ? Cependant ils m'ont trahi ! Il faut donc par une retraite entière me dérober à la tromperie des hommes, et au dangereux pouvoir des femmes.

Comme je prenais cette résolution, je vis entrer dans mon cabinet un homme de qualité et de mérite, appelé Don Olmond, qui s'était toujours attaché à moi. Il était frère de cette Elvire, qui m'avait averti de la trahison du Prince ; et il venait d'apprendre par elle, ce que Don Garcie avait dit à la Reine. Sa surprise fut extrême de voir sur mon visage une agitation et une douleur si extraordinaires. Il me connaissait assez pour avoir peine à s'imaginer, que la fortune seule pût me donner tant de trouble : il crut néanmoins, que j'étais touché de l'infidélité du Prince, et il commença à m'en vouloir consoler. J'avais toujours aimé Don Olmond, et je l'avais servi en plusieurs occasions, quoique je lui eusse préféré Don Ramire en toutes choses. L'ingratitude de ce dernier me fit sentir dans ce moment l'injustice, que j'avais faite à Don Olmond : pour la réparer, ou peut-être pour avoir le soulagement de me plaindre, je lui découvris l'état où j'étais, et toutes les trahisons qu'on m'avait faites. Il en fut aussi surpris, qu'il le devait être ; mais il ne le fut pas autant que je le pensais de l'infidélité de Nugna Bella. Il me dit que sa sœur en lui racontant ce qu'elle avait entendu [1], lui avait dit aussi que Nugna Bella était sans doute changée pour moi, et qu'elle me cachait beaucoup de choses. "Voyez, Don Olmond, lui dis-je, en lui montrant la lettre de Nugna Bella, voyez son changement, et les choses qu'elle m'a cachées. Elle m'a envoyé

---

1. *Var.* : racontant l'infidélité du Prince

cette lettre au lieu de celle qu'elle m'écrivait ; et il est aisé de juger, que cette lettre s'adresse à Don Ramire." Don Olmond était si touché de l'état où il me voyait ; et mes malheurs lui paraissaient si cruels, qu'il n'entreprenait pas de me consoler. Il me laissait soulager ma douleur par les plaintes. "N'avais-je pas raison, lui dis-je, de vouloir connaître Nugna Bella devant que de l'aimer ? Mais je prétendais une chose impossible ; on ne connaît point les femmes ; elles ne se connaissent pas elles-mêmes ; et ce sont les occasions qui décident des sentiments de leur cœur. Nugna Bella a cru m'aimer ; elle n'aimait que ma fortune ; elle n'aime peut-être, que la même chose en Don Ramire. Cependant, m'écriai-je, elle ne m'a dit depuis quelque temps, que les paroles qu'il lui a permis de me dire. C'était à mon rival à qui je faisais mes plaintes du changement qu'il avait causé. Il lui parlait pour lui, lorsque je croyais qu'il lui parlait pour moi. Est-il possible, que j'aie été l'objet d'une si outrageante tromperie ? Et l'avais-je méritée ? Le perfide me trahissait donc auprès de Nugna Bella, comme il me trahissait auprès de Don Garcie ! Je leur avais confié ma sœur, et ils l'ont engagée avec le Prince. Cette union qui me paraissait entre eux, et qui ne me donnait que de la joie, n'avait pour but que de me tromper ! Ô Dieu, m'écriai-je encore, pour qui réservez-vous le tonnerre, si ce n'est pour des personnes si indignes de vivre !"

Après ce violent transport de ma douleur, l'idée de Nugna Bella infidèle, qui ne me laissait que de l'indifférence pour mes autres malheurs, me remit dans une tristesse, où le désespoir paraissait sans emportement. Je dis à Don Olmond le dessein où j'étais d'abandonner toutes choses. Il en fut surpris ; il s'y opposa : mais je lui fis si bien voir que j'y étais résolu, qu'il crut inutile d'y résister, du moins dans ces premiers moments. Je pris tout ce que je trouvai de pierreries ; et nous montâmes à cheval, afin de sortir de chez moi, devant qu'on [1] me pût

---

1. Dans la langue classique, « devant que » suivi du subjonctif est très fréquent, là où aujourd'hui on emploie « avant que » suivi du subjonctif.

apporter l'ordre de me retirer. Nous marchâmes jusques à ce que le soleil parût. Don Olmond me conduisit dans la maison d'un homme, qui avait été à lui, et dont il se tenait assuré. Je voulais qu'il me quittât en ce lieu, et qu'il me laissât attendre la nuit, pour entrer dans le chemin, que j'avais dessein de prendre. Après une longue contestation, il me dit qu'il consentirait à me quitter comme je le souhaitais, pourvu que je lui promisse de l'attendre au lieu où nous étions : que cependant il irait à Léon pour apprendre quel effet mon départ y avait produit, et que peut-être serait-il arrivé quelque changement, qui me ferait quitter la triste résolution que j'avais prise : qu'enfin il me demandait en grâce d'attendre son retour. J'y consentis, à condition qu'il ne dirait à personne qu'il m'eût vu, ni qu'il sût le lieu où j'étais : mais si j'y consentis, ce fut plutôt par une curiosité involontaire, d'apprendre de quelle manière Nugna Bella parlait de moi, que par la pensée, qu'il pût être arrivé quelque chose qui diminuât mes malheurs.

"Allez, lui dis-je, mon cher Olmond, voyez Nugna Bella ; et s'il est possible, sachez ses sentiments par votre sœur : tâchez d'apprendre depuis quel temps elle a cessé de m'aimer ; et si elle ne m'a abandonné, que parce que la Fortune m'a quitté." Don Olmond m'assura qu'il ferait tout ce que je souhaitais ; et deux jours après il revint me trouver avec une tristesse, qui me fit bien voir qu'il n'avait rien à me dire, qu'il crût propre à me faire changer de dessein.

Il m'apprit que tout le monde ignorait la cause de mon départ ; que le Prince feignait aussi bien que Don Ramire d'en être affligé ; et que le Roi croyait que j'étais parti d'intelligence avec le Prince son fils. Il me dit qu'il avait vu sa sœur ; que tout ce que je croyais était véritable ; que le détail qu'il en avait appris, n'était propre qu'à augmenter mes douleurs ; et qu'il me priait de ne le pas obliger à m'en faire le récit. Je n'étais pas en état de pouvoir craindre une augmentation à mes maux ; et ce qu'il me voulait taire, était la seule chose, qui me pouvait donner encore quelque curiosité. Je le priai donc de ne me rien cacher. Je ne vous redirai point tout ce qu'il me dit ; parce que je vous en ai déjà raconté la plus grande partie, pour donner quelque ordre à mon récit. Ce fut par lui que j'appris toutes les choses, que j'avais igno-rées dans le temps qu'elles se passaient, comme vous l'avez pu juger. Je vous dirai seulement, que sa sœur lui conta, que le soir avant mon départ, comme elle était revenue de chez la Reine, où Nugna Bella n'avait point paru, elle l'avait été chercher dans sa chambre : qu'elle l'avait trouvée fondue en larmes, avec une lettre entre ses mains ; qu'elles avaient été fort surprises l'une et l'autre par des raisons différentes : qu'enfin Nugna Bella après avoir été fort longtemps sans parler, avait fermé la porte, et lui avait dit, qu'elle allait lui confier tout le secret de sa vie ; qu'elle la priait de la plaindre, et de la consoler dans le plus cruel état, où une personne se fût jamais trouvée. Qu'alors elle lui avait appris tout ce qui s'était passé, entre le Prince, Don Ramire, ma sœur, et elle, de la manière dont je viens de vous le raconter ; et qu'ensuite elle lui avait dit que Don Ramire venait de lui renvoyer cette lettre qu'elle tenait entre ses mains, parce qu'elle n'était pas pour lui ; que c'était celle qu'elle m'écrivait ; que j'avais reçu celle qui était pour Don Ramire ; et qu'en la recevant j'avais appris tout ce qu'ils me cachaient depuis si longtemps.

Elvire dit à son frère, qu'elle n'avait jamais vu une personne si troublée, et si affligée, que Nugna Bella. Elle craignait que je n'avertisse le Roi de l'intelligence de ma sœur et du Prince ; que je ne fisse chasser Don Ramire de la Cour ; et que je ne l'en fisse éloigner elle-même : que surtout elle appréhendait la honte de mes reproches ; et que les infidélités qu'elle m'avait faites, lui donnaient pour moi une haine extraordinaire.

Vous jugez bien, que tout ce que m'apprit Don Olmond ne diminua pas mes déplaisirs [1] ; et ne me fit

____

1. Le terme « déplaisir » connaît dans la langue classique un sens très fort : « Chagrin, tristesse que l'on conçoit d'une chose qui choque, qui déplaît. [...] se dit aussi d'un mauvais office qu'on rend aux personnes pour qui on a de la haine » (Furetière). On peut éga-

pas changer de dessein. Il s'opiniâtra avec des marques d'amitié extraordinaires à me vouloir suivre, et à [s']engager à me tenir compagnie dans le désert où je m'en allais. Je lui dis si fortement que je ne le souffrirais jamais, qu'enfin nous nous séparâmes. Il me quitta à condition, qu'en quelque lieu que je pusse aller, je lui donnerais de mes nouvelles. Il s'en retourna à Léon, et je partis dans la pensée de m'embarquer au premier port que je trouverais. Mais quand je fus seul, et abandonné à la réflexion de mes malheurs, le reste de ma vie me parut une si longue souffrance, que je me résolus d'aller chercher la mort dans la guerre, que le Roi de Navarre avait contre les Maures. Je ne m'y fis connaître que sous le nom de Théodoric ; et je fus assez malheureux pour trouver quelque gloire que je ne cherchais pas, au lieu de la mort que j'avais cherchée. La paix fut conclue ; je repris mon premier dessein ; et votre rencontre fit changer une solitude affreuse, où je m'en allais, en une retraite agréable.

J'y trouvai le repos, et la tranquillité que j'avais perdus : ce n'est pas que l'ambition ne se soit réveillée quelquefois dans mon cœur ; mais ce que j'ai éprouvé de l'inconstance de la Fortune me l'a rendue méprisable ; et l'amour que j'ai eue pour Nugna Bella était tellement effacée par le mépris qu'elle m'a donné pour elle, que je pouvais dire, qu'il ne me restait aucune passion, quoiqu'il me restât encore beaucoup de tristesse. La vue de Zayde vient m'ôter ce triste repos, dont je jouissais ; et me jette dans de nouveaux malheurs beaucoup plus cruels, que ceux que j'ai déjà éprouvés. »

Alphonse demeura surpris, et charmé du récit de Consalve. « J'avais conçu, lui dit-il, une grande idée de votre mérite, et de votre vertu ; mais j'avoue que ce que je viens d'apprendre est encore au-dessus de ce

---

lement noter dans cette formule, comme souvent dans le texte, la propension aux doubles, voire aux triples négations, souvent propice à la délicatesse de la langue et des sentiments ou aux subtilités, dont l'euphémisme est ici un exemple.

que j'en avais pensé. – Je dois plutôt craindre, répondit
Consalve, que je n'aie diminué la bonne opinion, que
vous aviez de moi, en vous faisant voir combien j'ai été
facile à tromper. Mais j'étais jeune ; j'ignorais les trahisons de la Cour ; j'étais incapable d'en faire ; je
n'avais aimé que Nugna Bella ; l'amour que j'avais
pour elle ne me laissait pas imaginer, que les passions
pussent finir : ainsi rien ne me portait à la défiance, ni
sur l'amitié, ni sur l'amour. – Vous ne pouviez vous
garantir d'être trompé, repartit Alphonse, à moins que
d'être naturellement soupçonneux ; encore vos soupçons, quoique bien fondés, vous auraient paru
injustes ; puisque vous n'aviez eu jusques alors aucun
sujet de vous défier des personnes qui vous trom-
paient : et leur tromperie était conduite avec tant
d'habileté, que la raison ne voulait pas qu'on la soupçonnât. – Ne parlons point de mes malheurs passés,
reprit Consalve, ils ne me sont plus sensibles ; Zayde
m'en ôte même le souvenir, et je m'étonne que j'aie pu
vous les raconter [1]. Mais considérez, que je n'avais
jamais cru pouvoir être amoureux par la beauté seule ;
ni pouvoir être touché d'une personne, qui aurait eu
quelque attachement : cependant j'adore Zayde, dont
je ne connais rien, sinon qu'elle est belle, et qu'elle est
prévenue pour un autre [2]. Puisque j'ai été trompé dans
l'opinion, que j'avais conçue de Nugna Bella que je
connaissais, que puis-je attendre de Zayde que je ne
connais point ? Mais qu'en veux-je attendre, et quelles
prétentions puis-je avoir sur Zayde ? Elle m'est entièrement inconnue ; le hasard l'a jetée sur cette côte ;
elle brûle d'impatience de s'en aller ; je ne puis la
retenir sans injustice, et avec bienséance [3]. Quand je
l'y retiendrais, en serais-je plus heureux ? Je la verrais

---

1. Dans la langue moderne, on attendrait une proposition infini-
tive, mais dans la langue classique, il est fréquent de rencontrer le
verbe « s'étonner » suivi d'une proposition complétive au subjonctif.

2. Elle a l'esprit occupé par un autre.

3. Bienséance : « Convenance de ce qui se dit, de ce qui se fait
par rapport aux personnes, à l'âge, au sexe, aux temps, aux lieux,
etc. » (*Académie*). La notion est centrale au XVIIe siècle.

tous les jours pleurer un homme qu'elle aime, et se souvenir de lui en me regardant. Ah ! Alphonse, quel mal que la jalousie. Ah ! Don Garcie, vous aviez raison, il n'y a de passions que celles qui nous frappent d'abord, et qui nous surprennent : les autres ne sont que des liaisons où nous portons volontairement notre cœur. Les véritables inclinations nous l'arrachent malgré nous ; et l'amour que j'ai pour Zayde, est un torrent qui m'entraîne, sans me laisser un moment le pouvoir d'y résister. Mais Alphonse, ajouta-t-il, je vous fais passer la nuit à vous entretenir de mes peines, et il est juste de vous laisser en repos. »

Après ces paroles, Alphonse se retira dans sa chambre, et Consalve passa le reste de la nuit, sans donner un moment au sommeil. Le jour suivant Zayde parut encore occupée du désir de retrouver ce qu'elle avait déjà cherché ; mais tout le soin qu'elle prit fut inutile. Consalve ne la quittait point ; il oubliait mille fois le jour, qu'elle ne pouvait l'entendre, et qu'elle ne lui pouvait répondre : il lui demandait la cause de sa douleur, avec la même circonspection, et la même crainte de lui déplaire, que si elle l'avait entendu. Quand la raison lui revenait, et qu'il avait le déplaisir de voir qu'elle ne pouvait lui répondre, il cherchait le soulagement de lui dire tout ce que sa passion lui inspirait.

Je vous aime, belle Zayde, disait-il en la regardant : je vous aime, je vous adore ; j'ai au moins le plaisir de vous le dire, et de ne pas attirer votre colère : toutes vos actions me persuadent, qu'on n'oserait vous le déclarer sans vous déplaire : mais cet amant que vous pleurez, vous a parlé sans doute de son amour, et vous vous êtes accoutumée à l'entendre. Que d'un mot, belle Zayde, vous m'éclairciriez de doutes !

Lorsqu'il lui parlait ainsi, elle se tournait quelquefois vers Félime avec étonnement, et comme pour lui faire remarquer une ressemblance, dont elle était toujours surprise ; c'était une douleur si vive pour Consalve de s'imaginer qu'il la faisait souvenir de son rival, qu'il eût aisément renoncé aux avantages de sa beauté, et de sa bonne mine, pour n'avoir point une telle res-

semblance. Cette douleur lui était si insupportable,
qu'il ne pouvait presque plus se résoudre à paraître
devant Zayde ; il aimait mieux se priver de sa vue, que
de lui représenter l'image de celui qu'elle aimait. Et
lorsque ses regards lui paraissaient favorables, il ne les
pouvait supporter, tant il était persuadé qu'ils ne
s'adressaient pas à lui. Il la quittait, et s'en allait passer
des après-dînées entières dans le bois : quand il revenait auprès d'elle, il lui trouvait plus de froideur et plus
de chagrin qu'elle n'avait accoutumé d'en avoir. Il crut
même dans la suite, remarquer quelque inégalité dans
la manière dont elle le traitait ; mais comme il n'en
pouvait deviner la cause, il s'imagina, que le déplaisir
de se trouver dans un pays inconnu faisait les changements, qui paraissaient dans son humeur. Il voyait
bien néanmoins, que l'affliction qu'elle avait eue les
premiers jours, commençait à diminuer. Félime était
plus triste que Zayde ; mais sa tristesse était toujours
égale : elle en paraissait accablée ; et il semblait qu'elle
ne cherchait qu'à être seule, et à entretenir sa rêverie.
Alphonse en parlait quelquefois à Consalve avec
étonnement ; et il était surpris que sa grande mélancolie ne diminuât point sa beauté. Cependant Consalve ne songeait qu'à plaire à Zayde, et à lui donner
tous les divertissements, que la promenade, la chasse,
et la pêche, lui pouvaient fournir. Elle s'occupa aussi à
ce qui la pouvait divertir : elle travailla pendant
quelques jours à un bracelet de ses cheveux, et après
l'avoir achevé, elle se l'attacha au bras avec cet empressement, que l'on a pour les choses qui viennent d'être
achevées. Le jour même qu'elle le mit, le hasard
voulut, qu'elle le laissât tomber dans le bois. Consalve
qui l'avait vue sortir allait la chercher ; et en marchant
sur ses pas, il trouva ce bracelet, qu'il n'eut pas de
peine à reconnaître. Il eut une joie sensible de l'avoir
trouvé : cette joie aurait été encore plus grande, s'il
l'eût reçu des mains de Zayde : mais comme il ne
l'avait pas espéré, il se tenait heureux de le devoir à la
Fortune. Zayde qui s'était déjà aperçue de la perte
qu'elle avait faite revenait chercher dans les lieux où

elle avait passé. Elle fit entendre à Consalve ce qu'elle avait perdu, et lui en témoigna même beaucoup de chagrin : quelque peine qu'il sentît de lui causer de l'inquiétude, il ne put se résoudre à lui rendre une chose, qui lui était si chère. Il fit semblant de chercher avec elle, et enfin il l'obligea à ne plus chercher inutilement. Sitôt qu'il fut retiré dans sa chambre, il baisa mille fois ce bracelet, et y mit une attache de pierreries d'un grand prix. Quelquefois il allait se promener, devant que Zayde fût éveillée ; et lorsqu'il était en un lieu où il croyait ne pouvoir être vu, il détachait ce bracelet, afin de le mieux considérer.

Un matin qu'il était dans cette occupation, et qu'il s'était assis sur des rochers avancés dans la mer, il entendit quelqu'un proche de lui : il se retourna brusquement, et il fut bien surpris de voir que c'était Zayde. Tout ce qu'il put faire fut de cacher ce bracelet : mais ce ne put être si promptement, que Zayde ne vît qu'il avait caché quelque chose : il s'imagina, qu'elle avait vu ce qu'il avait caché ; il remarqua sur son visage tant de froideur, et tant de chagrin, qu'il ne douta point, qu'elle ne fût en colère, de ce qu'il ne lui avait pas rendu son bracelet : il n'osait lever les yeux sur elle ; il craignait qu'elle ne lui fît entendre qu'elle le voulait ravoir ; mais il ne pouvait se résoudre à le lui rendre. Elle paraissait triste et embarrassée ; et sans regarder Consalve, elle s'assit sur le rocher, et tourna la tête vers la mer. Le vent emporta, sans qu'elle y prît garde, un voile qu'elle tenait entre ses mains : Consalve se leva pour le ramasser ; mais en se levant il laissa tomber le bracelet, qu'il n'avait pu rattacher, par la crainte qu'il avait eue de le laisser voir. Zayde se tourna au bruit que fit Consalve ; elle vit son bracelet, et le ramassa devant qu'il s'en fût aperçu. Il fut extrêmement troublé, lorsqu'il le vit entre ses mains, et par le désespoir de le perdre, et par l'appréhension de sa colère. Il se rassura néanmoins en lui voyant un visage, où il ne paraissait plus ni de chagrin, ni de dépit ; où il crut voir au contraire quelque impression de douceur ; et il ne fut pas moins ému,

par l'espérance, que lui donnait le visage de Zayde,
qu'il l'avait été un moment auparavant par la crainte de
lui avoir déplu. Elle regarda avec admiration la beauté
de l'attache de pierreries ; et après l'avoir regardée, elle
la défit, la rendit à Consalve, et resserra le bracelet.
Lorsque Consalve vit, que Zayde ne lui avait rendu que
les pierreries, il se tourna du côté de la mer, et y jeta
cette attache, avec un air de rêverie et de tristesse,
comme s'il l'eût laissé tomber par hasard. Zayde fit un
grand cri, et s'avança pour voir si on ne la pourrait
point retrouver : mais il lui montra qu'on chercherait
inutilement ; et sans vouloir qu'elle fît une plus longue
réflexion sur ce qu'il venait de faire, il lui donna la main
pour l'éloigner du lieu où ils étaient. Ils marchèrent sans
se regarder, et reprirent insensiblement le chemin de la
maison d'Alphonse, si embarrassés l'un et l'autre, qu'il
semblait qu'ils cherchassent à se quitter.

Sitôt que Consalve l'eut remise dans sa chambre, il
alla rêver à son aventure : quoique Zayde ne lui eût
pas témoigné autant de colère qu'il en avait appréhendé, il s'imagina que la joie de ravoir son bracelet
avait dissipé son premier chagrin ; ainsi il n'en eut pas
moins de déplaisir. Quelque passion qu'il eût d'obtenir ce bracelet, il crut qu'il offenserait Zayde de la lui
témoigner ; et il demeura accablé de la douleur que
donne l'amour, quand il est séparé de l'espérance.
Toute sa consolation était de se plaindre avec
Alphonse, et de se blâmer lui-même de la faiblesse
qu'il avait d'aimer Zayde.

« Vous vous accusez avec injustice, lui disait quelquefois Alphonse ; il n'est pas aisé de se défendre, au
milieu d'un désert contre une aussi grande beauté que
celle de Zayde. Ce serait tout ce que vous pourriez
faire au milieu de la Cour, où d'autres beautés feraient
quelque diversion, et où du moins l'ambition partage-
rait votre cœur. – Mais aime-t-on sans espérance,
disait Consalve ? Et comment pourrais-je espérer
d'être aimé, puisque je ne puis seulement dire que
j'aime ? Comment le persuaderai-je, si je ne puis le
dire ? Quelles de mes actions peuvent en assurer

Zayde dans un lieu où je ne vois qu'elle, et où je ne puis lui faire connaître, que je la préfère aux autres ? Comment effacer de son esprit celui qu'elle aime ? Ce ne pourrait être que par l'agrément qu'elle trouverait en ma personne ; et le malheur veut que mon visage lui conserve le souvenir de son amant. Ah ! Mon cher Alphonse, ne me flattez point ; il faut que j'aie perdu la raison pour aimer Zayde ; pour l'aimer autant que je fais ; et même pour ne me pas souvenir d'en avoir aimé une autre, et d'en avoir été trompé. – Je crois aussi, répondit Alphonse, que vous n'avez aimé qu'elle, puisque vous ne connaissez la jalousie, que depuis que vous l'aimez. – Je n'avais pas de sujet d'être jaloux de Nugna Bella, repartit Consalve, tant elle savait bien me tromper. – On est jaloux sans sujet, répliqua Alphonse, quand on est bien amoureux. Vous le voyez par votre expérience ; faites réflexion sur la douleur que vous donnent les pleurs de Zayde ; et remarquez comme la jalousie vous a fait imaginer, qu'elle pleure un amant, plutôt qu'un frère. – Je ne suis que trop persuadé, reprit Consalve, que j'aime beaucoup plus Zayde, que je n'ai aimé Nugna Bella : l'ambition de cette dernière, et son application aux affaires du Prince, ont souvent ralenti mon amour ; et tout ce que je trouve en Zayde d'opposé à mon humeur, comme de croire, qu'elle en aime un autre, et de ne connaître ni son cœur, ni ses sentiments, ne peut affaiblir ma passion. Mais Alphonse, pour aimer beaucoup davantage Zayde, que je n'ai aimé Nugna Bella, je n'en suis que plus déraisonnable. Le succès de l'amour que j'ai eu pour Nugna Bella a été cruel, je l'avoue ; néanmoins tout homme qui aime, peut en avoir un pareil. Il n'y avait point d'aveuglement à l'aimer ; je la connaissais ; elle n'en aimait point d'autre ; je lui plaisais ; je pouvais l'épouser : mais Zayde, Alphonse, mais Zayde, qui est-elle ? Qu'en puis-je prétendre ? Et hormis son admirable beauté qui m'excuse, tout le reste ne me condamne-t-il pas ? »

Consalve avait souvent de pareilles conversations avec Alphonse : cependant son amour augmentait

tous les jours, il ne pouvait s'empêcher de laisser
parler ses yeux d'une manière si forte, qu'il croyait
voir dans ceux de Zayde, que leur langage était
entendu ; et il la trouvait quelquefois dans un certain
embarras, qui ne l'en laissait pas douter. Comme elle ne
pouvait se faire entendre par ses paroles, ce n'était
quasi que par ses regards, qu'elle expliquait à Consalve
une partie des choses qu'elle lui voulait dire ; mais il y
avait je ne sais quoi de si beau, et de si passionné dans
ses regards, que Consalve en était pénétré. Belle Zayde,
disait-il quelquefois, est-ce ainsi que vous regardez
ceux que vous n'aimez pas ? Que réservez-vous donc
pour cet heureux amant dont j'ai le malheur de vous
faire souvenir ? S'il n'eût point été prévenu de cette
pensée, il ne se fût pas cru si infortuné ; et les actions de
Zayde ne lui devaient pas persuader, qu'elle n'eût pour
lui que de l'indifférence [1].

Un jour qu'il l'avait quittée pour quelques
moments, il alla se promener sur le bord de la mer ; et
revint ensuite auprès d'une fontaine, qui était dans le
bois, en un endroit agréable, où elle allait assez souvent. Lorsqu'il s'en approcha, il entendit quelque
bruit ; et il vit au travers des arbres, Zayde assise
auprès de Félime : la surprise que causa cette rencontre à Consalve, lui donna la même joie, que si le
hasard l'eût ramené auprès de Zayde, après une année
d'absence. Il s'avança vers le lieu où elle était :
quoiqu'il fît assez de bruit, elle parlait avec tant
d'attention, qu'elle ne l'entendit point. Lorsqu'il fut
devant elle, elle parut embarrassée comme une personne qui venait de parler haut, qui craignait qu'on
n'eût entendu ce qu'elle avait dit, et qui avait oublié
que Consalve ne pouvait l'entendre. L'émotion que lui
avait causée cette surprise, avait en quelque sorte augmenté sa beauté ; et Consalve qui s'était assis auprès
d'elle, ne pouvant plus être maître de lui-même, se jeta

---

1. En langue classique, l'imparfait du verbe « devoir » a souvent
une valeur de conditionnel passé. Ici, « ne devaient pas » a le sens de
« n'auraient pas dû ».

tout d'un coup à ses genoux, et lui parla de son amour, d'une manière si passionnée, qu'il n'était pas nécessaire d'entendre ses paroles, pour savoir ce qu'elles voulaient dire. Il parut à Consalve qu'elle ne les entendait que trop ; elle rougit ; et après avoir fait une action de la main, qui semblait le repousser, elle se leva avec une civilité froide, comme pour le faire lever d'un lieu, où il pourrait être incommodé. Alphonse passa dans l'allée en ce moment ; et elle marcha vers lui sans jeter les yeux sur Consalve. Il demeura à la place où il était, sans avoir la force de se relever.

Voilà, dit-il en lui-même, la manière dont on me traite, quand on ne me regarde pas comme le portrait de mon rival. Vous tournez les yeux sur moi, belle Zayde, d'une manière à charmer et à embraser tout le monde, lorsque mon visage vous fait souvenir du sien ; mais si j'ose vous témoigner que je vous aime, vous ne laissez pas seulement tomber sur moi des regards de colère, vous me trouvez indigne d'être regardé. Si je pouvais au moins vous apprendre, que je sais que vous pleurez un amant, je me trouverais heureux, et j'avoue que ma jalousie serait vengée par le dépit que vous en recevriez. N'est-ce point aussi, que je veux vous paraître persuadé, que vous aimez quelque chose, pour avoir la joie d'être assuré par vous-même que vous n'aimez rien. Ah ! Zayde, ma vengeance est intéressée ; et elle cherche moins à vous offenser, qu'à vous donner lieu de me satisfaire.

Dans ces pensées, il reprit le chemin du logis, pour s'ôter du lieu où était Zayde, et pour être seul dans une galerie où il se promenait quelquefois. Il y rêva longtemps, aux moyens de faire entendre à Zayde, qu'il la soupçonnait d'en aimer un autre : mais il était difficile d'en trouver ; et ce n'était pas une chose qui se pût faire comprendre sans paroles. Après s'être lassé de rêver, et de se promener, il voulut sortir de la galerie, lorsqu'un peintre, qui travaillait à des tableaux qu'Alphonse faisait faire, le pria avec beaucoup d'empressement de regarder son ouvrage. Consalve eût bien voulu s'en dispenser ; mais pour ne pas fâcher ce peintre, il s'arrêta à considérer ce qu'il faisait. C'était un grand tableau où Alphonse avait voulu qu'il représentât la mer, comme on la voyait de ses fenêtres ; et pour rendre ce tableau plus agréable, il y avait fait peindre une tempête. Il paraissait d'un côté des vaisseaux qui périssaient en pleine mer ; de l'autre des navires qui se brisaient contre les rochers : on voyait des hommes, qui tâchaient de se sauver à la nage ; et on en voyait qui avaient déjà péri, et dont la mer avait jeté les corps sur le sable. Cette tempête fit souvenir Consalve du naufrage de Zayde, et lui mit dans l'esprit un moyen de lui faire connaître ce qu'il pensait de son affliction. Il dit au peintre, qu'il fallait ajouter encore quelques figures dans son tableau, et mettre sur un des rochers qui y étaient représentés, une jeune et belle personne penchée sur le corps d'un homme mort étendu sur le sable. Qu'il fallait qu'elle pleurât en le regardant ; qu'il y eût un autre homme à ses genoux qui essayât de l'ôter d'auprès de ce mort : que cette belle personne, sans tourner les yeux du côté de celui qui lui parlait, le repoussât d'une main, et que de l'autre elle parût essuyer ses larmes. Le peintre promit à Consalve de suivre sa pensée, et commença à la dessiner : Consalve en fut satisfait, et le pria de travailler avec diligence. Ensuite il sortit de la galerie ; il alla pour retrouver Zayde, ne pouvant malgré son dépit être plus longtemps séparé d'elle : mais il sut qu'au retour de la promenade, elle s'était retirée dans sa chambre, et il ne put la voir de tout le reste du jour. Il en eut de la tristesse et de l'inquiétude, et il craignit qu'elle ne l'eût privé de sa vue pour le punir de ce qu'il avait osé lui faire entendre. Le lendemain elle lui parut plus sérieuse qu'à l'ordinaire ; mais les jours suivants, il la trouva comme elle avait accoutumé d'être.

Cependant, le peintre travaillait à ce que Consalve lui avait ordonné ; et Consalve attendait avec beaucoup d'impatience, que cet ouvrage fût achevé : sitôt qu'il le fut, il conduisit Zayde dans la galerie, comme pour lui donner le divertissement de voir travailler le peintre : il lui fit d'abord regarder tous les tableaux qui étaient déjà faits, et ensuite il lui fit considérer avec plus d'attention celui de la mer, où l'on travaillait encore. Il lui fit remarquer cette jeune personne, qui pleurait un homme mort ; et lorsqu'il vit que ses yeux y étaient attachés, et qu'il semblait qu'elle reconnût le rocher où elle allait si souvent, il prit le crayon du peintre, et écrivit le nom de Zayde au-dessus de cette belle personne, et celui de Théodoric au-dessus de ce jeune homme qui était à genoux. Zayde qui lisait ce qu'écrivait Consalve, rougit lorsqu'il eut achevé ; et après l'avoir regardé avec des yeux qui témoignaient de la colère, elle prit un pinceau, et effaça entièrement cet homme mort qu'elle jugea bien que Consalve l'accusait de pleurer. Quoiqu'il connût aisément qu'il avait fâché Zayde, il ne laissa pas d'avoir une joie sensible de lui voir effacer celui qu'il en croyait aimé. Encore qu'il pût s'imaginer, que cette action de Zayde fût plutôt un effet de sa fierté, qu'une preuve qu'elle ne regrettait personne ; il trouvait néanmoins, qu'après l'amour qu'il lui avait témoignée, elle lui faisait une faveur de ne vouloir pas lui laisser croire, qu'elle en aimât un autre : mais le peu d'espérance que lui donnait cette pensée ne pouvait détruire tant de sujets de crainte, qu'il croyait avoir.

Alphonse qui n'était prévenu d'aucune passion, jugeait des sentiments de cette belle étrangère, d'une manière bien différente de Consalve. « Je trouve, lui disait-il, que vous avez tort de vous croire malheureux ; vous l'êtes sans doute, de vous être attaché à une personne, que vraisemblablement vous ne pouvez épouser ; mais vous ne l'êtes pas de la manière dont vous croyez l'être, et les apparences sont trompeuses, si vous n'êtes véritablement aimé de Zayde. – Il est vrai, répondit Consalve, que si je jugeais de ses sentiments par ses regards, je pourrais me flatter de quelque espérance : mais comme je vous l'ai dit, elle ne me regarde que par cette ressemblance, qui me donne tant de jalousie. – Je ne sais, répliqua Alphonse, si tout ce que vous pensez est véritable ; mais si j'étais à la place de celui que vous croyez qu'elle regrette, je

ne serais pas satisfait que ma ressemblance fît regarder
quelqu'un avec des yeux si favorables ; et il est impossible que l'idée d'un autre produise les sentiments que
Zayde a pour vous. » L'espérance est naturelle aux
amants ; si quelques actions de Zayde en avaient déjà
fait concevoir à Consalve, le discours d'Alphonse
acheva de lui en donner : il crut voir, que Zayde ne le
haïssait pas ; et il en ressentit une joie extraordinaire ;
mais cette joie ne lui dura pas longtemps : il s'imagina
qu'il ne devait qu'à la ressemblance de son rival le
penchant qu'elle avait pour lui ; il pensa qu'après avoir
perdu un homme, qu'elle avait fort aimé, elle avait des
dispositions favorables pour un autre, qui lui ressemblait. Son amour, sa jalousie, et sa gloire ne pouvaient
se satisfaire d'une inclination, qu'il n'avait pas fait
naître, et qui ne venait, que par celle qu'elle avait eue
pour un autre. Il crut, que quand il serait aimé de
Zayde, ce ne serait toujours que son rival, qu'elle
aimerait en lui ; enfin il trouvait, qu'il serait malheureux quand même il serait assuré d'être aimé. Néanmoins il ne pouvait se défendre de voir avec plaisir
dans la manière d'agir de cette belle étrangère, un air
fort différent de celui qu'elle avait eu d'abord ; et la
passion qu'il avait pour elle était si ardente, qu'à
quelque cause, qu'il crût devoir les marques de son
inclination, il lui était impossible de ne les pas recevoir
avec transport.

Un jour, qu'il faisait assez beau, voyant qu'elle ne
sortait point de sa chambre, il y entra pour savoir si
elle ne voulait point se promener. Elle écrivait ; et bien
qu'il fît du bruit en entrant, il s'approcha d'elle sans
qu'elle s'en aperçût, et se mit à la regarder écrire. Elle
tourna la tête par hasard, et voyant Consalve, elle
rougit, et cacha ce qu'elle écrivait ; avec une émotion,
qui ne causa pas un médiocre trouble à Consalve. Il
s'imagina qu'elle ne pouvait avoir tant d'application,
et tant de surprise, pour une lettre, qui n'aurait pas eu
quelque chose de mystérieux : cette pensée lui donna
de l'inquiétude ; il se retira, et s'en alla chercher
Alphonse pour raisonner sur une aventure, qui lui

donnait des imaginations bien différentes de celles qu'il avait eues jusques alors. Après l'avoir cherché longtemps sans le trouver, tout d'un coup un sentiment de jalousie le fit retourner dans la chambre de Zayde : il y entra ; mais il ne l'y trouva pas, elle avait passé dans un cabinet, où Félime était d'ordinaire ; Consalve vit sur la table un papier écrit à demi plié, il ne put se défendre de l'envie de le voir ; il l'ouvrit, et il ne douta point, que ce ne fût le même qu'il avait vu écrire à Zayde un moment auparavant. Il trouva dans ce papier le bracelet de cheveux, qu'elle lui avait ôté : elle rentra comme il tenait ce papier et ce bracelet ; elle s'avança pour les reprendre ; Consalve se retira de quelques pas comme s'il eût voulu les garder ; mais néanmoins avec une action soumise, qui semblait lui en demander la permission. Zayde lui témoigna, qu'elle les voulait ravoir, et avec un air où il y avait tant d'autorité, qu'il était impossible à un homme aussi amoureux que lui, de ne pas obéir. Ce fut néanmoins avec la plus grande douleur qu'il eût jamais sentie, qu'il remit entre les mains de Zayde ce qu'il croyait qu'elle destinait à un autre. Il ne put être maître de son chagrin ; il sortit assez brusquement de la chambre, et s'en alla dans la sienne. Il y rencontra Alphonse, qui le venait trouver sur ce qu'on lui avait dit qu'il le cherchait : sitôt qu'ils furent assis : « Je suis bien plus malheureux que je ne l'ai pensé, mon cher Alphonse, lui dit-il ; ce rival dont j'étais si jaloux, tout mort que je le croyais, n'est pas mort assurément : je viens de trouver Zayde, qui lui écrit ; je viens de voir ce bracelet qu'elle m'a ôté, qu'elle lui envoie ; il faut qu'elle ait eu de ses nouvelles ; il faut qu'il y ait ici quelqu'un de caché, qui lui doive porter des siennes ; enfin, toutes ces espérances de bonheur que j'ai eues, ne sont qu'imaginaires, et ne viennent que de mal expliquer les actions de Zayde. Elle avait raison d'effacer ce mort, que je lui faisais entendre qu'elle pleurait ; elle savait bien que celui pour qui coulaient ses larmes vivait encore. Elle avait raison d'avoir tant de colère de voir son bracelet entre mes mains, et tant de joie de

l'avoir repris, puisqu'elle l'avait fait pour un autre.
Ah ! Zayde, il y a de la cruauté à me laisser prendre de
l'espérance ; car enfin, vous m'en laissez prendre, et
vos beaux yeux ne me la défendent pas. » La douleur
de Consalve était si vive, qu'il put à peine achever ces
paroles. Après qu'Alphonse lui eut laissé le temps de
se remettre ; il le pria de lui dire, comment il avait
appris ce qu'il venait de lui raconter, et si Zayde avait
trouvé en un moment le moyen de se faire entendre.
Consalve lui conta ce qu'il venait de voir du trouble de
Zayde, lorsqu'il l'avait surprise en écrivant [1] ; comme
il avait trouvé ce bracelet dans le même papier qu'elle
avait écrit, et comme elle l'avait retiré de ses mains.
« Enfin, Alphonse, ajouta-t-il, on n'est point si troublé
pour une lettre indifférente : Zayde n'a ici aucun commerce, ni aucune affaire ; elle ne peut écrire avec tant
d'attention, que de ce qui se passe dans son cœur, et
ce n'est pas à moi à qui elle l'écrit : ainsi, que voulez-
vous que je pense de ce que je viens de voir. – Je veux,
repartit Alphonse, que vous ne pensiez pas des choses
si peu vraisemblables, et qui vous donnent tant de
douleur : parce que Zayde rougit lorsque vous la sur-
prenez en écrivant, vous croyez qu'elle écrit à votre
rival ; et moi je crois qu'elle vous aime assez pour
rougir toutes les fois qu'elle sera surprise de vous voir
auprès d'elle. Peut-être a-t-elle écrit ce que vous avez
vu sans autre dessein que de se divertir : elle ne vous
l'a pas laissé, parce que c'est une chose qui vous aurait
été inutile, puisque vous ne pouvez l'entendre ; et si
elle vous a ôté son bracelet, je vous avoue que je n'en
suis point surpris ; et qu'encore que je sois persuadé
qu'elle vous aime, je la crois assez sage pour ne vouloir
pas donner de ses cheveux à un homme qui lui est
entièrement inconnu. Mais je ne vois pas les raisons

---

1. En langue classique, le participe présent ou le gérondif peuvent avoir pour sujet un complément d'objet direct de la proposition principale. Dans ce passage et quelques lignes plus loin, « en
écrivant » se rapporte aux pronoms personnels « l' » puis « la » qui
désignent Zayde.

qui vous persuadent, qu'elle les veut envoyer à quelque autre : nous ne l'avons quasi pas quittée depuis qu'elle est ici ; personne ne lui a parlé ; ceux même qui lui pourraient parler ne l'entendent pas ; comment voudriez-vous qu'elle eût appris des nouvelles de cet amant, qui vous donne tant de jalousie, et qu'elle pût lui faire recevoir des siennes ? – Je l'avoue, répondit Consalve, je me tourmente plus que je ne dois ; mais l'incertitude où je suis est un état insupportable. Les autres n'ont que des incertitudes médiocres ; ils se croient plus ou moins aimés ; et moi je passe de l'espérance d'être aimé de Zayde, à la pensée qu'elle en aime un autre ; et je ne suis jamais assuré un moment si ce que je vois en elle me doit rendre heureux, ou misérable. Alphonse, reprit-il, vous prenez plaisir à me tromper ; quoi que vous me puissiez dire, ce n'est qu'à un amant à qui elle écrit ; et je me trouverais heureux, si j'avais (sur ce que je viens de voir) l'incertitude dont je me plains comme du plus grand de tous les maux. » Alphonse lui dit encore tant de raisons, pour lui persuader, que son inquiétude était mal fondée, qu'enfin il le rassura en quelque sorte ; et Zayde qu'ils trouvèrent en allant se promener, acheva de le remettre : elle les vit de loin, et s'approcha d'eux avec tant de douceur, et avec des regards si obligeants pour Consalve, qu'elle dissipa une partie des cruelles inquiétudes qu'elle lui venait de donner.

Le temps qu'il avait marqué à cette belle étrangère pour son départ, et qui était celui que les grands vaisseaux partaient de Tarragone pour l'Afrique, commençait à s'approcher, et lui donnait une tristesse mortelle. Il ne pouvait se résoudre à se priver luimême de Zayde ; et quelque injustice qu'il trouvât à la retenir, il fallait toute sa raison, et toute sa vertu, pour l'en empêcher. « Quoi, disait-il à Alphonse, je me priverai pour jamais de Zayde ; ce sera un adieu sans espérance de retour : je ne saurai en quel endroit de la terre la chercher ! Elle veut aller en Afrique, mais elle n'est pas africaine ; et j'ignore quel lieu du monde l'a vue naître. Je la suivrai, Alphonse, continua-t-il ;

quoiqu'en la suivant, je n'espère plus le plaisir de la voir ; quoique je sache que sa vertu, et les coutumes de l'Afrique, ne me permettront pas de demeurer auprès d'elle, j'irai au moins finir ma triste vie dans les lieux qu'elle habitera, et je trouverai de la douceur à respirer le même air : aussi bien je suis un malheureux qui n'ai plus de patrie ; le hasard m'a retenu ici, et l'amour m'en fera sortir. »

Consalve se confirmait dans cette résolution, quelque peine que prît Alphonse de l'en détourner. Il était plus tourmenté que jamais de la peine de ne pouvoir entendre Zayde, et de n'en pouvoir être entendu. Il fit réflexion sur la lettre qu'il lui avait vu écrire ; et il lui sembla, qu'elle était écrite en caractères grecs : quoiqu'il n'en fût pas bien assuré, l'envie de s'en éclaircir lui donna la pensée d'aller à Tarragone pour trouver quelqu'un qui entendît la langue grecque. Il y avait déjà envoyé plusieurs fois chercher des étrangers, qui lui pussent servir de truchement[1] ; mais comme il ne savait quelle langue parlait Zayde, on ne savait aussi quels étrangers il fallait demander ; et les voyages de tous ceux qu'il y avait envoyés ayant été inutiles, il se résolut d'y aller lui-même. C'était néanmoins une résolution difficile à prendre ; car il fallait s'exposer dans une grande ville au hasard d'être reconnu, et il fallait quitter Zayde ; mais l'envie de pouvoir s'expliquer avec elle, le fit passer par-dessus ces raisons. Il tâcha de lui faire entendre, qu'il allait chercher un truchement, et partit pour aller à Tarragone : il se déguisa le mieux qu'il lui fut possible ; il alla dans les lieux où étaient les étrangers ; il en trouva un grand nombre ; mais leur langue n'était point celle de Zayde : enfin, il demanda s'il n'y avait point quelqu'un qui entendît la langue grecque : celui à qui il s'adressa lui répondit en espagnol, qu'il était d'une des îles de la Grèce. Consalve le pria de parler sa

---

1. Truchement : « Interprète, celui qui explique à deux personnes qui parlent des langues différentes, ce qu'ils se disent l'un à l'autre » (*Académie*).

langue ; il le fit, et Consalve connut que c'était celle de Zayde. Par bonheur les affaires de cet étranger ne le retenaient pas à Tarragone ; il voulut bien suivre Consalve, qui lui donna une plus grande récompense qu'il n'aurait osé la lui demander. Ils partirent le lendemain à la pointe du jour ; et Consalve s'estimait plus heureux d'avoir un truchement, que s'il eût eu la couronne de Léon sur la tête.

Pendant que le chemin dura, il commença à s'instruire de la langue grecque ; il apprit d'abord, *Je vous aime* ; et quand il pensa qu'il pourrait le dire à Zayde, et qu'elle l'entendrait, il crut qu'il ne pouvait plus être malheureux. Il arriva de bonne heure à la maison d'Alphonse ; il le trouva qui se promenait ; il lui fit part de sa joie, et lui demanda où était Zayde. Alphonse lui dit, qu'il y avait longtemps qu'elle se promenait du côté de la mer. Il en prit le chemin avec son truchement ; il alla au rocher où elle avait accoutumé d'être ; il fut surpris de ne l'y trouver pas ; néanmoins il ne s'en étonna point ; il la chercha jusques au port, où elle allait quelquefois ; il revint au logis ; il retourna dans le bois, sa peine fut inutile. Il envoya dans tous les lieux où il s'imagina qu'elle pouvait être ; mais comme on ne la trouva point, il commença à avoir quelque pressentiment de son malheur. La nuit vint sans qu'il pût en apprendre de nouvelles ; il était désespéré de l'avoir perdue ; il craignait qu'il ne lui fût arrivé quelque accident ; il se blâmait de l'avoir quittée ; enfin, il n'y a point de douleur qui fût comparable à la sienne. Il passa toute la nuit dans la campagne avec des flambeaux ; et n'ayant même plus d'espérance de la revoir, il ne laissait pas de la chercher. Il avait déjà été plusieurs fois aux cabanes des pêcheurs, pour savoir si personne ne l'avait vue ; et il n'avait pu en apprendre aucune nouvelle. Sur le matin, deux femmes qui revenaient d'un lieu où elles avaient été coucher le jour d'auparavant, lui apprirent qu'en sortant de leurs cabanes, elles avaient vu de loin Zayde et Félime se promener le long de la mer : que pendant qu'elles se promenaient, une chaloupe avait abordé la côte ; qu'il était descendu des hommes de cette chaloupe ; que Zayde et Félime s'étaient éloignées, lorsqu'elles les avaient vus ; mais que ces hommes les ayant appelées, elles étaient revenues sur leurs pas ; et qu'après avoir parlé longtemps, et avoir fait des actions qui témoignaient qu'elles étaient bien aises de les voir, elles étaient montées dans la chaloupe, et avaient pris la pleine mer.

Alors Consalve regarda Alphonse d'une manière, qui exprimait mieux sa douleur, que n'auraient pu faire toutes ses paroles. Alphonse ne savait que lui dire pour le consoler. Quand tous ceux qui les environnaient se furent retirés, Consalve rompant le silence : « Je perds Zayde, dit-il, et je la perds dans le moment que [1] je pouvais m'en faire entendre : je la perds, Alphonse, et c'est son amant qui me l'enlève, il est aisé de le juger par le rapport de ces femmes : la Fortune ne m'a pas voulu laisser ignorer la seule chose, qui me pouvait augmenter la douleur de perdre Zayde. Je l'ai donc perdue pour jamais, et elle est entre les mains d'un rival, et d'un rival aimé : c'était à lui sans doute qu'elle écrivait cette lettre, que je surpris ; et c'était pour lui apprendre le lieu où il devait la trouver. C'en est trop, s'écria-t-il tout d'un coup c'en est trop, mes maux suffiraient à faire plusieurs misérables : j'avoue que j'y succombe, et qu'après avoir tout abandonné, je ne puis supporter d'être plus tourmenté au milieu d'un désert, que je ne l'ai été au milieu de la Cour. Oui, Alphonse, ajoutait-il, je suis plus malheureux mille fois par la seule perte de Zayde, que je ne l'ai été par toutes celles que j'ai faites. Est-il possible que je ne puisse espérer de revoir Zayde ! Si je savais au moins si je lui ai plu, ou si je lui ai été indifférent, mon malheur ne serait pas si insupportable ; et je saurais à quelle sorte de douleur je me dois abandonner. Mais si j'ai plu à Zayde, puis-je penser à l'oublier ; et ne dois-

---

1. L'emploi de « que » ayant pour antécédent les mots « le jour », « le moment », « l'heure », « le soir » est constant au XVIIᵉ siècle, là où la langue moderne emploie « où ».

je pas passer ma vie à courir toutes les parties du monde pour la trouver ? Que si elle en aime un autre, ne dois-je pas faire tous mes efforts pour ne m'en souvenir jamais ? Alphonse, ayez pitié de moi ; tâchez de me faire croire que Zayde m'a aimé, ou persuadez-moi que je lui suis indifférent. Quoi, reprenait-il, je serais aimé de Zayde, et je ne la verrais jamais ; ce malheur passerait encore celui d'en être haï. Mais, non je ne puis être malheureux, si Zayde m'a aimé ; hélas ! je l'allais savoir dans le moment que je l'ai perdue ; et quelque soin qu'elle eût pris de se déguiser, j'aurais démêlé ses sentiments ; j'aurais su la cause de ses larmes ; j'aurais su son pays, sa fortune, ses aventures, et je saurais maintenant si je dois la suivre, et où je dois la chercher. »

Alphonse ne savait que répondre à Consalve, par l'impossibilité de se déterminer à ce qu'il lui devait dire pour calmer sa douleur. Enfin, après lui avoir représenté que son esprit n'était pas en état de prendre une résolution, et qu'il fallait se servir de sa raison pour supporter son malheur, il l'obligea de retourner chez lui. Sitôt que Consalve fut dans sa chambre, il fit appeler son truchement, pour se faire expliquer quelques mots qu'il avait entendu dire à Zayde, et qu'il avait retenus. Le truchement lui en expliqua plusieurs, et entre autres ceux que Zayde avait souvent dits à Félime en le regardant. Il les expliqua en sorte, que Consalve fut assuré qu'il ne s'était pas trompé, lorsqu'il avait cru qu'elle parlait d'une ressemblance, et il ne douta plus alors que ce ne fût un amant de Zayde à qui il ressemblait. Dans cette pensée, il envoya chercher ces femmes, qui avaient vu partir cette belle étrangère, pour savoir d'elles, si parmi ces hommes qui l'avaient emmenée, il n'y avait point quelqu'un qui lui ressemblât. Sa curiosité ne put être satisfaite : ces femmes les avaient vus de trop loin pour remarquer cette ressemblance ; et elles lui dirent seulement, qu'il y en avait un que Zayde avait embrassé. Consalve ne put entendre ces paroles sans s'abandonner au désespoir, et sans prendre le dessein d'aller chercher Zayde pour tuer son amant à ses yeux. Alphonse lui représenta qu'il y aurait de l'injustice, et de l'impossibilité dans ce dessein ; qu'il n'avait point de droit sur Zayde ; qu'elle était engagée avec cet amant devant que de l'avoir vu ; que c'était peut-être son mari ; qu'il ne savait en quel lieu du monde la chercher ; que quand il l'aurait trouvée, ce serait apparemment dans un pays, où ce rival aurait tant d'autorité, qu'il ne pourrait exécuter ce que la colère lui conseillait d'entreprendre. « Que voulez-vous donc que je devienne, répliqua Consalve, et croyez-vous qu'il me soit possible de demeurer en l'état où je suis ? – Je voudrais, dit Alphonse, que vous supportassiez ce malheur, qui ne regarde que l'amour, comme vous avez déjà supporté ceux qui regardaient et l'amour et la fortune. – C'est pour avoir trop souffert, que je ne puis plus souffrir, répondit Consalve ; je veux aller chercher Zayde, la revoir, savoir d'elle qu'elle en aime un autre, et mourir à ses pieds. Mais non, reprit-il, je serais digne de mon malheur, si j'allais chercher Zayde après la manière dont elle m'a quitté. Le respect, et l'adoration que j'ai eus pour elle, l'engageaient à me faire dire au moins qu'elle s'en allait. La seule reconnaissance l'y devait obliger ; et puisqu'elle ne l'a pas fait, il faut qu'elle joigne le mépris à l'indifférence. Je me suis trop flatté, quand j'ai pu m'imaginer qu'elle ne me haïssait pas ; je ne dois jamais penser à la suivre ni à la chercher. Non, Zayde, je ne vous suivrai point. Alphonse, je me rends à vos raisons ; et je vois bien que je ne dois prétendre, qu'à finir le plus tôt que je pourrai, le reste d'une misérable vie. »

Consalve parut déterminé à cette résolution, et son esprit en fut plus calme : il était néanmoins dans une tristesse, qui faisait pitié ; il passait les journées entières dans les lieux où il avait vu Zayde ; et il semblait l'y chercher encore. Il garda son truchement pour apprendre la langue grecque ; et quoiqu'il fût persuadé qu'il ne verrait jamais Zayde, il trouvait quelque douceur à s'assurer au moins, qu'il la pourrait entendre s'il la revoyait. Il apprit en peu de temps ce que les autres n'apprennent qu'en plusieurs années. Mais lorsqu'il n'eut plus cette occupation, qui avait quelque rapport avec Zayde, il se trouva encore plus affligé qu'auparavant.

Il faisait souvent réflexion sur la cruauté de sa destinée, qui après l'avoir accablé à Léon de tant de malheurs, lui en faisait encore éprouver un incomparablement plus sensible, en le privant d'une personne, qui seule lui était plus chère que la fortune, l'ami, et la maîtresse qu'il avait perdus. En faisant cette triste différence de ses malheurs passés à son malheur présent, il se souvint de la promesse qu'il avait faite à Don Olmond, de lui donner de ses nouvelles : et quelque peine qu'il eût à penser à autre chose qu'à Zayde, il jugea qu'il devait cette marque de reconnaissance à un homme, qui lui avait témoigné tant d'amitié. Il ne voulut pas lui apprendre précisément le lieu où il était ; il lui manda seulement, qu'il le priait de lui écrire à Tarragone, que sa retraite n'en était pas éloignée ; qu'il s'y trouvait sans ambition, qu'il n'avait plus de ressentiment contre Don Garcie, de haine pour Don Ramire, ni d'amour pour Nugna Bella : que cependant il était encore plus malheureux, que lorsqu'il partit de Léon.

Alphonse était sensiblement touché de l'état où il voyait Consalve ; il ne l'abandonnait point, et tâchait autant qu'il lui était possible de diminuer son affliction. «Vous avez perdu Zayde, lui disait-il, un jour ; mais vous n'avez pas contribué à la perdre ; et quelque malheureux que vous soyez, il y a du moins une sorte de malheur, que votre destinée vous laisse ignorer. Être la cause de son infortune, est ce malheur qui vous est inconnu ; et c'est celui qui fera éternellement mon supplice. Si vous trouvez quelque consolation, continua-t-il, d'apprendre par mon exemple, que vous pourriez être plus infortuné que vous ne l'êtes ; je veux bien vous raconter les accidents de ma vie, quelque douleur que me puisse donner un si triste souvenir. » Consalve ne put s'empêcher de lui laisser voir tant de désir de savoir ce qui l'avait obligé à se

confiner dans un désert, qu'Alphonse pour satisfaire
sa curiosité, et pour lui faire connaître qu'il était plus
malheureux que lui, commença ainsi l'histoire de ses
déplaisirs.

HISTOIRE D'ALPHONSE ET DE BÉLASIRE

« Vous savez, seigneur, que je m'appelle Alphonse
Ximénès ; et que ma maison a quelque lustre dans
l'Espagne, pour être descendue des premiers Rois de
Navarre. Comme je n'ai dessein que de vous conter
l'histoire de mes derniers malheurs, je ne vous ferai
pas celle de toute ma vie : il y a néanmoins des choses
assez remarquables ; mais comme jusques au temps
dont je vous veux parler, je n'avais été malheureux
que par la faute des autres, et non pas par la mienne,
je ne vous en dirai rien, et vous saurez seulement que
j'avais éprouvé tout ce que l'infidélité et l'inconstance
des femmes peuvent faire souffrir de plus douloureux.
Aussi étais-je très éloigné d'en vouloir aimer aucune :
les attachements me paraissaient des supplices : et
quoiqu'il y eût plusieurs belles personnes dans la
Cour, dont je pouvais être aimé, je n'avais pour elles
que les sentiments de respect, qui sont dus à leur sexe.
Mon père qui vivait encore, souhaitait de me marier,
par cette chimère si ordinaire à tous les hommes de
vouloir conserver leur nom. Je n'avais pas de répugnance au mariage ; mais la connaissance que j'avais
des femmes, m'avait fait prendre la résolution de n'en
épouser jamais de belles : et après avoir tant souffert
par la jalousie, je ne voulais pas me mettre au hasard
d'avoir tout ensemble celle d'un amant et celle d'un
mari. J'étais dans ces dispositions, lorsqu'un jour mon
père me dit, que Bélasire fille du Comte de Guévarre,
était arrivée à la Cour : que c'était un parti considérable, et par son bien et par sa naissance, et qu'il eût
fort souhaité de l'avoir pour belle-fille. Je lui répondis,
qu'il faisait un souhait inutile ; que j'avais déjà ouï

parler de Bélasire, et que je savais que personne n'avait encore pu lui plaire. Que je savais aussi, qu'elle était belle, et que c'était assez pour m'ôter la pensée de l'épouser. Il me demanda si je l'avais vue ; je lui répondis, que toutes les fois qu'elle était venue à la Cour, je m'étais trouvé à l'armée, et que je ne la connaissais que de réputation. "Voyez-la je vous en prie, répliqua-t-il, et si j'étais aussi assuré que vous lui pussiez plaire, que je suis persuadé qu'elle vous fera changer la résolution de n'épouser jamais une belle femme, je ne douterais pas de votre mariage." Quelques jours après je trouvai Bélasire chez la Reine ; je demandai son nom, me doutant bien que c'était elle ; et elle demanda [1] le mien, croyant bien aussi que j'étais Alphonse. Nous devinâmes l'un et l'autre ce que nous avions demandé ; nous nous le dîmes ; et nous parlâmes ensemble avec un air plus libre, qu'apparemment nous ne le devions avoir dans une première conversation. Je trouvai la personne de Bélasire très charmante, et son esprit beaucoup audessus de ce que j'en avais pensé. Je lui dis que j'avais de la honte de ne la connaître pas encore ; que néanmoins je serais bien aise de ne la pas connaître davantage ; que je n'ignorais pas combien il était inutile de songer à lui plaire, et combien il était difficile de se garantir de le désirer. J'ajoutai que quelque difficulté qu'il y eût à toucher son cœur, je ne pourrais m'empêcher d'en former le dessein, si elle cessait d'être belle : mais que tant qu'elle serait comme je la voyais, je n'y penserais de ma vie. Que je la suppliais même de m'assurer, qu'il était impossible de se faire aimer d'elle ; de peur qu'une fausse espérance ne me fît changer la résolution que j'avais prise de ne m'attacher jamais à une belle femme. Cette conversation qui avait quelque chose d'extraordinaire, plut à Bélasire ; elle parla de moi assez favorablement ; et je parlai d'elle, comme d'une personne en qui je trouvais un

---

1. « me demanda » dans le texte. Nous corrigeons pour la logique du passage.

mérite, et un agrément au-dessus des autres femmes.
Je m'enquis avec plus de soin que je n'avais fait, qui
étaient ceux qui s'étaient attachés à elle : on me dit
que le Comte de Lare l'avait passionnément aimée ;
que cette passion avait duré longtemps ; qu'il avait été
tué à l'armée ; et qu'il s'était précipité dans le péril,
après avoir perdu l'espérance de l'épouser. On me dit
aussi, que plusieurs autres personnes avaient essayé
de lui plaire ; mais inutilement ; et que l'on n'y pensait
plus, parce qu'on croyait impossible d'y réussir. Cette
impossibilité dont on me parlait, me fit imaginer
quelque plaisir à la surmonter : je n'en fis pas néanmoins le dessein ; mais je vis Bélasire le plus souvent
qu'il me fut possible ; et comme la Cour de Navarre
n'est pas si austère que celle de Léon, je trouvais aisément les occasions de la voir. Il n'y avait pourtant rien
de sérieux entre elle et moi ; je lui parlais en riant de
l'éloignement où nous étions l'un pour l'autre, et de la
joie que j'aurais qu'elle changeât de visage et de sentiments. Il me parut que ma conversation ne lui déplaisait pas, et que mon esprit lui plaisait, parce qu'elle
trouvait que je connaissais tout le sien. Comme elle
avait même pour moi une confiance, qui me donnait
une entière liberté de lui parler, je la priai de me dire
les raisons qu'elle avait eues de refuser si opiniâtre-
ment ceux qui s'étaient attachés à lui plaire. "Je vais
vous répondre sincèrement, me dit-elle ; je suis née
avec aversion pour le mariage ; les liens m'en ont toujours paru très rudes ; et j'ai cru qu'il n'y avait qu'une
passion qui pût assez aveugler, pour faire passer par-
dessus toutes les raisons qui s'opposent à cet engagement. Vous ne voulez pas vous marier par amour,
ajouta-t-elle ; et moi je ne comprends pas qu'on puisse
se marier sans amour, et sans une amour violente ; et
bien loin d'avoir eu de la passion, je n'ai même jamais
eu d'inclination pour personne : ainsi, Alphonse, si je
ne me suis point mariée, c'est parce que je n'ai rien
aimé. – Quoi, madame, lui répondis-je, personne ne
vous a plu ? Votre cœur n'a jamais reçu d'impression ?
Il n'a jamais été troublé au nom et à la vue de ceux qui

vous adoraient ? – Non, me dit-elle, je ne connais aucun des sentiments de l'amour. – Quoi pas même la jalousie, lui dis-je ? – Non pas même la jalousie, me répliqua-t-elle. – Ah ! Si cela est, madame, lui répondis-je, je suis persuadé que vous n'avez jamais eu d'inclination pour personne. – Il est vrai, reprit-elle, personne ne m'a jamais plu ; et je n'ai pas même trouvé d'esprit qui me fût agréable, et qui eût du rapport avec le mien." Je ne sais quel effet me firent les paroles de Bélasire ; je ne sais si j'en étais déjà amoureux sans le savoir ; mais l'idée d'un cœur fait comme le sien, qui n'eût jamais reçu d'impression, me parut une chose si admirable et si nouvelle, que je fus frappé dans ce moment du désir de lui plaire, et d'avoir la gloire de toucher ce cœur, que tout le monde croyait insensible. Je ne fus plus cet homme, qui avait commencé à parler sans dessein ; je repassai dans mon esprit tout ce qu'elle me venait de dire ; je crus que lorsqu'elle m'avait dit, qu'elle n'avait trouvé personne qui lui eût plu, j'avais vu dans ses yeux qu'elle m'en avait excepté ; enfin j'eus assez d'espérance pour achever de me donner de l'amour : et dès ce moment, je devins plus amoureux de Bélasire, que je ne l'avais jamais été d'aucune autre. Je ne vous redirai point, comme j'osai lui déclarer que je l'aimais : j'avais commencé à lui parler par une espèce de raillerie, il était difficile de lui parler sérieusement : mais aussi cette raillerie me donna bientôt lieu de lui dire des choses, que je n'aurais osé lui dire de longtemps. Ainsi j'aimai Bélasire, et je fus assez heureux pour toucher son inclination ; mais je ne le fus pas assez pour lui persuader mon amour. Elle avait une défiance naturelle de tous les hommes : quoiqu'elle m'estimât beaucoup plus que tous ceux qu'elle avait jamais vus, et par conséquent plus que je ne méritais, elle n'ajoutait pas de foi à mes paroles. Elle eut néanmoins un procédé avec moi tout différent de celui des autres femmes ; et j'y trouvai quelque chose de si noble et de si sincère, que j'en fus surpris. Elle ne demeura pas longtemps sans m'avouer l'inclination qu'elle avait pour moi ; elle m'apprit ensuite le progrès que je faisais dans son cœur ; mais comme elle ne me cachait point ce qui m'était avantageux, elle m'apprenait aussi ce qui ne m'était pas favorable. Elle me dit, qu'elle ne croyait pas que je l'aimasse véritablement ; et que tant qu'elle ne serait pas mieux persuadée de mon amour, elle ne consentirait jamais à m'épouser. Je ne vous saurais exprimer la joie que je trouvais à toucher ce cœur qui n'avait jamais été touché, et à voir l'embarras et le trouble qu'y apportait une passion, qui lui était inconnue. Quel charme c'était pour moi de connaître l'étonnement qu'avait Bélasire, de n'être plus maîtresse d'elle-même, et de se trouver des sentiments sur quoi elle n'avait point de pouvoir ! Je goûtai des délices dans ces commencements, que je n'avais pas imaginées ; et qui n'a point senti le plaisir de donner une violente passion à une personne qui n'en a jamais eu même de médiocre, peut dire qu'il ignore les véritables plaisirs de l'amour. Si j'eus de sensibles joies par la connaissance de l'inclination que Bélasire avait pour moi, j'eus aussi de cruels chagrins par le doute où elle était de ma passion, et par l'impossibilité qui me paraissait à l'en persuader. Lorsque cette pensée me donnait de l'inquiétude, je rappelais les sentiments que j'avais eus sur le mariage ; je trouvais que j'allais tomber dans les malheurs que j'avais tant appréhendés ; je pensais que j'aurais la douleur de ne pouvoir assurer Bélasire de l'amour que j'avais pour elle, ou que si je l'en assurais, et qu'elle m'aimât véritablement, je serais exposé au malheur de cesser d'être aimé. Je me disais que le mariage diminuerait l'attachement qu'elle avait pour moi ; qu'elle ne m'aimerait plus que par devoir ; qu'elle en aimerait peut-être quelque autre : enfin, je me représentais tellement l'horreur d'en être jaloux, que quelque estime et quelque passion que j'eusse pour elle, je me résolvais quasi d'abandonner l'entreprise que j'avais faite ; et je préférais le malheur de vivre sans Bélasire, à celui de vivre avec elle sans en être aimé. Bélasire avait à peu près des incertitudes pareilles aux miennes ; elle ne me cachait point ses sentiments, non plus que je ne lui cachais pas les miens. Nous parlions des raisons que nous avions de ne nous point engager : nous résolûmes plusieurs fois de rompre notre attachement : nous nous dîmes adieu, dans la pensée d'exécuter nos résolutions ; mais nos adieux étaient si tendres, et notre inclination si forte, qu'aussitôt que nous nous étions quittés, nous ne pensions plus qu'à nous revoir. Enfin, après bien des irrésolutions de part et d'autre, je surmontai les doutes de Bélasire ; elle rassura tous les miens ; elle me promit qu'elle consentirait à notre mariage, sitôt que ceux dont nous dépendions auraient réglé ce qui était nécessaire pour l'achever. Son père fut obligé de partir devant que de le pouvoir conclure : le Roi l'envoya sur la frontière signer un traité avec les Maures ; et nous fûmes contraints d'attendre son retour. J'étais cependant le plus heureux homme du monde ; je n'étais occupé que de l'amour que j'avais pour Bélasire ; j'en étais passionnément aimé ; je l'estimais plus que toutes les femmes du monde, et je me croyais sur le point de la posséder.

Je la voyais avec toute la liberté que devait avoir un homme, qui l'allait bientôt épouser. Un jour mon malheur fit que je la priai de me dire tout ce que ses amants avaient fait pour elle. Je prenais plaisir à voir la différence du procédé, qu'elle avait eu avec eux, d'avec celui qu'elle avait avec moi. Elle me nomma tous ceux qui l'avaient aimée ; elle me conta tout ce qu'ils avaient fait pour lui plaire ; elle me dit que ceux qui avaient eu plus de persévérance étaient ceux dont elle avait eu plus d'éloignement ; et que le Comte de Lare qui l'avait aimée jusques à sa mort ne lui avait jamais plu. Je ne sais pourquoi, après ce qu'elle me disait, j'eus plus de curiosité pour ce qui regardait le Comte de Lare, que pour les autres : cette longue persévérance me frappa l'esprit ; je la priai de me redire encore tout ce qui s'était passé entre eux ; elle le fit ; et quoiqu'elle ne me dît rien, qui me dût déplaire, je fus touché d'une espèce de jalousie. Je trouvai, que si elle ne lui avait témoigné de l'inclination, qu'au moins lui avait-elle témoigné beaucoup d'estime. Le soupçon m'entra dans l'esprit qu'elle ne me disait pas tous les sentiments qu'elle avait eus pour lui. Je ne voulus point lui témoigner ce que je pensais ; je me retirai chez moi plus chagrin que de coutume ; je dormis peu, et je n'eus point de repos, que je ne la visse le lendemain, et que je ne lui fisse encore raconter tout ce qu'elle m'avait dit le jour précédent. Il était impossible qu'elle m'eût conté d'abord toutes les circonstances d'une passion, qui avait duré plusieurs années ; elle me dit des choses, qu'elle ne m'avait point encore dites ; je crus qu'elle avait eu dessein de me les cacher : je lui fis mille questions, et je lui demandai à genoux de me répondre avec sincérité. Mais quand ce qu'elle me répondait était comme je le pouvais désirer ; je croyais qu'elle ne me parlait ainsi que pour me plaire : si elle me disait des choses un peu avantageuses pour le Comte de Lare, je croyais qu'elle m'en cachait bien davantage : enfin la jalousie avec toutes les horreurs dont on la représente se saisit de mon esprit. Je ne lui donnais plus de repos ; je ne pouvais plus lui témoigner ni passion ni tendresse ; j'étais incapable de lui parler que du Comte de Lare [1] ; j'étais pourtant au désespoir de l'en faire souvenir, et de remettre dans sa mémoire tout ce qu'il avait fait pour elle. Je résolvais de ne lui en plus parler ; mais je trouvais toujours que j'avais oublié de me faire expliquer quelque circonstance ; et sitôt que j'avais commencé ce discours, c'était pour moi un labyrinthe, je n'en sortais plus : et j'étais également désespéré de lui parler du Comte de Lare, ou de ne lui en parler pas.

Je passais les nuits entières sans dormir ; Bélasire ne me paraissait plus la même personne. Quoi, disais-je, c'est ce qui a fait le charme de ma passion, que de croire que Bélasire n'a jamais rien aimé, et qu'elle n'a jamais eu d'inclination pour personne ; cependant par tout ce qu'elle me dit elle-même, il faut qu'elle n'ait

---

1. Comprendre : « sinon du Comte de Lare », « d'autre chose que du Comte de Lare ».

pas eu d'aversion pour le Comte de Lare. Elle lui a
témoigné trop d'estime ; et elle l'a traité avec trop de
civilité : si elle ne l'avait point aimé, elle l'aurait haï par la
longue persécution qu'il lui a faite, et qu'il lui a fait faire
par ses parents. Non, disais-je, Bélasire, vous m'avez
trompé ; vous n'étiez point telle que je vous ai crue ;
c'était comme une personne, qui n'avait jamais rien
aimé, que je vous ai adorée ; c'était le fondement de ma
passion ; je ne le trouve plus ; il est juste que je reprenne
toute l'amour que j'ai eue pour vous. Mais si elle me dit
vrai, reprenais-je, quelle injustice ne lui fais-je point ? Et
quel mal ne me fais-je point à moi-même de m'ôter tout
le plaisir que je trouvais à être aimé d'elle ?

Dans ces sentiments je prenais la résolution de
parler encore une fois à Bélasire ; il me semblait que je
lui dirais mieux que je n'avais fait, ce qui me donnait
de la peine ; et que je m'éclaircirais avec elle d'une
manière, qui ne me laisserait plus de soupçon. Je faisais ce que j'avais résolu ; je lui parlais, mais ce n'était
pas pour la dernière fois ; et le lendemain je reprenais
le même discours avec plus de chaleur que le jour précédent. Enfin Bélasire qui avait eu jusques alors une
patience, et une douceur admirables, qui avait souffert
tous mes soupçons, et qui avait travaillé à me les ôter,
commença à se lasser de la continuation d'une jalousie
si violente et si mal fondée.

"Alphonse, me dit-elle un jour, je vois bien que le
caprice que vous avez dans l'esprit, va détruire la passion que vous aviez pour moi ; mais il faut que vous
sachiez aussi, qu'il détruira infailliblement celle que
j'ai pour vous. Considérez, je vous en conjure, sur
quoi vous me tourmentez ; et sur quoi vous vous tourmentez vous-même ; sur un homme mort, que vous
ne sauriez croire que j'aie aimé, puisque je ne l'ai pas
épousé : car si je l'avais aimé, mes parents voulaient
notre mariage, et rien ne s'y opposait. – Il est vrai,
madame, lui répondis-je, je suis jaloux d'un mort, et
c'est ce qui me désespère : si le Comte de Lare était
vivant, je jugerais par la manière dont vous seriez
ensemble, de celle dont vous y auriez été ; et ce que

vous faites pour moi me convaincrait, que vous ne
l'aimeriez pas. J'aurais le plaisir en vous épousant, de lui
ôter l'espérance que vous lui aviez donnée, quoi que
vous me puissiez dire : mais il est mort, et il est peut-
être mort persuadé que vous l'auriez aimé s'il avait
vécu. Ah ! madame, je ne saurais être heureux, toutes
les fois que je penserai qu'un autre que moi a pu se
flatter d'être aimé de vous. – Mais Alphonse, me dit-elle
encore, si je l'avais aimé, pourquoi ne l'aurais-je pas
épousé ? – Parce que vous ne l'avez pas assez aimé,
madame, lui répliquai-je ; et que la répugnance que
vous aviez au mariage ne pouvait être surmontée par
une inclination médiocre. Je sais bien que vous m'aimez
davantage, que vous n'avez aimé le Comte de Lare ;
mais pour peu que vous l'ayez aimé, tout mon bonheur
est détruit ; je ne suis plus le seul homme qui vous ait
plu ; je ne suis plus le premier qui vous ait fait connaître
l'amour ; votre cœur a été touché par d'autres sentiments, que ceux que je lui ai donnés. Enfin, madame,
ce n'est plus ce qui m'avait rendu le plus heureux
homme du monde ; et vous ne me paraissez plus du
même prix dont je vous ai trouvée d'abord. – Mais
Alphonse, me dit-elle, comment avez-vous pu vivre en
repos, avec celles que vous avez aimées ? Je voudrais
bien savoir si vous avez trouvé en elles un cœur qui
n'eût jamais senti de passion. – Je ne l'y cherchais pas,
madame, lui répliquai-je ; et je ne n'avais pas espéré de
l'y trouver : je ne les avais point regardées comme des
personnes incapables d'en aimer d'autres que moi ; je
m'étais contenté de croire qu'elles m'aimaient beaucoup plus, que tout ce qu'elles avaient aimé : mais pour
vous, madame, ce n'est pas de même ; je vous ai toujours regardée, comme une personne au-dessus de
l'amour, et qui ne l'aurait jamais connu sans moi ; je me
suis trouvé heureux et glorieux [1] tout ensemble, d'avoir
pu faire une conquête si extraordinaire : par pitié ne

---

1. Dans la langue classique, le sens premier de l'adjectif
« glorieux » est laudatif, il désigne quelqu'un qui s'est acquis de la
gloire, qui mérite de la gloire.

me laissez plus dans l'incertitude où je suis ; si vous m'avez caché quelque chose sur le Comte de Lare, avouez-le-moi ; le mérite de l'aveu, et votre sincérité me consoleront peut-être de ce que vous m'avouerez : éclaircissez mes soupçons, et ne me laissez pas vous donner un plus grand prix que je ne dois, ou moindre que vous ne méritez. – Si vous n'aviez point perdu la raison, me dit Bélasire, vous verriez bien, que puisque je ne vous ai pas persuadé je ne vous persuaderai pas : mais si je pouvais ajouter quelque chose à ce que je vous ai déjà dit, ce serait qu'une marque infaillible que je n'ai pas eu d'inclination pour le Comte de Lare, est de vous en assurer comme je fais : si je l'avais aimé, il n'y aurait rien qui pût me le faire désavouer ; je croirais faire un crime de renoncer à des sentiments, que j'aurais eus pour un homme mort qui les aurait mérités : ainsi Alphonse, soyez assuré, que je n'en ai point eu, qui vous puisse déplaire. – Persuadez-le-moi donc, madame, m'écriai-je ; dites-le-moi mille fois de suite ; écrivez-le-moi ; enfin redonnez-moi le plaisir de vous aimer comme je faisais ; et surtout pardonnez-moi le tourment que je vous donne. Je me fais plus de mal qu'à vous, et si l'état où je suis se pouvait racheter, je le rachèterais par la perte de ma vie."

Ces dernières paroles firent de l'impression sur Bélasire ; elle vit bien, qu'en effet je n'étais pas le maître de mes sentiments ; elle me promit d'écrire tout ce qu'elle avait pensé, et tout ce qu'elle avait fait pour le Comte de Lare : et quoique ce fussent des choses qu'elle m'avait déjà dites mille fois, j'eus du plaisir de m'imaginer que je les verrais écrites de sa main. Le jour suivant elle m'envoya ce qu'elle m'avait promis, j'y trouvai une narration fort exacte de ce que le Comte de Lare avait fait pour lui plaire, et de tout ce qu'elle avait fait pour le guérir de sa passion, avec toutes les raisons qui pouvaient me persuader, que ce qu'elle me disait était véritable. Cette narration était faite d'une manière qui devait me guérir de tous mes caprices ; mais elle fit un effet contraire. Je commençai par être en colère contre moi-même, d'avoir obligé

Bélasire à employer tant de temps à penser au Comte
de Lare : les endroits de son récit où elle entrait dans
le détail, m'étaient insupportables ; je trouvais qu'elle
avait bien de la mémoire pour les actions d'un homme
qui lui avait été indifférent ; ceux qu'elle avait passés
légèrement me persuadaient qu'il y avait des choses
qu'elle ne m'avait osé dire : enfin je fis du poison de
tout, et je vins voir Bélasire plus désespéré et plus en
colère que je ne l'avais jamais été. Elle, qui savait combien j'avais sujet d'être satisfait, fut offensée de me
voir si injuste ; elle me le fit connaître avec plus de
force qu'elle ne l'avait encore fait ; je m'excusai le
mieux que je pus, tout en colère que j'étais : je voyais
bien que j'avais tort ; mais il ne dépendait pas de moi
d'être raisonnable. Je lui dis que ma grande délicatesse [1], sur les sentiments qu'elle avait eus pour le
Comte de Lare, était une marque de la passion et de
l'estime que j'avais pour elle : et que ce n'était que par
le prix infini que je donnais à son cœur, que je craignais si fort qu'un autre n'en eût touché la moindre
partie : enfin je dis tout ce que je pus m'imaginer pour
rendre ma jalousie plus excusable. Bélasire n'approuva point mes raisons. Elle me dit que de légers
chagrins pouvaient être produits par ce que je lui
venais de dire ; mais qu'un caprice si long ne pouvait
venir que du défaut et du dérèglement de mon
humeur [2] : que je lui faisais peur pour la suite de sa
vie : et que si je continuais elle serait obligée de changer de sentiments. Ces menaces me firent trembler ; je
me jetai à ses genoux ; je l'assurai, que je ne lui parlerais plus de mon chagrin ; et je crus moi-même en
pouvoir être le maître : mais ce ne fut que pour
quelques jours. Je recommençai bientôt à la tourmenter ; je lui redemandai souvent pardon ; mais souvent

---

1. Le terme « délicatesse » a alors le sens de « susceptibilité » ; il
renvoie au fait de se montrer vulnérable ou susceptible.
2. Dans la physiologie du temps, la jalousie est liée à l'atrabile, la
bile noire. Alceste, le héros du *Misanthrope* de Molière, est atrabi-
laire. Le jaloux est un type littéraire dont Molière a fait le principal
personnage de *Don Garcie de Navarre* (1661).

aussi je lui fis voir que je croyais toujours qu'elle avait aimé le Comte de Lare ; et que cette pensée me rendrait éternellement malheureux.

Il y avait déjà longtemps que j'avais fait une amitié particulière [1] avec un homme de qualité appelé Don Manrique : c'était un des hommes du monde qui avait autant de mérite et d'agrément : la liaison [2] qui était entre nous, en avait fait une très grande entre Bélasire et lui : leur amitié ne m'avait jamais déplu ; au contraire, j'avais pris plaisir à l'augmenter. Il s'était aperçu plusieurs fois du chagrin que j'avais depuis quelque temps ; quoique je n'eusse rien de caché pour lui, la honte de mon caprice m'avait empêché de le lui avouer. Il vint chez Bélasire un jour que j'étais encore plus déraisonnable que je n'avais accoutumé, et qu'elle était aussi plus lasse qu'à l'ordinaire de ma jalousie. Don Manrique connut à l'altération de nos visages, que nous avions quelque démêlé. J'avais toujours prié Bélasire de ne lui point parler de ma faiblesse ; je lui fis encore la même prière quand il entra ; mais elle voulut m'en faire honte ; et sans me donner le loisir de m'y opposer, elle dit à Don Manrique ce qui faisait mon chagrin. Il en parut si étonné ; il le trouva si mal fondé ; et il m'en fit tant de reproches, qu'il acheva de troubler ma raison. Jugez, seigneur, si elle fut troublée ; et quelle disposition j'avais à la jalousie ! Il me parut, que de la manière, dont m'avait condamné Don Manrique, il fallait qu'il fût prévenu pour Bélasire. Je voyais bien que je passais les bornes de la raison ; mais je ne croyais pas aussi qu'on me dût condamner entièrement à moins que d'être amoureux de Bélasire. Je m'imaginai alors que Don Manrique l'était il y avait déjà longtemps, et que je lui paraissais si heureux d'en être aimé, qu'il ne trouvait pas que je me dusse plaindre, quand elle en aurait aimé un autre. Je crus même que Bélasire s'était

---

1. Cela signifie qu'ils sont amis intimes, ou que le second est le confident du premier.

2. Le lien d'amitié, la relation amicale.

bien aperçue, que Don Manrique avait pour elle plus
que de l'amitié ; je pensai qu'elle était bien aise d'être
aimée (comme le sont d'ordinaire toutes les femmes)
et sans la soupçonner de me faire une infidélité, je fus
jaloux de l'amitié qu'elle avait pour un homme, qu'elle
croyait son amant. Bélasire et Don Manrique, qui me
voyaient si troublé, et si agité, étaient bien éloignés de
juger ce qui causait le désordre de mon esprit. Ils
tâchèrent de me remettre par toutes les raisons dont ils
pouvaient s'aviser ; mais tout ce qu'ils me disaient
achevait de me troubler et de m'aigrir. Je les quittai, et
quand je fus seul je me représentai le nouveau malheur que je croyais avoir, infiniment au-dessus de
celui que j'avais eu. Je connus alors, que j'avais été
déraisonnable de craindre un homme qui ne me pouvait plus faire de mal. Je trouvai que Don Manrique
m'était redoutable en toutes façons. Il était aimable ;
Bélasire avait beaucoup d'estime et d'amitié pour lui ;
elle était accoutumée à le voir ; elle était lasse de mes
chagrins et de mes caprices ; il me semblait qu'elle
cherchait à s'en consoler avec lui ; et qu'insensiblement elle lui donnerait la place que j'occupais dans
son cœur ; enfin je fus plus jaloux de Don Manrique,
que je ne l'avais été du Comte de Lare. Je savais bien,
qu'il était amoureux d'une autre personne il y avait
longtemps ; mais cette personne était si inférieure en
toutes choses à Bélasire, que cet amour ne me rassurait pas. Comme ma destinée voulait, que je ne pusse
m'abandonner entièrement à mon caprice, et qu'il me
restât toujours assez de raison pour me laisser dans
l'incertitude, je ne fus pas si injuste, que de croire [1]
que Don Manrique travaillât à m'ôter Bélasire. Je
m'imaginai qu'il en était devenu amoureux, sans s'en
être aperçu, et sans le vouloir ; je pensai qu'il essayait
de combattre sa passion à cause de notre amitié ; et
qu'encore qu'il n'en dît rien à Bélasire, il lui laissait
voir qu'il l'aimait sans espérance. Il me parut, que je
n'avais pas sujet de me plaindre de Don Manrique,

---

1. Injuste au point de croire.

puisque je croyais que ma considération l'avait empêché de se déclarer : enfin je trouvai que comme j'avais été jaloux d'un homme mort, sans savoir si je le devais être, j'étais jaloux de mon ami, et que je le croyais mon rival, sans croire avoir sujet de le haïr. Il serait inutile de vous dire ce que des sentiments aussi extraordinaires que les miens me firent souffrir, et il est aisé de se l'imaginer. Lorsque je vis Don Manrique, je lui fis des excuses de lui avoir caché mon chagrin, sur le sujet du Comte de Lare ; mais je ne lui dis rien de ma nouvelle jalousie. Je n'en dis rien aussi à Bélasire, de peur que la connaissance qu'elle en aurait n'achevât de l'éloigner de moi. Comme j'étais toujours persuadé qu'elle m'aimait beaucoup ; je croyais que si je pouvais obtenir de moi-même de ne lui plus paraître déraisonnable, elle ne m'abandonnerait pas pour Don Manrique ; ainsi l'intérêt même de ma jalousie m'obligeait à la cacher. Je demandai encore pardon à Bélasire ; je l'assurai que la raison m'était entièrement revenue. Elle fut bien aise de me voir dans [ces] sentiments ; quoiqu'elle pénétrât aisément, par la grande connaissance qu'elle avait de mon humeur, que je n'étais pas si tranquille, que je le voulais paraître.

Don Manrique continua de la voir comme il avait accoutumé ; et même davantage à cause de la confidence où ils étaient ensemble de ma jalousie. Comme Bélasire avait vu que j'avais été offensé qu'elle lui en eût parlé, elle ne lui en parlait plus en ma présence ; mais quand elle s'apercevait que j'étais chagrin, elle s'en plaignait avec lui, et le priait de lui [1] aider à me guérir. Mon malheur voulut que je m'aperçusse deux ou trois fois qu'elle avait cessé de parler à Don Manrique lorsque j'étais entré ; jugez ce qu'une pareille chose pouvait produire dans un esprit aussi jaloux que

---

1. Dans la langue classique, le verbe « aider » accepte une construction transitive à complément direct (*aider quelqu'un*, donc *l'aider*) et une construction intransitive à complément direct (*aider à quelqu'un*, donc *lui aider*).

le mien. Néanmoins je voyais tant de tendresse pour
moi dans le cœur de Bélasire, et il me paraissait qu'elle
avait tant de joie lorsqu'elle me voyait l'esprit en
repos, que je ne pouvais croire qu'elle aimât assez
Don Manrique pour être en intelligence avec lui. Je ne
pouvais croire aussi que Don Manrique, qui ne songeait qu'à empêcher que je ne me brouillasse avec elle,
songeât à s'en faire aimer ; je ne pouvais donc démêler
quels sentiments il avait pour elle, ni quels étaient ceux
qu'elle avait pour lui. Je ne savais même très souvent
quels étaient les miens ; enfin j'étais dans le plus misérable état où un homme ait jamais été. Un jour que
j'étais entré qu'elle parlait bas à Don Manrique, il me
parut, qu'elle ne s'était pas souciée, que je visse qu'elle
lui parlait ; je me souvins alors qu'elle m'avait dit plusieurs fois, pendant que je la persécutais sur le sujet du
Comte de Lare, qu'elle me donnerait de la jalousie
d'un homme vivant, pour me guérir de celle que
j'avais d'un homme mort. Je crus que c'était pour exécuter cette menace, qu'elle traitait si bien Don Manrique ; et qu'elle me laissait voir, qu'elle avait des
secrets avec lui. Cette pensée diminua le trouble où
j'étais ; je fus encore quelques jours sans lui en rien
dire ; mais enfin je me résolus de lui en parler.

J'allai la trouver dans cette intention ; et me jetant à
genoux devant elle : "Je veux bien vous avouer,
madame, lui dis-je, que le dessein que vous avez eu de
me tourmenter a réussi. Vous m'avez donné toute
l'inquiétude que vous pouviez souhaiter ; et vous m'avez
fait sentir, comme vous me l'aviez promis tant de fois,
que la jalousie qu'on a des vivants est plus cruelle que
celle qu'on peut avoir des morts. Je méritais d'être
puni de ma folie ; mais je ne le suis que trop ; et si
vous saviez ce que j'ai souffert des choses mêmes que
j'ai cru que vous faisiez à dessein, vous verriez bien,
que vous me rendrez aisément malheureux quand
vous le voudrez. – Que voulez-vous dire, Alphonse,
me repartit-elle ; vous croyez que j'ai pensé à vous
donner de la jalousie ; et ne savez-vous pas que j'ai été
trop affligée de celle que vous avez eue malgré moi

pour avoir envie de vous en donner. – Ah ! Madame, lui dis-je, ne continuez pas davantage à me donner de l'inquiétude : encore une fois j'ai assez souffert ; et quoique j'aie bien vu que la manière dont vous vivez avec Don Manrique, n'était que pour exécuter les menaces que vous m'aviez faites, je n'ai pas laissé d'en avoir une douleur mortelle. – Vous avez perdu la raison, Alphonse, répliqua Bélasire, ou vous voulez me tourmenter à dessein, comme vous dites que je vous tourmente. Vous ne me persuaderez pas, que vous puissiez croire que j'aie pensé à vous donner de la jalousie ; et vous ne me persuaderez pas aussi, que vous en ayez pu prendre. Je le voudrais, ajouta-t-elle, en me regardant, qu'après avoir été jaloux d'un homme mort que je n'ai pas aimé, vous le fussiez d'un homme vivant qui ne m'aime pas. – Quoi, madame, lui répondis-je, vous n'avez pas eu l'intention de me rendre jaloux de Don Manrique ? Vous suivez simplement votre inclination en le traitant comme vous faites ? Ce n'est pas pour me donner du soupçon que vous avez cessé de lui parler bas, ou que vous avez changé de discours quand je me suis approché de vous ? Ah ! Madame, si cela est, je suis bien plus malheureux, que je ne pense ; et je suis même le plus malheureux homme du monde. – Vous n'êtes pas le plus malheureux homme du monde, reprit Bélasire ; mais vous êtes le plus déraisonnable : et si je suivais ma raison je romprais avec vous, et je ne vous verrais de ma vie. Mais est-il possible, Alphonse, ajouta-t-elle, que vous soyez jaloux de Don Manrique ? – Et comment ne le serais-je pas, madame, lui dis-je, quand je vois que vous avez avec lui une intelligence que vous me cachez ? – Je vous la cache, me répondit-elle ; parce que vous vous offensâtes lorsque je lui parlai de votre bizarrerie ; et que je n'ai pas voulu que vous vissiez que je lui parlais encore de vos chagrins, et de la peine que j'en souffre. – Quoi madame, repris-je, vous vous plaignez de mon humeur à mon rival, et vous trouverez que j'ai tort d'être jaloux ! – Je m'en plains à votre ami, répliqua-t-elle, mais non pas à votre rival.

– Don Manrique est mon rival, repartis-je, et je ne crois
pas que vous puissiez vous défendre de l'avouer. – Et
moi dit-elle, je ne crois pas que vous m'osiez dire qu'il
le soit, sachant comme vous faites qu'il passe des jours
entiers à ne me parler que de vous. – Il est vrai, lui dis-
je, que je ne soupçonne pas Don Manrique de travailler à me détruire ; mais cela n'empêche pas, qu'il
ne vous aime : je crois même qu'il ne vous le dit pas
encore ; mais de la manière dont vous le traitez, il vous
le dira bientôt, et les espérances que votre procédé lui
donne le feront passer aisément sur les scrupules que
notre amitié lui donnait. – Peut-on avoir perdu la
raison au point que vous l'avez perdue, me répondit
Bélasire ? Songez-vous bien à vos paroles ? Vous dites
que Don Manrique me parle pour vous ; qu'il est
amoureux de moi ; et qu'il ne me parle point pour lui ;
où pouvez-vous prendre des choses si peu vraisemblables ? N'est-il pas vrai, que vous croyez, que je
vous aime, et que vous croyez que Don Manrique
vous aime aussi ? – Il est vrai, lui répondis-je, que je
crois l'un et l'autre. – Et si vous le croyez, s'écria-
t-elle, comment pouvez-vous vous imaginer que je vous
aime, et que j'aime Don Manrique ? Que Don Manrique m'aime, et qu'il vous aime encore ? Alphonse,
vous me donnez un déplaisir mortel, de me faire
connaître le dérèglement de votre esprit ; je vois bien
que c'est un mal incurable ; et qu'il faudrait qu'en me
résolvant à vous épouser, je me résolusse en même
temps, à être la plus malheureuse personne du monde.
Je vous aime assurément beaucoup ; mais non pas
assez pour vous acheter à ce prix : les jalousies des
amants ne sont que fâcheuses ; mais celles des maris
sont fâcheuses et offensantes. Vous me faites voir si
clairement tout ce que j'aurais à souffrir, si je vous
avais épousé, que je ne crois pas que je vous épouse
jamais : je vous aime trop pour n'être pas sensiblement touchée de voir que je ne passerai pas ma vie
avec vous comme je l'avais espéré : laissez-moi seule je
vous en conjure ; vos paroles et votre vue ne feraient
qu'augmenter ma douleur."

À ces mots elle se leva sans vouloir m'entendre, et s'en alla dans son cabinet dont elle ferma la porte sans la rouvrir, quelque prière que je lui en fisse. Je fus contraint de m'en aller chez moi, si désespéré et si incertain de mes sentiments, que je m'étonne que je n'en perdis le peu de raison qui me restait. Je revins dès le lendemain voir Bélasire ; je la trouvai triste et affligée ; elle me parla sans aigreur, et même avec bonté ; mais sans me rien dire qui dût me faire craindre qu'elle voulût m'abandonner. Il me parut qu'elle essayait d'en prendre la résolution : comme on se flatte aisément, je crus qu'elle ne demeurerait pas dans les sentiments où je la voyais : je lui demandai pardon de mes caprices, comme j'avais déjà fait cent fois ; je la priai de n'en rien dire à Don Manrique ; et je la conjurai à genoux de changer de conduite avec lui, et de ne le plus traiter assez bien pour me donner de l'inquiétude. "Je ne dirai rien de votre folie à Don Manrique, me dit-elle. Mais je ne changerai rien à la manière, dont je vis avec lui : s'il avait de l'amour pour moi, je ne le verrais de ma vie, quand même vous n'en auriez pas d'inquiétude : mais il n'a que de l'amitié ; vous savez même qu'il a de l'amour pour d'autres ; je l'estime, je l'aime, vous avez consenti que je l'aimasse ; il n'y a donc que de la folie et du dérèglement dans le chagrin qu'il vous donne : si je vous satisfaisais vous seriez bientôt pour quelque autre comme vous êtes pour lui. C'est pourquoi ne vous opiniâtrez pas à me faire changer de conduite ; car assurément je n'en changerai point. – Je veux croire, lui répondis-je, que tout ce que vous me dites est véritable, et que vous ne croyez point que Don Manrique vous aime : mais je le crois, madame, et c'est assez : je sais bien que vous n'avez que de l'amitié pour lui : mais c'est une sorte d'amitié si tendre et si pleine de confiance, d'estime et d'agrément, que quand elle ne pourrait jamais devenir de l'amour, j'aurais sujet d'en être jaloux, et de craindre qu'elle n'occupât trop votre cœur. Le refus que vous me venez de faire de changer de conduite avec lui, me fait voir, que c'est avec raison qu'il m'est redoutable. – Pour vous montrer, me dit-elle, que le refus que je vous fais ne regarde pas Don Manrique ; et qu'il ne regarde que votre caprice ; c'est que si vous me demandiez de ne plus voir l'homme du monde, que je méprise le plus, je vous le refuserais comme je vous refuse de cesser d'avoir de l'amitié pour Don Manrique. – Je le crois, madame, lui répondis-je, mais ce n'est pas de l'homme du monde que vous méprisez le plus, que j'ai de la jalousie ; c'est d'un homme, que vous aimez assez pour le préférer à mon repos. Je ne vous soupçonne pas de faiblesse et de changement ; mais j'avoue que je ne puis souffrir qu'il y ait des sentiments de tendresse dans votre cœur pour un autre que pour moi. J'avoue aussi que je suis blessé de voir que vous ne haïssiez pas Don Manrique, encore que vous connaissiez bien qu'il vous aime ; et qu'il me semble que ce n'était qu'à moi seul, qu'était dû l'avantage de vous avoir aimée sans être haï. Ainsi, madame, accordez-moi ce que je vous demande, et considérez combien ma jalousie est éloignée de vous devoir offenser." J'ajoutai à ces paroles toutes celles dont je pus m'aviser pour obtenir ce que je souhaitais ; il me fut entièrement impossible.

Il se passa beaucoup de temps pendant lequel je devins toujours plus jaloux de Don Manrique : j'eus le pouvoir sur moi de le lui cacher ; Bélasire eut la sagesse de ne lui en rien dire, et elle lui fit croire que mon chagrin venait encore de ma jalousie du Comte de Lare. Cependant elle ne changea point de procédé avec Don Manrique ; comme il ignorait mes sentiments, il vécut aussi avec elle comme il avait accoutumé ; ainsi ma jalousie ne fit qu'augmenter, et vint à un tel point que j'en persécutais incessamment Bélasire.

Après que cette persécution eut duré longtemps, et que cette belle personne eut en vain essayé de me guérir de mon caprice, on me dit pendant deux jours qu'elle se trouvait mal, et qu'elle n'était pas même en état que je la visse. Le troisième elle m'envoya quérir ; je la trouvai fort abattue, et je crus que c'était sa maladie. Elle me fit asseoir auprès d'un petit lit sur lequel elle était couchée ; et après avoir demeuré quelques moments sans parler : "Alphonse, me dit-elle, je pense que vous voyez bien il y a longtemps [1], que j'essaye de prendre la résolution de me détacher de vous. Quelques raisons qui m'y dussent obliger, je ne crois pas que je l'eusse pu faire, si vous ne m'en eussiez donné la force, par les extraordinaires bizarre-ries que vous m'avez fait paraître. Si ces bizarreries n'avaient été, que médiocres, et que j'eusse pu croire, qu'il eût été possible de vous en guérir par une bonne conduite, quelque austère qu'elle eût été, la passion que j'ai pour vous me l'eût fait embrasser avec joie : mais comme je vois que le dérèglement de votre esprit est sans remède, et que lorsque vous ne trouvez point de sujets de vous tourmenter, vous vous en faites sur des choses qui n'ont jamais été, et sur d'autres qui ne seront jamais ; je suis contrainte pour votre repos et pour le mien, de vous apprendre que je suis absolu-ment résolue de rompre avec vous, et de ne vous point épouser. Je vous dis encore dans ce moment, qui sera le dernier que nous aurons de conversation particu-lière, que je n'ai jamais eu d'inclination pour personne que pour vous, et que vous seul étiez capable de me donner de la passion. Mais puisque vous m'avez con-firmée dans l'opinion, que j'avais qu'on ne peut être heureux en aimant quelqu'un, vous que j'ai trouvé le seul homme digne d'être aimé, soyez persuadé que je n'aimerai personne, et que les impressions que vous avez faites dans mon cœur sont les seules qu'il avait reçues, et les seules qu'il recevra jamais. Je ne veux pas même que vous puissiez penser, que j'aie trop d'amitié pour Don Manrique ; je n'ai refusé de changer de conduite avec lui, que pour voir si la raison ne vous reviendrait point, et pour me donner lieu de me redonner à vous si j'eusse connu que votre esprit eût été capable de se guérir. Je n'ai pas été assez heureuse ; c'était la seule raison, qui m'a empêchée de vous

---

1. Depuis longtemps.

satisfaire : cette raison est cessée [1] ; je vous sacrifie
Don Manrique ; je viens de le prier de ne me voir
jamais ; je vous demande pardon de lui avoir découvert votre jalousie ; mais je ne pouvais faire autrement ; et notre rupture la lui aurait toujours apprise.
Mon père arriva hier au soir ; je lui ai dit ma résolution ; il est allé à ma prière l'apprendre au vôtre ;
ainsi, Alphonse, ne songez point à me faire changer ;
j'ai fait ce qui pouvait confirmer mon dessein devant
que de vous le déclarer ; j'ai retardé autant que j'ai
pu ; et peut-être plus pour l'amour de moi, que pour
l'amour de vous ; croyez que personne ne sera jamais
si uniquement ni si fidèlement aimé que vous l'avez
été."

Je ne sais si Bélasire continua de parler : mais
comme mon saisissement avait été si grand d'abord
qu'elle avait commencé, qu'il m'avait été impossible
de l'interrompre, les forces me manquèrent aux dernières paroles que je vous viens de dire ; je m'éva-
nouis, et je ne sais ce que fit Bélasire ni ses gens ; mais
quand je revins je me trouvai dans mon lit, et Don
Manrique auprès de moi, avec toutes les actions d'un
homme aussi désespéré que je l'étais.

Lorsque tout le monde se fut retiré, il n'oublia rien
pour se justifier des soupçons que j'avais de lui, et
pour me témoigner son désespoir d'être la cause inno-
cente de mon malheur. Comme il m'aimait fort, il
était en effet extraordinairement touché de l'état où
j'étais. Je tombai malade, et ma maladie fut violente ;
je connus bien alors mais trop tard les injustices que
j'avais faites à mon ami ; je le conjurai de me les pardonner et de voir Bélasire, pour lui demander pardon
de ma part, et pour tâcher de la fléchir. Don Manrique alla chez elle ; on lui dit qu'on ne pouvait la
voir ; il y retourna tous les jours pendant que je fus
malade ; mais aussi inutilement. J'y allai moi-même
sitôt que je pus marcher ; on me dit la même chose ; et
à la seconde fois que j'y retournai, une de ses

---

1. Cette raison a disparu.

femmes [1] me vint dire de sa part, que je n'y allasse
plus, et qu'elle ne me verrait pas. Je pensai mourir
lorsque je me vis sans espérance de voir Bélasire ;
j'avais toujours cru que cette grande inclination,
qu'elle avait pour moi, la ferait revenir, si je lui
parlais ; mais voyant qu'elle ne me voulait point parler
je n'espérai plus ; et il faut avouer que de n'espérer
plus de posséder Bélasire, était une cruelle chose pour
un homme qui s'en était vu si proche, et qui l'aimait si
éperdument. Je cherchai tous les moyens de la voir ;
elle m'évitait avec tant de soin, et faisait une vie si
retirée, qu'il m'était absolument impossible.

Toute ma consolation était d'aller passer la nuit sous
ses fenêtres ; je n'avais pas même le plaisir de les voir
ouvertes. Je crus un jour les avoir entendues ouvrir
dans le temps que je m'en étais allé ; le lendemain je
crus encore la même chose ; enfin je me flattai de la
pensée que Bélasire me voulait voir sans que je la
visse ; et qu'elle se mettait à sa fenêtre lorsqu'elle
entendait que je me retirais. Je résolus de faire semblant de m'en aller à l'heure que j'avais accoutumé, et
de retourner brusquement sur mes pas, pour voir si
elle ne paraîtrait point. Je fis ce que j'avais résolu ;
j'allai jusques au bout de la rue comme si je me fusse
retiré ; j'entendis distinctement ouvrir la fenêtre ; je
retournai en diligence ; je crus entrevoir Bélasire ;
mais en m'approchant je vis un homme qui se rangeait
proche de la muraille au-dessous de la fenêtre, comme
un homme qui avait dessein de se cacher. Je ne sais
comment malgré l'obscurité de la nuit, je crus reconnaître Don Manrique : cette pensée me troubla
l'esprit ; je m'imaginai que Bélasire l'aimait ; qu'il était
là pour lui parler ; qu'elle ouvrait ses fenêtres pour
lui ; je crus enfin que c'était Don Manrique, qui
m'ôtait Bélasire. Dans le transport qui me saisit, je mis
l'épée à la main ; nous commençâmes à nous battre
avec beaucoup d'ardeur ; je sentis que je l'avais blessé

---

1. Le substantif « femme » désigne ici la suivante d'une dame de
rang.

en deux endroits ; mais il se défendait toujours. Au bruit de nos épées ou par les ordres de Bélasire, on sortit de chez elle pour nous venir séparer. Don Manrique me reconnut à la lueur des flambeaux : il recula quelques pas ; je m'avançai pour arracher son épée ; mais il la baissa, et me dit d'une voix faible. "Est-ce vous, Alphonse ; et est-il possible que j'aie été assez malheureux pour me battre contre vous ? – Oui traître, lui dis-je, et c'est moi qui t'arracherai la vie ; puisque tu m'ôtes Bélasire, et que tu passes les nuits à ses fenêtres pendant qu'elles me sont fermées." Don Manrique, qui était appuyé contre une muraille, et que quelques personnes soutenaient, parce qu'on voyait bien qu'il n'en pouvait plus, me regarda avec des yeux trempés de larmes. "Je suis bien malheureux, me dit-il, de vous donner toujours de l'inquiétude : la cruauté de ma destinée me console de la perte de la vie que vous m'ôtez. Je me meurs, ajouta-t-il, et l'état où je suis vous doit persuader de la vérité de mes paroles. Je vous jure que je n'ai jamais eu de pensée pour Bélasire, qui vous ait pu déplaire ; l'amour que j'ai pour une autre, et que je ne vous ai pas caché, m'a fait sortir cette nuit ; j'ai cru être épié ; j'ai cru être suivi ; j'ai marché fort vite ; j'ai tourné dans plusieurs rues ; enfin, je me suis arrêté où vous m'avez trouvé, sans savoir que ce fût le logis de Bélasire. Voilà la vérité, mon cher Alphonse, je vous conjure de ne vous affliger pas de ma mort ; je vous la pardonne de tout mon cœur", continua-t-il, me tendant les bras pour m'embrasser. Alors les forces lui manquèrent, et il tomba sur les personnes qui le soutenaient.

Les paroles, seigneur, ne peuvent représenter ce que je devins, et la rage où je fus contre moi-même, je voulus vingt fois me passer mon épée au travers du corps ; et surtout lorsque je vis expirer Don Manrique. On m'ôta d'auprès de lui : le Comte de Guévarre père de Bélasire, qui était sorti au nom de Don Manrique et au mien, me conduisit chez moi ; et me remit entre les mains de mon père. On ne me quittait point à cause du désespoir où j'étais ; mais le soin de

me garder aurait été inutile, si ma religion m'eût laissé
la liberté de m'ôter la vie [1]. La douleur que je savais,
que recevait Bélasire de l'accident qui était arrivé pour
elle ; et le bruit qu'il faisait dans la Cour, achevaient de
me désespérer, quand je pensais que tout le mal
qu'elle souffrait, et tout celui dont j'étais accablé,
n'était arrivé que par ma faute, j'étais dans une fureur
qui ne peut être imaginée. Le Comte de Guévarre qui
avait conservé beaucoup d'amitié pour moi me venait
voir très souvent ; et pardonnait à la passion que
j'avais pour sa fille l'éclat que j'avais fait. J'appris par
lui qu'elle était inconsolable ; et que sa douleur passait
les bornes de la raison. Je connaissais assez son humeur,
et sa délicatesse sur sa réputation, pour savoir sans
qu'on me le dît tout ce qu'elle pouvait sentir dans une
si fâcheuse aventure. Quelques jours après cet accident on me dit qu'un écuyer de Bélasire demandait à
me parler de sa part ; je fus transporté au nom de
Bélasire qui m'était si cher ; je fis entrer celui qui me
demandait ; il me donna une lettre où je trouvai ces
paroles.

LETTRE DE BÉLASIRE À ALPHONSE

Notre séparation m'avait rendu le monde si insuppor-
table, que je ne pouvais plus y vivre avec plaisir ; et l'acci-
dent qui vient d'arriver blesse si fort ma réputation, que je
ne puis y demeurer avec honneur. Je vais me retirer dans
un lieu, où je n'aurai point la honte de voir les divers juge-
ments qu'on fait de moi : ceux que vous en avez faits ont
causé tous mes malheurs : cependant je n'ai pu me résoudre
à partir sans vous dire adieu, et sans vous avouer, que je
vous aime encore, quelque déraisonnable que vous soyez.

---

1. Alphonse fait référence à l'interdiction du suicide dans la reli-
gion catholique. C'est pour la même raison que la comtesse de
Tende, dans son désespoir, refuse de se donner la mort. Voir
Mme de Lafayette, *La Comtesse de Tende*, dans *Nouvelles galantes du*
XVIIe siècle, éd. M. Escola, GF-Flammarion, 2004, p. 111.

Ce sera tout ce que j'aurai à sacrifier à Dieu en me don-
nant à lui, que l'attachement que j'ai pour vous, et le sou-
venir de celui que vous avez eu pour moi. La vie austère
que je vais entreprendre me paraîtra douce : on ne peut
trouver rien de fâcheux quand on a éprouvé la douleur de
s'arracher à ce qui nous aime ; et à ce qu'on aimait plus
que toutes choses. Je veux bien vous avouer encore, que le
seul parti que je prends, me pouvait mettre en sûreté contre
l'inclination, que j'ai pour vous ; et que depuis notre sépa-
ration vous n'êtes jamais venu dans ce lieu, où vous avez
fait tant de désordre, que je n'aie été prête à vous parler, et
à vous dire que je ne pouvais vivre sans vous. Je ne sais
même, si je ne vous l'aurais point dit, le soir que vous atta-
quâtes Don Manrique, et que vous me donnâtes de nou-
velles marques de ces soupçons, qui ont fait tous nos mal-
heurs. Adieu, Alphonse, souvenez-vous quelquefois de moi,
et souhaitez pour mon repos, que je ne me souvienne
jamais de vous.

Il ne manquait plus à mon malheur que d'apprendre,
que Bélasire m'aimait encore ; qu'elle se fût peut-être
redonnée à moi sans le dernier effet de mon extravagance [1] ; et que le même accident qui m'avait fait
tuer mon meilleur ami me faisait perdre ma maîtresse,
et la contraignait de se rendre malheureuse pour tout
le reste de sa vie.

Je demandai à celui qui m'avait apporté cette lettre
où était Bélasire ; il me dit qu'il l'avait conduite dans

---

1. L'extravagance est le caractère déraisonnable, dépourvu de
bon sens d'un être. La notion est importante dans la littérature de
l'époque. Sorel intitule *Le Berger extravagant* (1627) un roman qui
reprend les procédés de Cervantès pour critiquer les mœurs de ses
contemporains mais également le caractère invraisemblable des
romans d'amour ; le héros est un jeune homme qui, pour avoir trop
lu de romans, ne sait plus lire la réalité qu'au prisme de modèles lit-
téraires. *La Place royale* de Corneille a pour sous-titre « l'amoureux
extravagant » : la pièce rapporte les aventures d'Alidor, qui, tout en
étant sincèrement épris d'Angélique, fait tous les efforts possibles
pour ne pas l'épouser de crainte d'être cocu. Mme de Lafayette inscrit Alphonse, obsédé par l'amour pur, parfait et unique, dans la
lignée de tels personnages.

un monastère de religieuses fort austères, qui étaient venues de France depuis peu ; qu'en y entrant, elle lui avait donné une lettre pour son père, et une autre pour moi. Je courus à ce monastère, je demandai à la voir, mais inutilement. Je trouvai le Comte de Guévarre qui en sortait, toute son autorité, et toutes ses prières avaient été inutiles pour la faire changer de résolution. Elle prit l'habit quelque temps après. Pendant l'année qu'elle pouvait encore sortir, son père et moi fîmes tous nos efforts pour l'y obliger ; je ne voulus point quitter la Navarre ; comme j'en avais fait le dessein, que je n'eusse entièrement perdu l'espérance de revoir Bélasire : mais le jour que je sus qu'elle était engagée pour jamais ; je partis sans rien dire. Mon père était mort ; et je n'avais personne qui me pût retenir. Je m'en vins en Catalogne, dans le dessein de m'embarquer, et d'aller finir mes jours dans les déserts de l'Afrique. Je couchai par hasard dans cette maison ; elle me plut ; je la trouvai solitaire, et telle que je la pouvais désirer. Je l'achetai ; j'y mène depuis cinq ans une vie aussi triste, que doit faire un homme, qui a tué son ami, qui a rendu malheureuse la plus estimable personne du monde, et qui a perdu par sa faute le plaisir de passer sa vie avec elle. Croirez-vous encore, seigneur, que vos malheurs soient comparables aux miens ? »

Alphonse se tut à ses mots, et il parut si accablé de tristesse, par le renouvellement de douleur que lui apportait le souvenir de ses malheurs, que Consalve crut plusieurs fois qu'il allait expirer. Il lui dit tout ce qu'il crut capable de lui donner quelque consolation ; mais il ne put s'empêcher d'avouer en lui-même que les malheurs qu'il venait d'entendre pouvaient au moins entrer en comparaison avec ceux qu'il avait soufferts.

Cependant la douleur qu'il sentait de la perte de Zayde, augmentait tous les jours ; il dit à Alphonse, qu'il voulait sortir de l'Espagne ; et aller servir l'Empereur, dans la guerre qu'il avait contre les Sarrasins, qui

s'étant rendus maîtres de la Sicile faisaient de conti-
nuelles courses en Italie [1]. Alphonse fut sensiblement
touché de cette résolution ; il fit tous ses efforts pour
l'en détourner ; mais ses efforts furent inutiles.

L'inquiétude que donne l'amour ne pouvait laisser
Consalve dans cette solitude ; et il était pressé d'en
sortir par une secrète espérance, qu'il ne connaissait
pas lui-même, de pouvoir retrouver Zayde. Il résolut
donc de partir et de quitter Alphonse. Il n'y eut jamais
une plus triste séparation ; ils parlèrent de tous les
malheurs de leur vie ; ils y ajoutèrent celui de ne se
plus voir ; et après s'être promis de se donner de leurs
nouvelles, Alphonse demeura dans sa solitude, et
Consalve s'en alla coucher à Tortose.

Il se logea proche d'une maison dont les jardins faisaient une des plus grandes beautés de la ville ; il se
promena tout le soir, et même pendant une partie de
la nuit sur les bords de l'Èbre. S'étant lassé de se promener, il s'assit au pied d'une terrasse de ces beaux
jardins : elle était si basse, qu'il entendit parler des
personnes qui s'y promenaient : ce bruit ne le
détourna pas d'abord de sa rêverie ; mais enfin, il en
fut détourné par un son de voix qui lui parut semblable à celui de Zayde, et qui lui donna malgré lui de
l'attention et de la curiosité. Il se leva pour être plus
proche du haut de la terrasse ; d'abord il n'entendit
rien, parce que l'allée où se promenaient ces personnes finissait au bord de la terrasse, où il était ; et
que lorsqu'elles étaient à ce bord elles retournaient sur
leurs pas, et s'éloignaient de lui. Il demeura au même
lieu, pour voir si elles ne reviendraient point : elles
revinrent comme il l'avait espéré ; et il entendit cette
même voix qui l'avait surpris. « Il y a trop d'opposition, disait-elle, dans les choses, qui pourraient faire
mon bonheur : je ne puis espérer d'être heureuse ;
mais je serais moins à plaindre si j'avais pu lui faire

---

1. Marmol évoque à plusieurs reprises les incursions des Arabes
en Italie (*L'Afrique*, trad. N. Perrot d'Ablancourt, Paris, L. Billaine,
1667, t. I, p. 232).

connaître mes sentiments, et si j'étais assurée des siens. » Après ces paroles, Consalve n'en entendit plus de bien distinctes ; parce que celle qui parlait commençait à s'éloigner : elle revint une seconde fois parlant encore. « Il est vrai, disait-elle, que le pouvoir des premières inclinations, peut excuser celle que j'ai laissée naître dans mon cœur ; mais quel bizarre effet du hasard, s'il arrive que cette inclination, qui semble s'accorder avec ma destinée, ne serve peut-être quelque jour qu'à me la faire suivre avec douleur ! » Ce fut tout ce que Consalve put entendre : la grande ressemblance de cette voix avec celle de Zayde lui causa de l'étonnement ; et peut-être aurait-il soupçonné, que c'était elle-même ; sans que cette personne parlait [1] espagnol. Quoiqu'il eût trouvé quelque chose d'étranger dans l'accent, il n'y fit pas de réflexion, parce qu'il était dans une extrémité de l'Espagne, où l'on ne parle pas comme en Castille. Il eut seulement pitié de celle qui avait parlé ; et ses paroles lui firent juger qu'il y avait quelque chose d'extraordinaire dans sa fortune.

Le lendemain il partit de Tortose pour s'aller embarquer ; après avoir marché quelque temps, il vit au milieu de l'Èbre, une barque fort ornée, couverte d'un pavillon magnifique, relevé de tous les côtés, et dessous plusieurs femmes, parmi lesquelles il reconnut Zayde. Elle était debout comme pour mieux voir la beauté de la rivière ; et il paraissait néanmoins qu'elle rêvait profondément. Il faudrait comme Consalve avoir perdu une maîtresse sans espérance de la revoir, pour pouvoir exprimer ce qu'il sentit en revoyant Zayde. Sa surprise et sa joie furent si grandes, qu'il ne

---

1. Dans la langue classique, « sans que » peut être suivi de l'indicatif ou du subjonctif, avec une différence sémantique nette. Lorsque la proposition subordonnée introduite par « sans que » est suivie de l'indicatif, le fait qu'elle présente est affirmé comme effectif, et contrarie la réalisation du fait principal (ici, la femme parle espagnol, et Consalve ne soupçonne pas qu'elle puisse être Zayde). La proposition a donc ici le sens suivant : si cette personne ne parlait pas espagnol.

savait où il était ni ce qu'il voyait : il la regardait attentivement ; et reconnaissant tous ses traits il craignait de se méprendre. Il ne pouvait s'imaginer, que cette personne dont il se croyait séparé par tant de mers, ne le fût que par une rivière. Il voulait pourtant aller à elle ; il voulait lui parler ; il voulait qu'elle le vît ; il craignait de lui déplaire ; et n'osait se faire remarquer ni témoigner sa joie devant ceux qui étaient avec elle. Un bonheur si imprévu, et tant de pensées différentes, ne lui laissaient pas la liberté de prendre une résolution ; mais enfin après s'être un peu remis, et s'être assuré qu'il ne se trompait pas, il se détermina à ne se point faire connaître à Zayde ; et à suivre sa barque jusques au port. Il espéra d'y trouver quelque moyen de parler à elle en particulier ; il crut qu'il apprendrait le lieu de sa naissance, et celui où elle allait ; il s'imagina même qu'il pourrait juger en voyant ceux qui étaient dans la barque, si ce rival à qui il croyait ressembler était avec elle : enfin il pensa qu'il allait sortir de toutes ses incertitudes, et qu'il pourrait au moins témoigner à Zayde l'amour qu'il avait pour elle. Il eût bien souhaité que ses yeux eussent été tournés de son côté ; mais elle rêvait si profondément, que ses regards demeuraient toujours attachés sur la rivière. Au milieu de sa joie il se souvint de la personne qu'il avait entendue dans le jardin de Tortose ; et quoiqu'elle eût parlé espagnol, l'accent étranger qu'il avait remarqué, et la vue de Zayde si proche de ce même lieu lui firent croire, que ce pouvait être elle-même. Cette pensée troubla le plaisir qu'il avait de la revoir, il se souvint de ce qu'il lui avait ouï dire d'une première inclination ; et quelque disposition qu'on ait à se flatter, il était trop persuadé que Zayde avait pleuré un amant qu'elle aimait, pour croire qu'il pût prendre part à cette première inclination. Mais les autres paroles, qu'elle avait dites et qu'il avait retenues lui laissaient de l'espérance. Il s'imaginait qu'il n'était pas impossible, qu'il n'y eût quelque chose d'avantageux pour lui ; il revint ensuite à douter que ce fût

Zayde qu'il eût entendue, et il trouvait peu d'apparence qu'elle eût appris l'espagnol en si peu de temps.

Le trouble que lui causaient ses incertitudes se dissipa ; il s'abandonna enfin à la joie, d'avoir retrouvé Zayde ; et sans penser davantage s'il était aimé, ou s'il ne l'était pas, il pensa seulement au plaisir qu'il allait avoir d'être encore regardé par ses beaux yeux. Cependant il marchait toujours le long de la rivière en suivant la barque ; et quoiqu'il allât assez vite, des gens à cheval qui venaient derrière lui le passèrent. Il se détourna de quelques pas pour empêcher, qu'ils ne le vissent ; mais comme il y en avait un qui venait seul un peu après les autres, la curiosité d'apprendre quelque chose de Zayde, lui fit oublier le soin de ne se pas faire voir ; et il demanda à ce cavalier, s'il ne savait point qui étaient ces personnes qu'il voyait dans cette barque. « Ce sont, lui répondit-il, des personnes considérables parmi les Maures, qui sont à Tortose, il y a déjà quelques jours ; et qui s'en vont prendre un grand vaisseau pour s'en retourner en leur pays. » En parlant ainsi, il regarda Consalve avec beaucoup d'attention, et prit le galop pour rejoindre ses compagnons. Consalve demeura fort surpris de ce qu'il venait d'apprendre, et il ne douta plus, puisque Zayde avait couché à Tortose, que ce ne fût elle-même, qu'il eût entendue parler dans ce jardin. Un tour que la rivière faisait en cet endroit, et un chemin escarpé, qui se trouva sur le bord, lui firent perdre la vue de Zayde : dans ce moment tous ces hommes à cheval qui l'avaient passé revinrent à lui ; il ne douta point alors qu'ils ne l'eussent reconnu ; il voulut se détourner, mais ils l'environnèrent d'une manière, qui lui fit voir qu'il ne pouvait les éviter. Il reconnut celui qui était à leur tête, pour Oliban un des principaux officiers de la garde du Prince de Léon ; et il eut une douleur sensible de voir qu'il le reconnaissait aussi. Sa douleur augmenta de beaucoup lorsque cet officier lui dit, qu'il y avait plusieurs jours qu'il le cherchait ; et qu'il avait ordre du Prince de le conduire à la Cour. « Quoi, s'écria Consalve, le Prince n'est pas content

du traitement qu'il m'a fait, il veut encore m'ôter la
liberté ! C'est le seul bien qui me reste, et je périrai
plutôt que de souffrir qu'on me le ravisse. » À ces
mots il mit l'épée à la main ; et sans considérer le
nombre de ceux qui l'environnaient, il les attaqua avec
une valeur si extraordinaire, que deux ou trois étaient
déjà hors de combat, avant qu'il leur eût donné le
loisir de se reconnaître. Oliban commanda aux gardes
de ne penser qu'à l'arrêter et de conserver sa vie. Ils
lui obéissaient avec peine, et Consalve fondait sur eux
avec tant de furie, qu'ils ne pouvaient plus se défendre
sans l'attaquer. Enfin leur chef étonné des actions
incroyables de Consalve, et craignant de ne pouvoir
exécuter l'ordre du Prince de Léon, mit pied à terre, et
tua d'un coup d'épée le cheval de Consalve. Ce cheval
en tombant embarrassa tellement son maître dans sa
chute, qu'il lui fut impossible de se dégager : son épée
se rompit ; tous ceux qui l'attaquaient l'environnèrent ; et Oliban lui représenta avec beaucoup de
civilité, le grand nombre qu'ils étaient contre lui seul,
et l'impossibilité de ne pas obéir. Consalve ne le voyait
que trop ; mais il trouvait un si grand malheur d'être
conduit à Léon, qu'il ne pouvait s'y résoudre. Zayde
qu'il venait de retrouver, et qu'il allait perdre, était le
comble de son désespoir ; et il parut en un si étrange
état, que l'officier de Don Garcie s'imagina que la
pensée des mauvais traitements qu'il attendait de ce
Prince, lui donnait cette grande répugnance à l'aller
trouver. « Il faut, seigneur, lui dit-il, que vous ignoriez
ce qui s'est passé à Léon depuis quelque temps, pour
craindre autant que vous le faites d'y retourner.
– J'ignore toutes choses, répondit Consalve, je sais seulement, que vous me feriez plus de plaisir de m'ôter la
vie que de me conduire au Prince de Léon. – Je vous
en dirais davantage, répliqua Oliban, si ce Prince ne
me l'avait expressément défendu ; mais je me contente
de vous assurer, que vous n'avez rien à craindre.
– J'espère, répondit Consalve, que la douleur d'être
conduit à Léon m'empêchera d'y arriver en état de
satisfaire la cruauté de Don Garcie. » Comme il ache-

vait ces paroles il revit la barque de Zayde ; mais il ne vit plus son visage : elle était assise et tournée du côté opposé au sien. Quelle destinée que la mienne, dit-il en lui-même ? Je perds Zayde dans le même moment que je la retrouve. Quand je la voyais, et que je lui parlais dans la maison d'Alphonse, elle ne pouvait m'entendre : lorsque je l'ai rencontrée à Tortose, et que j'en pouvais être entendu, je ne l'ai pas reconnue ; et maintenant que je la vois, que je la reconnais, et qu'elle pourrait m'entendre, je ne saurais lui parler, et je n'espère plus de la revoir. Il demeura quelque temps dans ces diverses pensées, puis tout à coup se tournant vers ceux qui le conduisaient : « Je ne crois pas, leur dit-il, que vous craigniez que je vous puisse échapper : je vous demande la grâce de me laisser approcher du bord de la rivière, pour parler pendant quelques moments à des personnes que je vois dans cette barque. – Je suis très fâché, lui répondit Oliban, d'avoir des ordres contraires à ce que vous désirez ; mais il m'est défendu de vous laisser parler à qui que ce soit ; et vous me permettrez d'exécuter ce qui m'a été ordonné. » Consalve sentit si vivement ce refus, que cet officier qui remarqua la violence de ses sentiments, et qui craignit qu'il n'appelât à son secours ceux qui étaient dans la barque, ordonna à ses gens de l'éloigner de la rivière. Ils s'en éloignèrent à l'heure même, et conduisirent Consalve au lieu le plus commode pour passer la nuit. Le lendemain ils prirent le chemin de Léon, et marchèrent avec tant de diligence, qu'ils y arrivèrent en peu de jours. Oliban envoya un des siens avertir le Prince de leur arrivée, et attendit son retour à deux cents pas de la ville : celui qu'il avait envoyé apporta l'ordre de conduire Consalve dans le Palais, par un chemin détourné, et de le faire entrer dans le cabinet de Don Garcie. Consalve était si affligé, qu'il se laissait conduire sans demander seulement en quel lieu on le voulait mener.

Fin de la première Partie de Zayde.

SECONDE PARTIE

Lorsque Consalve se trouva dans le Palais de Léon, la vue d'un lieu où il avait été si heureux lui redonna les idées de sa fortune, et renouvela sa haine pour Don Garcie. La douleur d'avoir perdu Zayde céda pour quelques moments aux sentiments impétueux de la colère, et il ne fut occupé que du désir de faire connaître à ce Prince, qu'il méprisait tous les mauvais traitements qu'il pouvait recevoir de lui.

Comme il était dans ses pensées, il vit entrer Hermenesilde suivie seulement du Prince de Léon. La vue de ces deux personnes ensemble dans un lieu si particulier, et au milieu de la nuit, lui causa une telle surprise qu'il lui fut impossible de la cacher. Il recula quelques pas, et son étonnement fit si bien voir sur son visage toutes les pensées qui se présentaient en foule à son imagination, que Don Garcie prenant la parole : « Ne me [trompé-je] point, mon cher Consalve, lui dit-il, ne sauriez-vous point encore les changements qui sont arrivés dans cette Cour ? Et douteriez-vous que je ne fusse légitime possesseur d'Hermenesilde ? Je le suis, ajouta-t-il, et il ne manque rien à mon bonheur sinon que vous y consentiez, et que vous en soyez le témoin. » Il l'embrassa en disant ces paroles ; Hermenesilde fit la même chose ; et l'un et l'autre le prièrent de leur pardonner les malheurs qu'ils lui avaient causés. « C'est à moi, seigneur, dit

Consalve, en se jetant aux pieds du Prince, c'est à moi à vous demander pardon d'avoir laissé paraître des soupçons dont j'avoue que je n'ai pu me défendre : mais j'espère que vous accorderez ce pardon au premier mouvement d'une surprise si extraordinaire, et au peu d'apparence que je voyais à la grâce que vous avez faite à ma sœur. – Vous pouviez tout espérer de sa beauté et de mon amour, répliqua Don Garcie ; et je vous conjure d'oublier ce qu'elle a fait sans votre aveu pour un Prince dont elle connaissait les sentiments. – Le succès, seigneur, a si bien justifié sa conduite, répondit Consalve, que c'est à elle à se plaindre de l'obstacle que je voulais apporter à son bonheur. »

Après ces paroles, Don Garcie dit à Hermenesilde, qu'il était déjà si tard, qu'elle serait peut-être bien aise de se retirer ; et qu'il serait bien aise aussi de demeurer encore quelques moments avec Consalve.

Lorsqu'ils furent seuls, il l'embrassa avec beaucoup de témoignages d'amitié. « Je n'oserais espérer, lui dit-il, que vous oubliiez les choses passées : je vous conjure seulement de vous souvenir de l'amitié qui a été entre nous, et de penser, que je n'ai manqué à celle que je vous devais, que par une passion qui ôte la raison à ceux qui en sont possédés. – Je suis si surpris, seigneur, repartit Consalve, que je ne puis vous répondre ; je doute de ce que je vois ; et je ne puis croire, que je sois assez heureux pour retrouver en vous cette même bonté que j'y ai vue autrefois. Mais, seigneur, permettez-moi de vous demander à qui je dois cet heureux retour. – Vous me demandez bien des choses, répondit le Prince ; et bien que j'eusse besoin d'un plus long temps pour vous les apprendre, je vous les dirai en peu de paroles ; et je ne veux pas retarder d'un moment ce qui peut servir à me justifier auprès de vous. »

Alors il voulut lui raconter le commencement de sa passion pour Hermenesilde, et la part qu'y avait eue Don Ramire ; mais pour lui en épargner la peine, Consalve lui dit, qu'il avait appris tout ce qui s'était passé jusques au jour qu'il était parti de Léon, et qu'il ne lui restait à savoir que ce qui était arrivé depuis son départ.

HISTOIRE DE DON GARCIE
ET D'HERMENESILDE

« Vous partîtes sans doute, reprit Don Garcie, sur la connaissance que vous eûtes que j'avais eu la faiblesse de consentir à votre éloignement ; et la méprise que fit Nugna Bella de vous envoyer une lettre, qu'elle écrivait à Don Ramire, vous apprit ce qu'on vous avait caché avec tant de soin. Don Ramire reçut la lettre qui s'adressait à vous ; et ne douta point, que vous n'eussiez reçu celle qui s'adressait à lui. Il en fut extrêmement troublé ; je ne le fus pas moins ; nos fautes étaient communes, quoiqu'elles fussent différentes. Votre départ lui donna de la joie, j'en eus aussi d'abord ; mais quand je fis réflexion à l'état où vous étiez ; quand je considérai que j'en étais la cause, je pensai mourir de douleur. Je trouvais que j'avais perdu la raison de vous avoir caché si soigneusement l'amour, que j'avais pour Hermenesilde ; il me semblait que les sentiments que j'avais pour elle, étaient d'une nature à n'être pas désapprouvés : j'eus plusieurs fois envie de faire courir après vous, et je l'aurais fait si j'eusse été le seul coupable. Mais l'intérêt de Nugna Bella et de Don Ramire était des obstacles invincibles à votre retour. Je leur cachai mes sentiments, et j'essayai autant qu'il me fut possible de vous oublier. Votre éloignement fit beaucoup de bruit, et chacun en parla selon son caprice. Sitôt que je ne fus plus retenu par vos conseils, et que je suivis ceux de Don Ramire, qui souhaitait par son intérêt de me voir de l'autorité, je me brouillai entièrement avec le Roi ; et il connut alors qu'il s'était trompé, quand il avait cru que vous me portiez à faire les choses qui lui étaient désagréables. Notre mésintelligence éclata ; les

soins de la Reine ma mère furent inutiles ; et les
choses vinrent à un tel point, que l'on ne douta plus
que je n'eusse dessein de former un parti. Je ne crois
pas néanmoins que j'en eusse pris la résolution, si le
Comte votre père (qui sut par des personnes qu'il
avait mises auprès de sa fille, l'amour que j'avais pour
elle), ne m'eût fait dire, que si je voulais l'épouser, il
m'offrait une armée considérable, des places, et de
l'argent, et enfin ce qui m'était nécessaire pour obliger
le Roi à me faire part de sa couronne. Vous savez ce
que les passions peuvent sur moi, et à quel point
l'amour, et l'ambition régnaient dans mon âme. L'une
et l'autre étaient satisfaites par les offres qu'on me
faisait ; ma vertu était trop faible pour y résister ; et je
ne vous avais plus pour la soutenir. J'acceptai ces
offres avec joie ; mais avant que de m'engager entièrement, je voulus savoir qui entrait dans ce parti dont je
me faisais le chef. J'appris qu'il y avait plusieurs personnes considérables, entre autres le père de Nugna
Bella un des Comtes de Castille, et je trouvai que
Nugnez Fernando et lui demandaient que je les recon-
nusse pour Souverains. Cette proposition me surprit ;
et j'eus quelque honte de faire une chose si préjudi-
ciable à l'État, par une impatience précipitée de
régner ; mais Don Ramire aida par son intérêt à me
déterminer. Il promit à ceux qui traitaient pour les
Comtes de Castille, de me porter à faire ce qu'ils dési-
raient, pourvu qu'on lui promît de lui donner Nugna
Bella. Il m'engagea à la demander ; je le fis avec joie ;
on me l'accorda, et notre traité fut conclu en peu de
temps. Je ne pus me résoudre à attendre la fin de la
guerre, pour être possesseur d'Hermenesilde ; et je fis
dire à Nugnez Fernando, que j'étais résolu d'enlever
sa fille en me retirant de la Cour. Il y consentit, et il ne
me resta plus qu'à trouver les moyens de cet enlèvement. Don Ramire y avait le même intérêt que moi,
parce que Diégo Porcellos trouvait bon qu'on enlevât
Nugna Bella avec Hermenesilde. Nous résolûmes de
prendre un jour que la Reine irait se promener hors de
la ville, d'obliger celui qui conduirait le chariot où

seraient Nugna Bella et Hermenesilde, à s'éloigner de
celui de la Reine, de les enlever, et de les conduire à
Palence [1] qui était en ma disposition, et où Nugnez
Fernando se devait trouver.

Tout ce que je viens de vous dire s'exécuta plus
heureusement que nous ne l'avions espéré ; j'épousai
Hermenesilde dès le soir même que nous fûmes
arrivés : la bienséance et mon amour le voulaient
ainsi ; et je le devais faire pour engager entièrement le
Comte de Castille dans mes intérêts. Au milieu de la
joie que nous avions l'un et l'autre, nous parlâmes de
vous avec beaucoup de douleur. Je lui avouai ce qui
avait causé votre éloignement ; nous plaignîmes
ensemble le malheur où nous étions de ne savoir en
quel lieu du monde vous étiez allé : je ne pouvais me
consoler de votre perte, et je regardais Don Ramire
avec horreur, comme la cause de ma faute. Son
mariage fut retardé, parce que Nugna Bella voulut
qu'on attendît Diégo Porcellos, qui était demeuré en
Castille pour rassembler les troupes qu'on avait levées.

Cependant la plus grande partie du Royaume se
déclara pour moi. Le Roi ne laissa pas d'avoir une
armée considérable, et de s'opposer à la mienne. Il y
eut plusieurs combats, et dans l'un des premiers Don
Ramire fut tué sur la place. Nugna Bella en parut très
affligée ; votre sœur fut témoin de son affliction, et prit
le soin de la consoler. Je fis en moins de deux mois des
progrès si considérables, que la Reine ma mère connaissant qu'il était impossible de me résister, porta le
Roi à un accommodement, et lui en fit voir la nécessité. Elle avança vers le lieu où j'étais. Elle me dit que
le Roi était résolu de chercher du repos ; qu'il se
démettrait de la couronne en ma faveur ; et qu'il se
réserverait seulement la Souveraineté de Zamora pour
y finir ses jours, et celle d'Oviedo pour la donner à
mon frère. Il eût été difficile de refuser des offres si
avantageuses ; je les acceptai ; on fit tout ce qui était

---

1. Palence (Palencia) est une ville de la région de Castille et
León.

nécessaire pour l'exécution de ce traité ; je vins à Léon ; je vis le Roi ; il se démit de sa couronne, et partit le même jour pour s'en aller à Zamora. »

« Permettez-moi, seigneur, interrompit Consalve, de vous faire paraître mon étonnement. – Attendez encore, reprit Don Garcie, que je vous aie appris ce qui regarde Nugna Bella. Je ne sais si ce que je vais vous dire vous donnera de la joie ou de la douleur ; car j'ignore quels sentiments vous conservez pour elle. – Ceux de l'indifférence, seigneur, répondit Consalve. – Vous m'écouterez donc sans peine, répliqua le Roi : incontinent après la paix, elle vint à Léon avec la Reine ; il me parut qu'elle souhaitait votre retour ; je lui parlai de vous, et je lui vis de violents repentirs de l'infidélité qu'elle vous avait faite. Nous résolûmes de vous faire chercher, quoiqu'il fût assez difficile, ne sachant en quel endroit du monde vous étiez allé. Elle me dit que si quelqu'un le pouvait savoir c'était Don Olmond. Je l'envoyai chercher à l'heure même ; je le conjurai de m'apprendre de vos nouvelles ; il me répondit que depuis mon mariage, et la mort de Don Ramire, il avait eu plusieurs fois la pensée de me parler de vous, jugeant bien que les raisons qui avaient causé votre éloignement étaient cessées : mais qu'ignorant où vous étiez, il avait cru que c'était une chose inutile : qu'enfin il venait de recevoir une de vos lettres ; que vous ne lui mandiez point le lieu de votre séjour ; mais que vous le priiez de vous écrire à Tarragone ; ce qui lui faisait juger que vous n'étiez pas hors de l'Espagne. Je fis partir à l'heure même plusieurs officiers de mes gardes pour vous aller chercher. J'avais jugé par la lettre que vous aviez écrite à Don Olmond, que vous ignoriez les changements qui étaient arrivés ; je leur donnai ordre de ne vous rien dire de l'état de la Cour, et de mes sentiments ; et j'imaginai un plaisir extrême à vous apprendre l'un et l'autre. Quelques jours après Don Olmond partit aussi pour vous aller chercher, et il crut qu'il vous trouverait plus tôt que ceux que j'y avais déjà envoyés. Nugna Bella me parut touchée d'une grande joie par l'espérance de vous revoir. Mais son père que j'avais reconnu pour Souverain aussi bien que le vôtre, envoya demander à la Reine la permission de la rappeler auprès de lui. Quelque douleur qu'elles eussent de cette séparation, Nugna Bella ne put l'éviter ; elle partit, et sitôt qu'elle a été arrivée en Castille, son père l'a mariée contre son gré à un Prince allemand, que la dévotion a attiré en Espagne. Il a cru voir dans cet étranger un mérite extraordinaire ; et l'a choisi pour lui donner sa fille ; peut-être a-t-il de la valeur et de la sagesse ; mais son humeur et sa personne ne sont pas agréables : et Nugna Bella est très malheureuse.

Voilà, dit le Roi en finissant son discours, ce qui s'est passé depuis votre éloignement ; si vous n'aimez plus Nugna Bella, et que vous m'aimiez encore, je n'ai rien à souhaiter, puisque vous serez aussi heureux que vous l'avez été, et que je le serai entièrement par le retour de votre amitié. – Je suis confus, seigneur, de toutes vos bontés, répondit Consalve ; je crains de ne vous pas faire assez paraître ma reconnaissance et ma joie. Mais l'habitude que mes malheurs et la solitude m'ont donnée à la tristesse, m'en laisse encore une impression, qui cache les sentiments de mon cœur. »

Après ces paroles, Don Garcie se retira, et l'on conduisit Consalve dans un appartement qu'on lui avait préparé dans le Palais. Lorsqu'il se vit seul, et qu'il fit réflexion sur le peu de joie que lui donnait un changement si avantageux, quels reproches ne se fit-il point de s'être si entièrement abandonné à l'amour ?

C'est vous seule, Zayde, dit-il, qui m'empêchez de jouir du retour de ma fortune, et d'une fortune encore au-dessus de celle que j'avais perdue. Mon père est Souverain, ma sœur est Reine ; et je suis vengé de tous ceux qui m'avaient trahi. Cependant je suis malheureux, et je rachèterais de tous les avantages que je possède, l'occasion que j'ai perdue de vous suivre et de vous revoir.

Le lendemain toute la Cour sut le retour de Consalve : le Roi ne pouvait se lasser de faire voir l'amitié qu'il avait pour lui ; et il prenait soin d'en donner des témoignages publics, pour réparer en quelque sorte les choses qui s'étaient passées. Une si éclatante faveur ne consolait point cet amant de la perte de Zayde ; il n'était pas en son pouvoir de cacher son affliction : le Roi s'en aperçut, et le pressa si fortement de lui en avouer la cause, que Consalve ne put s'en défendre. Après lui avoir raconté sa passion pour Zayde, et tout ce qui lui était arrivé depuis son départ de Léon : « Voilà, seigneur, lui dit-il ; comme j'ai été puni d'avoir osé soutenir contre vous, qu'on ne devait aimer qu'après une longue connaissance. J'ai été trompé par une personne que je croyais connaître ; cette expérience ne m'a pu défendre contre Zayde, que je ne connaissais pas, que je ne connais point encore, et qui cependant trouble l'heureux état où vous me mettez. » Le Roi était trop sensible à l'amour, et trop sensible à ce qui regardait Consalve, pour n'être pas touché de son malheur : il examina avec lui ce qu'on pouvait faire pour apprendre des nouvelles de Zayde ; ils résolurent d'envoyer à Tortose dans cette maison où il l'avait entendue parler, pour tâcher au moins de s'instruire de sa patrie, et du lieu où elle était allée. Consalve qui avait dessein de faire savoir à Alphonse tout ce qui lui était arrivé depuis qu'il était sorti de sa solitude, se servit de cette occasion pour lui écrire, et pour lui renouveler les assurances de son amitié.

Cependant les Maures avaient profité des désordres du Royaume de Léon : ils avaient surpris plusieurs villes, et continuaient encore à étendre leurs limites sans avoir néanmoins déclaré la guerre. Don Garcie poussé par son ambition naturelle, et se trouvant fortifié par la valeur de Consalve, résolut d'entrer dans leur pays, et de reprendre tout ce qu'ils avaient usurpé. Don Ordogno son frère se joignit à lui, et ils mirent une puissante armée en campagne. Consalve en fut le général ; il fit en peu de temps des progrès considérables ; il prit des villes ; il eut l'avantage en plusieurs combats, et enfin il assiégea Talavera, qui était une place importante par sa situation et par sa grandeur. Abdérame Roi de Cordoue, successeur d'Abdallah, vint lui-même s'opposer au Roi de Léon. Il s'approcha de Talavera dans l'espérance de faire lever le siège. Don Garcie avec le Prince Ordogno son frère, prit la plus grande partie de l'armée pour l'aller combattre, et laissa Consalve avec le reste pour continuer le siège [1]. Consalve s'en chargea avec joie ; et l'assurance d'y réussir, ou d'y trouver la mort, ne lui laissa pas appréhender de mauvais succès. Il n'avait point eu de nouvelles de Zayde ; il était plus tourmenté que jamais de la passion qu'il avait pour elle, et du désir de la revoir : de sorte qu'au travers de sa fortune et de sa gloire, il n'envisageait qu'une vie si désagréable, qu'il courait avec ardeur aux occasions de la finir. Le Roi marcha contre Abdérame ; il le trouva campé dans un poste avantageux à une journée de Talavera. Quelques jours se passèrent sans qu'ils en vinssent aux mains ; les Maures ne voulaient pas sortir de leur poste, et Don Garcie se trouvait trop faible pour les y attaquer. Cependant Consalve jugea qu'il était impossible de continuer le siège ; parce que n'ayant pas assez de troupes pour enfermer toute la place, il y entrait du secours toutes les nuits, et que ce secours pouvait enfin mettre les assiégés en état de faire des sorties, qu'il ne pourrait soutenir. Comme il avait déjà fait une brèche considérable, il résolut de hasarder un assaut général, et d'essayer par une action si hardie de réussir dans une chose qu'il croyait désespérée. Il exécuta ce qu'il avait résolu ; et après avoir donné tous les ordres nécessaires, il attaqua la ville avant que le jour parût ; mais avec tant de courage et d'espérance de vaincre, qu'il inspira ces mêmes sentiments aux soldats. Ils firent des actions incroyables, et enfin en moins de deux heures Consalve se rendit maître de Talavera. Il fit tous ses efforts pour empê-

---

1. L'action se situe en 914, mais en réalité sous le règne d'Ordogno, et non pas de Garcie, d'après Marmol (*L'Afrique*, *op. cit.*, t. I, p. 241).

cher le pillage ; mais il était impossible d'arrêter des troupes qui avaient été animées par l'espérance du butin.

Comme il allait lui-même par la ville pour prévenir le désordre, il vit un homme qui se défendait seul contre plusieurs autres avec une valeur admirable, et qui en se retirant tâchait de gagner un château qui ne s'était pas encore rendu. Ceux qui attaquaient cet homme le pressaient si vivement, qu'ils l'allaient percer de plusieurs coups, si Consalve ne se fût jeté au milieu d'eux, et ne leur eût commandé de se retirer. Il leur fit honte de l'action qu'ils voulaient faire : ils s'en excusèrent, en lui disant que celui qu'ils attaquaient était le Prince Zuléma, qui venait de tuer un nombre infini des leurs, et qui voulait se jeter dans le château. Ce nom était trop célèbre par la grandeur de ce Prince, et par le commandement général qu'il avait dans les armées des Maures, pour n'être pas connu de Consalve : il s'avança vers lui, et ce vaillant homme voyant bien qu'il ne pouvait plus se défendre, rendit son épée avec un air si noble et si hardi, que Consalve ne douta point qu'il ne fût digne de la grande réputation qu'il avait acquise. Il le donna en garde à des officiers qui le suivaient, et marcha vers ce château pour le sommer de se rendre. Il promit la vie à ceux qui étaient dedans ; on lui en ouvrit les portes ; il apprit en y entrant qu'il y avait beaucoup de Dames arabes qui s'y étaient retirées. On le conduisit au lieu où elles étaient : il entra dans un appartement superbe, orné avec toute la politesse des Maures. Plusieurs Dames à demi couchées sur des carreaux ne faisaient voir que par un triste silence la douleur qu'elles avaient d'être captives. Elles étaient un peu éloignées, comme par respect, d'une personne magnifiquement habillée, et assise sur un lit de repos. Sa tête était appuyée sur une de ses mains ; de l'autre elle essuyait ses larmes, et cachait son visage comme si elle eût voulu retarder de quelques moments la vue de ses ennemis. Enfin au bruit que firent ceux dont Consalve était suivi, elle se tourna, et lui fit reconnaître Zayde ; mais Zayde plus belle qu'il ne l'avait jamais vue, malgré la douleur et le trouble qui paraissaient sur son visage. Consalve fut si surpris, qu'il parut plus troublé que Zayde ; et Zayde sembla se rassurer et perdre une partie de ses craintes à la vue de Consalve. Ils s'avancèrent l'un vers l'autre ; et prenant tous deux la parole, Consalve se servit de la langue grecque, pour lui demander pardon de paraître devant elle, comme un ennemi, dans le même moment que Zayde lui disait en espagnol, qu'elle ne craignait plus les malheurs qu'elle avait appréhendés ; et que ce ne serait pas le premier péril, dont il l'aurait garantie. Ils furent si étonnés de s'entendre parler leurs langues, et leur surprise leur jeta si vivement dans l'esprit les raisons qui les avaient obligés de les apprendre, qu'ils en rougirent, et demeurèrent quelque temps dans un profond silence. Enfin Consalve reprit la parole, et continuant de se servir de la langue grecque : « Je ne sais, madame, lui dit-il, si j'ai eu raison de souhaiter autant que je l'ai fait, que vous me pussiez entendre : peut-être n'en serai-je pas moins malheureux ; mais quoi qu'il puisse m'arriver, puisque j'ai la joie de vous revoir après en avoir tant de fois perdu l'espérance, je ne me plaindrai plus de ma fortune. » Zayde parut embarrassée de ce que lui disait Consalve ; et le regardant avec ses beaux yeux où il ne paraissait néanmoins que de la tristesse. « Je ne sais encore (lui dit-elle en sa langue, ne voulant plus lui parler espagnol) si mon père a pu échapper des périls où il s'est exposé dans cette journée ; vous me permettrez bien de ne vous pas répondre pour demander de ses nouvelles. » Consalve appela ceux qui se trouvèrent proche de lui, pour s'enquérir de ce qu'elle voulait savoir : il eut le plaisir d'apprendre que ce Prince à qui il venait de sauver la vie, était le père de Zayde ; et elle parut avoir beaucoup de joie de savoir par quel bonheur son père avait été garanti de la mort. Ensuite Consalve fut obligé de faire des civilités à toutes les autres Dames, qui étaient dans le château. Il fut fort surpris d'y trouver Don Olmond, dont on n'avait point eu de nouvelles depuis qu'il était parti de

Léon pour le chercher. Après avoir satisfait à ce qu'il
devait à un ami si fidèle, il revint dans le lieu où était
Zayde. Comme il commençait à lui parler, on le vint
avertir que le désordre était si grand dans la ville, que
sa présence seule pouvait l'arrêter. Il fut contraint
d'aller où son devoir l'appelait : il donna tous les
ordres qu'il jugea nécessaires, pour apaiser le tumulte
que faisaient naître l'avarice des soldats, et la terreur
des habitants. Ensuite il dépêcha un courrier au Roi,
pour lui donner avis de la prise de la ville, et revint
avec impatience auprès de Zayde. Toutes les Dames
qui étaient auprès d'elle s'éloignèrent par hasard ; il
voulut profiter des moments où il pouvait l'entretenir ;
mais comme il avait dessein de lui parler de sa passion,
il sentit un trouble extraordinaire ; et il connut bien
que ce n'était pas toujours assez de pouvoir être
entendu, pour se déterminer à se vouloir faire
entendre. Il craignit néanmoins de perdre une occasion, qu'il avait tant souhaitée ; et après avoir admiré
quelque temps la bizarrerie de leur aventure, d'avoir
été si longtemps ensemble sans se connaître, et sans se
parler. « Nous sommes bien éloignés, dit Zayde de
retomber dans le même embarras, puisque j'entends
la langue espagnole, et que vous entendez la mienne.
– Je m'étais trouvé si malheureux de ne la pas
entendre, répondit Consalve, que je l'ai apprise, sans
espérer même qu'elle pût me servir à réparer ce que
j'avais souffert de ne la pas savoir. – Pour moi, reprit
Zayde en rougissant, j'ai appris l'espagnol, parce qu'il
est difficile de n'apprendre pas la langue du pays où
l'on demeure ; et que l'on est dans une peine conti-
nuelle, lorsqu'on ne peut se faire entendre. – Je vous
entendais souvent, madame, répliqua Consalve ; et
quoique je ne susse pas votre langue, il y a eu bien des
heures où j'aurais pu rendre un compte exact de vos
sentiments ; et je suis persuadé que vous voyiez
encore mieux les miens, que je ne voyais les vôtres.
– Je vous assure, répondit Zayde, que je suis moins
habile que vous ne pensez : et que tout ce que j'ai pu
juger, c'est que vous aviez quelquefois beaucoup de

tristesse. – Je vous en disais la cause, répondit Consalve, et je crois que sans savoir ce que signifiaient mes
paroles, vous n'avez pas laissé de m'entendre. Ne vous
en défendez point, madame, vous m'avez répondu
sans me parler, avec une sévérité dont vous devez être
satisfaite : mais puisque j'ai pu connaître votre indifférence, comment n'auriez-vous pas connu des sentiments qui paraissent plus aisément que l'indifférence,
et qui s'expliquent souvent malgré nous ? J'avoue
néanmoins, que j'ai vu quelquefois vos beaux yeux
tournés sur moi, d'une manière qui m'aurait donné de
la joie, si je n'avais cru devoir ce qu'ils avaient de favorable à la ressemblance de quelque autre. – Je ne vous
désavouerai pas, reprit Zayde, que je n'aie trouvé que
vous ressembliez à quelqu'un ; mais vous n'auriez pas
sujet de vous plaindre, si je vous disais, que j'ai souvent souhaité que vous pussiez être celui à qui vous
ressemblez. – Je ne sais, madame, répondit Consalve,
si ce que vous me dites m'est favorable ; et je ne puis
vous en rendre grâce, si vous ne me l'expliquez mieux.
– Je vous en ai trop dit pour vous l'expliquer, répliqua
Zayde, et mes dernières paroles m'engagent à vous en
faire un secret. – Je suis bien destiné au malheur de ne
vous pas entendre, reprit Consalve, puisque même en
me parlant espagnol, je ne sais ce que vous me dites :
mais, madame, avez-vous la cruauté d'ajouter encore
des incertitudes à celles où je vis depuis si longtemps ?
Il faut que je meure à vos pieds, ou que vous me disiez
qui vous avez pleuré dans la solitude d'Alphonse ; et
qui est celui à qui mon malheur ou mon bonheur veulent que je ressemble. Ma curiosité ne s'arrêterait pas
sans doute à ces deux choses, si le respect que j'ai
pour vous ne la retenait ; mais j'attendrai que le temps
et votre bonté me permettent de vous en demander
davantage. »

Comme Zayde allait répondre, des Dames arabes,
qui étaient dans le château, demandèrent à parler à
Consalve ; et il vint ensuite tant d'autres personnes,
qu'avec le soin qu'apporta cette Princesse à éviter de

l'entretenir en particulier, il lui fut impossible d'en retrouver l'occasion.

Il se renferma seul pour s'abandonner au plaisir d'avoir retrouvé Zayde, et de l'avoir retrouvée dans un lieu dont il était le maître. Il croyait même avoir remarqué dans ses yeux quelque joie de le revoir ; il était bien aise qu'elle eût appris l'espagnol ; et elle s'était servie de cette langue avec tant de promptitude, sitôt qu'elle l'avait vu, qu'il se flattait d'avoir eu quelque part au soin qu'elle avait eu de l'apprendre. Enfin la vue de Zayde, et l'espérance de n'en être pas haï faisaient sentir à Consalve ce qu'un amant qui n'est pas assuré d'être aimé, peut sentir de plus agréable.

Don Olmond revint du château où il l'avait envoyé pour y faire entrer des troupes, et interrompit sa rêverie : comme il l'avait trouvé dans le même lieu que Zayde, il crut qu'il pourrait l'instruire de la naissance et des aventures de cette belle Princesse. Il appréhenda néanmoins qu'il n'en fût amoureux ; et la crainte de trouver encore un rival en un homme, qu'il croyait son ami arrêta longtemps sa curiosité ; mais il ne put en être le maître. Et après avoir demandé à Don Olmond, quelle aventure l'avait conduit à Talavera, et avoir su qu'il avait été pris prisonnier en allant le chercher à Tarragone, il lui parla de Zuléma, pour lui parler ensuite de Zayde.

« Vous savez, lui dit Don Olmond, qu'il est neveu du Calife Osman, et qu'il serait à la place de Caïm Adam [1] qui règne aujourd'hui, s'il avait eu autant de bonheur qu'il méritait d'en avoir. Il tient un rang considérable parmi les Arabes ; il est venu en Espagne pour être général des armées du Roi de Cordoue, et il y vit avec une grandeur et une dignité dont j'ai été surpris. Je trouvai ici en y arrivant une Cour très agréable ;

---

1. Marmol parle d'un Caym Adam, vingt-quatrième calife, qui aurait succédé à Ozman en 873 (*L'Afrique, op. cit.*, t. I, chap. XXVI, p. 233-240). Une autre lecture est possible, proposée par Alain Niderst, qui suppose une coquille et lit « du caïmacan », le caïmacan étant une dignité dans l'Empire ottoman (le secrétaire d'État du vizir).

Bélénie femme du Prince Osmin, frère de Zuléma, y
était alors. Cette Princesse n'est pas moins révérée par
sa vertu que par sa naissance : elle avait avec elle la
Princesse Félime sa fille, dont l'esprit et le visage sont
pleins de charmes, bien qu'il y ait dans l'un et dans
l'autre beaucoup de langueur et de mélancolie. Vous
avez vu l'incomparable beauté de Zayde, et vous
pouvez juger quel fut mon étonnement de trouver à
Talavera tant de personnes dignes d'admiration. – Il
est vrai, répondit Consalve, que Zayde est la plus parfaite beauté que j'aie jamais vue, et je ne doute point
qu'elle n'ait ici un grand nombre d'amants attachés à
elle. – Alamir Prince de Tarse en est passionnément
amoureux, répliqua Don Olmond ; il a commencé à
l'aimer en Chypre, et il en était parti avec elle. Zuléma
fit naufrage aux côtes de Catalogne ; il est venu depuis
en Espagne, et Alamir est venu à Talavera chercher
Zayde. »

Les paroles de Don Olmond donnèrent un coup
mortel à Consalve ; il y trouva la confirmation de ses
soupçons, et il vit en un moment que tout ce qu'il
s'était imaginé était véritable. L'espérance de s'être
trompé, dont il s'était flatté tant de fois, l'abandonna
entièrement ; et la joie que lui avait donnée la conversation qu'il venait d'avoir avec Zayde, ne servit qu'à
augmenter sa douleur. Il ne douta plus que les larmes
qu'elle avait répandues chez Alphonse, ne fussent
pour Alamir ; que ce ne fût à lui à qui il ressemblait, et
que ce ne fût par lui qu'elle eût été enlevée des côtes
de Catalogne. Ces pensées lui donnèrent une si cruelle
douleur, que Don Olmond crut qu'il était malade, et
lui en témoigna de l'inquiétude. Consalve ne voulut
pas lui apprendre le sujet de son affliction ; il trouva
de la honte à lui avouer qu'il était encore amoureux,
après avoir été si maltraité par l'amour : il lui dit que
son mal se passerait bientôt, et il lui demanda s'il avait
vu Alamir ; s'il était digne de Zayde, et s'il en était
aimé. « Je ne l'ai point vu, reprit Don Olmond ; il était
allé joindre Abdérame avant que l'on m'eût conduit en
cette ville. Sa réputation est grande ; je ne sais s'il est

aimé de Zayde ; mais je crois qu'il est difficile qu'elle méprise un Prince aussi aimable, que j'ai ouï dépeindre Alamir ; et il paraît si attaché à elle, qu'il est difficile de croire qu'il en soit entièrement dédaigné. La Princesse Félime, avec qui j'ai fait une amitié particulière, malgré la retraite où vivent les personnes de sa nation et de sa naissance, m'a souvent parlé d'Alamir ; et à en juger par ce quelle m'en a dit, on ne peut être ni plus honnête homme, ni plus amoureux. » Si Consalve eût suivi ses sentiments, il eût fait encore plusieurs questions à Don Olmond ; mais il était retenu par la crainte de découvrir ce qu'il lui voulait cacher. Il lui demanda seulement ce qu'était devenue Félime. Don Olmond lui répondit, qu'elle avait suivi la Princesse sa mère à Oropèze, où Osmin commandait un corps d'armée.

Consalve se retira ensuite, sur le prétexte de chercher du repos ; mais ce ne fut en effet, que pour être en liberté de s'affliger, et de faire réflexion sur l'opiniâtreté de son malheur. Pourquoi ai-je retrouvé Zayde, disait-il, avant que d'apprendre qu'Alamir en est aimé : si j'en eusse été assuré dans le temps que je l'avais perdue, j'aurais moins souffert de son absence : je me serais moins abandonné à la joie de la revoir, et je ne sentirais pas la cruelle douleur de perdre les espérances qu'elle me vient de donner. Quelle destinée est la mienne, que même la douceur de Zayde ne serve qu'à me rendre malheureux ? Pourquoi témoigner qu'elle souffre mon amour, si elle approuve celui d'Alamir ? Et que veut dire ce souhait, que je puisse être celui à qui je ressemble ?

De pareilles réflexions augmentaient encore sa tristesse ; et le jour suivant qu'il devait attendre avec tant d'impatience, et qui lui devait être si agréable, puisqu'il était assuré de voir Zayde, et de lui parler, lui parut le plus affreux de sa vie ; quand il pensa qu'en la voyant, il n'avait rien à espérer que la confirmation de son malheur.

Sur le milieu de la nuit, celui qui était allé porter au Roi la nouvelle de la prise de la ville, revint avec un

ordre pour Consalve de partir à l'heure même, et
d'aller joindre l'armée avec toute la cavalerie. Don
Garcie savait que les Maures attendaient un secours
considérable ; et quand il eut appris que Consalve
avait emporté Talavera, il crut qu'il fallait profiter de
cette victoire, et rassembler toutes ses troupes pour
attaquer les ennemis, avant qu'ils fussent fortifiés par
ce nouveau secours. Quelque difficulté que Consalve
trouvât à exécuter l'ordre du Roi, par l'embarras de
faire marcher des soldats, qui étaient encore fatigués
du travail de la nuit précédente, le désir d'être à la
bataille le fit agir avec tant d'ardeur qu'il les mit en peu
de temps en état de partir ; et il se fit la cruelle violence de quitter Zayde, sans lui dire adieu. Il ordonna
que l'on conduisît Zuléma dans le château où était
cette Princesse, et il commanda à celui qui la gardait,
de lui dire les raisons qui l'obligeaient à quitter Talavera avec tant de précipitation.

À la pointe du jour, il se mit à la tête de la cavalerie,
et commença à marcher avec une tristesse propor-
tionnée au sujet qu'il en croyait avoir. En approchant du
camp, il rencontra le Roi qui venait au-devant de lui : il
mit pied à terre, et alla lui rendre compte de ce qui
s'était passé à la prise de Talavera. Après lui avoir parlé
de ce qui regardait la guerre, il lui parla de ce qui regardait son amour. Il lui apprit qu'il avait retrouvé Zayde ;
mais qu'il avait aussi trouvé ce rival, dont la seule idée
lui avait donné tant d'inquiétude. Le Roi lui témoigna
combien il s'intéressait dans toutes les choses qui le tou-
chaient, et combien il était satisfait de la victoire qu'il
venait de remporter. Consalve alla ensuite faire camper
ses troupes, et les mettre en état par quelques heures de
repos, de se préparer à la bataille que l'on avait dessein
de donner. La résolution n'en était pas encore prise ; le
poste avantageux des ennemis, leur nombre, et le chemin qu'il fallait faire pour aller à eux, rendaient cette
résolution difficile à prendre, et périlleuse à exécuter.
Consalve néanmoins opina à [1] la donner ; et l'espé-

_____
1. Exprima l'avis de.

rance de trouver Alamir dans le combat, lui fit soutenir son opinion avec tant de force, que la bataille fut résolue pour le lendemain.

Les Arabes étaient campés dans une plaine à la vue d'Almaras [1]. Leur camp était environné d'un grand bois, en sorte que l'on ne pouvait aller à eux que par un défilé si dangereux à passer, qu'il ne semblait pas qu'on dût l'entreprendre. Toutefois Consalve à la tête de la cavalerie, commença le premier à traverser ce bois, et parut dans la plaine suivi de quelques escadrons. Les Arabes surpris de voir leurs ennemis si proches, employèrent à prendre leur résolution, le temps qu'ils devaient employer à combattre, et donnèrent le loisir aux Espagnols de passer toutes leurs troupes, et de se ranger en bataille. Consalve marcha droit à eux avec l'aile gauche, enfonça leurs escadrons, et les mit en fuite. Il ne s'abandonna pas à poursuivre les fuyards ; et cherchant partout le Prince de Tarse, et de nouvelles victoires, il tourna tout court sur l'infanterie des Arabes. Cependant l'aile droite n'avait pas eu un succès si favorable : les Arabes l'avaient rompue et poussée jusques au corps de réserve, que commandait le Roi de Léon ; mais ce Roi avait arrêté leur victoire, et les avait repoussés jusques aux portes d'Almaras ; en sorte qu'il ne restait de leur armée que l'infanterie où était Abdérame, et que Consalve venait d'attaquer. Cette infanterie l'attendit de pied ferme ; et ouvrant ses bataillons, les gens de trait firent un effet si prodigieux, que les troupes espagnoles ne le purent soutenir. Consalve les remit en ordre, et recommença la même attaque jusques à trois fois ; enfin il enveloppa cette infanterie de tous côtés ; et touché de voir périr de si braves gens, il cria qu'on leur fît quartier. Ils mirent tous les armes bas, et se jetant en foule autour

1. D'après Marmol, les troupes d'Abdérame entrèrent en Aragon en 915 ou 926, sous le commandement d'Almansor (*L'Afrique*, *op. cit.*, t. I, p. 243). Mais le déroulement de la bataille s'inspire de la bataille de Rocroi, en 1643, au cours de laquelle Condé écrasa l'armée espagnole.

de lui, ils semblaient n'avoir d'autre application qu'à admirer sa clémence, après avoir éprouvé sa valeur. Dans ce moment, le Roi de Léon vint joindre Consalve, et lui donna toutes les louanges que méritait sa valeur. Ils surent que le Roi Abdérame s'était dégagé pendant le dernier combat, et s'était retiré dans Almaras.

La gloire que Consalve avait acquise dans cette journée, devait lui donner quelque joie ; mais il ne sentit que la douleur de n'y avoir pas laissé la vie, et de n'avoir pu trouver Alamir.

Il sut des prisonniers que ce Prince n'était pas dans l'armée ; qu'il commandait le secours que les ennemis attendaient ; et que c'était l'espérance de ce secours, qui leur avait fait essayer de retarder la bataille.

Comme les Arabes avaient ramassé une partie de leur armée ; qu'ils étaient fortifiés par les troupes qu'Alamir avait amenées, et qu'ils avaient devant eux une grande ville que l'on n'osait assiéger à leur vue ; le Roi de Léon ne pouvait espérer d'autre avantage de sa victoire, que la gloire de l'avoir remportée. Néanmoins Abdérame sous le prétexte d'enterrer les morts, demanda une trêve de quelques jours, dans le dessein de commencer une négociation pour la paix.

Pendant cette trêve, un jour que Consalve passait d'un quartier à l'autre, il vit sur une petite éminence deux cavaliers de l'armée ennemie, qui se défendaient contre plusieurs cavaliers espagnols ; et qui malgré leur résistance étaient près d'être accablés par le nombre de ceux qui les attaquaient. Il fut étonné de voir ce combat pendant la trêve, et de le voir si inégal. Il envoya quelqu'un des siens à toute bride pour le faire cesser, et pour en savoir la cause. On lui vint dire que ces deux cavaliers arabes avaient voulu passer auprès des gardes avancées ; qu'on les avait arrêtés avec insolence ; qu'ils avaient mis l'épée à la main ; et que la cavalerie qui s'était trouvée en ce lieu les avait attaqués. Consalve commanda à un officier d'aller de sa part faire des excuses à ces deux cavaliers, et de les conduire jusque hors du camp du côté qu'ils voudraient aller. Il continua ensuite la visite des quartiers, et alla passer à celui du Roi, en sorte qu'il ne revint que fort tard à son logement. Le lendemain l'officier qui avait conduit ces deux cavaliers arabes le vint trouver. « Seigneur, lui dit-il, un de ceux que vous nous aviez donné ordre d'escorter, nous a chargés de vous dire qu'il est bien fâché, qu'une affaire importante, qui n'a rien de commun avec la guerre, l'empêche de vous venir remercier ; et qu'il est bien aise de vous apprendre, que c'est le Prince Alamir qui vous est redevable de la vie. » Lorsque Consalve entendit le nom d'Alamir, et qu'il pensa que ce rival qu'il avait eu tant d'envie d'aller chercher par toute la terre, lors même qu'il n'en connaissait, ni le nom, ni la patrie, venait de passer dans le camp, et à sa vue, pour aller sans doute trouver Zayde, il demeura comme accablé ; et il ne lui resta de force que pour demander quel chemin avait pris Alamir. Quand on lui eut répondu que c'était celui de Talavera, il congédia tous ceux qui étaient dans sa tente, et demeura abandonné au désespoir de n'avoir pas connu le Prince de Tarse.

Quoi, disait-il, non seulement il échappe à ma vengeance, mais je lui ouvre encore les chemins pour aller voir Zayde. À l'heure que je parle il la voit ; il est auprès d'elle ; il lui apprend son passage dans ce camp ; et ce n'est que pour insulter à mon malheur, qu'il a voulu que je susse qu'il était Alamir. Peut-être ne jouira-t-il pas longtemps de mon infortune, et je soulagerai ma douleur par le plaisir de me venger.

Il prit dans ce moment la résolution de se dérober de l'armée, de s'en aller à Talavera troubler par sa présence l'entrevue d'Alamir et de Zayde, et d'ôter la vie à son rival, ou de mourir aux yeux de cette Princesse. Comme il cherchait les moyens d'exécuter ce qu'il avait résolu, on lui vint dire qu'il paraissait des troupes ennemies à quelques lieues du camp, et que le Roi lui ordonnait de les aller reconnaître : il fut contraint d'obéir, et de retarder l'exécution de son dessein. Il monta à cheval ; mais quand il eut marché quelque temps, il apprit en sortant d'un bois, que les troupes

qu'on avait vues n'étaient composées que de quelques
Arabes qui revenaient d'escorter un convoi. Il fit
prendre le chemin du camp à la cavalerie qui était avec
lui, et suivi seulement de quelqu'un des siens, il commença à marcher lentement, afin de demeurer dans le
bois, et de prendre le chemin de Talavera, sitôt que les
troupes seraient un peu éloignées. Comme il fut au
milieu d'une grande route, il rencontra un cavalier
arabe de fort bonne mine, qui suivait assez tristement
le même chemin. Ceux qui accompagnaient Consalve
prononcèrent son nom par hasard. À ce nom de Consalve, ce cavalier revint de la rêverie où il paraissait
plongé, et leur demanda si celui qui marchait seul était
Consalve. Sitôt qu'on lui eut répondu que c'était lui-
même : « Je serais bien aise, dit-il assez haut, de voir
un homme d'un mérite si extraordinaire, et de le pouvoir remercier de la grâce que j'en ai reçue. » En disant
ces paroles, il avança vers Consalve, en portant la
main à la visière de son casque pour le saluer. Mais
lorsqu'il eut jeté les yeux sur son visage : « Ô dieux !
s'écria-t-il, est-il possible que ce soit Consalve ? », et le
regardant attentivement, il demeura immobile comme
un homme frappé d'une grande surprise, et combattu
par des sentiments bien différents. Après avoir
demeuré quelque temps en cet état : « Alamir, s'écria-
t-il tout d'un coup, ne doit pas laisser vivre celui à qui
Zayde est destinée, ou celui, à qui elle se destine elle-
même ! » Consalve, qui avait paru étonné de l'action,
et des premières paroles de ce cavalier, et qui néanmoins en attendait la suite avec tranquillité, fut frappé
à son tour d'une surprise extraordinaire, lorsqu'il
entendit les noms de Zayde et d'Alamir ; et qu'il jugea
qu'il avait devant lui ce redoutable rival qu'il allait
chercher avec tant de haine et de désir de vengeance.
« Je ne sais, lui répondit-il, si Zayde m'est destinée ;
mais si vous êtes le Prince de Tarse, comme vous me
donnez lieu de croire, n'espérez pas d'en être possesseur que par ma mort. – Vous ne le serez aussi que par
la mienne, répliqua Alamir ; et je ne vois que trop par
vos paroles, que vous êtes celui qui cause mon

infortune. » Consalve n'entendit ces derniers mots que confusément ; il se retira de quelques pas, et retint l'impatience qui l'emportait à combattre, pour empêcher que leur combat ne fût interrompu. Il ordonna à ceux qui le suivaient de s'éloigner ; et il le leur ordonna avec tant d'autorité, qu'ils n'osèrent lui désobéir ; mais ils s'en allèrent en diligence, pour faire revenir quelques-uns des principaux officiers de l'armée, qui venaient de quitter Consalve, et qui ne pouvaient encore être fort éloignés. En même temps Consalve et Alamir commencèrent un combat, où la valeur et le courage firent paraître tout ce qu'ils ont jamais eu de grand et d'admirable. Alamir fut blessé en tant d'endroits, que les forces commencèrent à lui manquer ; et bien que Consalve le fût aussi, la vue d'une prochaine victoire lui donnait une nouvelle ardeur, qui le rendait maître de la vie de ce Prince. Le Roi qui s'était trouvé proche du bois, attiré par les cris de ceux que Consalve avait fait éloigner, arriva dans cet endroit, et sépara les combattants. Il apprit par l'écuyer d'Alamir, qui survint dans ce moment, le nom de son maître. Et Consalve voyant que ce Prince perdait des ruisseaux de sang, commanda qu'on le secourût.

Si le Roi eût suivi ses sentiments, il aurait donné des ordres contraires ; il se contenta néanmoins d'ordonner, qu'on lui répondît de la personne du Prince de Tarse, et tourna toutes ses pensées à la conversation de son favori. Il le fit transporter au camp : Alamir n'était pas en état d'être porté si loin, et on le mit dans un château qui se trouva assez proche. Sitôt que Consalve fut arrivé, le Roi voulut voir le jugement des Médecins sur ses blessures. Ils l'assurèrent qu'il n'y avait rien à craindre pour sa vie. Don Garcie ne le put quitter sans apprendre de sa bouche la cause de ce combat. Consalve qui ne lui cachait rien, lui en avoua la vérité ; et le Roi craignant de nuire à sa santé, par une trop longue conversation, voulut le laisser en repos. Mais Consalve le retenant : « Ne m'abandonnez pas, seigneur, lui dit-il, au désordre et à la

confusion de mes pensées : aidez-moi à démêler le
nouvel embarras où me mettent les actions et les
paroles d'Alamir. Il me rencontre sans qu'il paraisse
me chercher ; il m'aborde comme un homme qui me
veut faire des remerciements, et tout d'un coup je le
vois surpris, troublé, et prêt à mettre l'épée à la main.
Qu'a-t-il appris en me voyant, qui lui ait fait changer
de sentiments ? Qui lui fait imaginer que Zayde m'est
destinée, ou par Zuléma, ou par elle-même ? Il ne
peut avoir appris que de sa propre bouche, que je suis
son rival ; et si elle lui a rendu compte de mon amour,
ce n'est pas d'une manière qui lui puisse donner lieu
de me craindre. Il sait bien aussi qu'elle ne m'est pas
destinée par Zuléma, qui ne me connaît point, qui
ignore les sentiments que j'ai pour sa fille, et dont la
religion est si opposée à la mienne. Quel fondement
peuvent donc avoir ses paroles, et par quelle raison
mon visage attire-t-il sa colère, plutôt que mon nom ?
– Il est difficile, mon cher Consalve, répondit le Roi,
de démêler cette aventure ; j'y pense avec attention ;
mais je n'imagine rien où je me puisse arrêter. Ne
serait-ce point, reprit-il tout d'un coup, qu'Alamir
vous aurait vu dans la solitude d'Alphonse, lorsque
vous portiez le nom de Théodoric, et que ce n'est qu'à
votre visage, qu'il vous a reconnu pour son rival ?
– Ah ! Seigneur, répliqua Consalve, j'ai déjà eu la même
pensée ; mais je l'ai trouvée si cruelle, que je n'ai pu
m'y arrêter. Serait-il possible, qu'Alamir eût été caché
dans ce désert ? Serait-il possible que la joie, qui me
paraissait quelquefois dans les yeux de Zayde, et qui
faisait tout mon bonheur, n'eût été que les restes de ce
qu'avait produit la vue d'Alamir ? Mais, seigneur, continua-t-il, je ne quittais quasi point Zayde ; j'aurais vu
ce Prince s'il était venu chez Alphonse, et de plus cette
Princesse sait qui je suis ; il vient de la voir ; il ne faut
pas douter qu'elle ne le lui ait appris ; ainsi il connaissait Consalve pour l'amant de Zayde lorsqu'il m'a rencontré. Je ne puis comprendre qui a causé un changement si prompt, et je trouve de l'impossibilité à tout ce
que j'imagine. – Êtes-vous bien assuré, repartit le Roi,

qu'Alamir ait vu Zayde ? Il passa hier assez tard dans
le camp ; vous l'avez rencontré ce matin ; il me semble
qu'il est difficile d'avoir été à Talavera, et d'en être
revenu en si peu de temps. Mais il m'est aisé de m'en
éclaircir, ajouta-t-il ; deux officiers de mes troupes ont
dit qu'ils avaient passé la nuit en même lieu que ce
Prince, et nous saurons d'eux où ils l'ont rencontré. »
Le Roi commanda à l'heure même, qu'on lui fît venir
ces officiers ; et lorsqu'ils furent venus, il leur ordonna
de dire en quel lieu, et à quelle heure, ils avaient trouvé
Alamir.

   « Seigneur, répondit l'un des deux, nous revenions
hier d'Ariobisbe où l'on nous avait envoyés ; nous pas-
sâmes le soir dans un grand bois qui est à trois ou
quatre lieues du camp : nous mîmes pied à terre, et
nous nous endormîmes dans ce bois. J'entendis du
bruit ; je m'éveillai, et je vis d'assez loin au travers des
arbres ce Prince arabe, qui parlait à une femme
magnifiquement habillée : après une longue conversation, cette femme le quitta, et vint s'asseoir avec une
autre proche du lieu où j'étais : elles parlaient assez
haut ; mais je n'entendais pas ce qu'elles disaient,
parce qu'elles parlaient une langue que je ne connais
point, et qui n'est pas celle des Arabes. Elles nommè-
rent plusieurs fois Alamir ; et quoiqu'elles fussent
tournées, en sorte que je ne pouvais voir leur visage, il
me sembla que celle qui avait parlé à ce Prince, pleurait extrêmement. Enfin elles s'en allèrent ; j'entendis
marcher des chariots, et beaucoup de chevaux, du
côté de Talavera. J'éveillai mon camarade ; nous
reprîmes notre chemin, et nous vîmes de loin Alamir
couché au pied d'un arbre, comme un homme qui se
trouvait mal. Son écuyer me demanda s'il pourrait
arriver de jour au camp des Arabes : je lui dis que non,
et ils ont passé la nuit dans le même village que nous. »

   Le Roi se repentit d'avoir fait parler ces officiers ; et
sitôt qu'ils furent retirés : « Vous voyez, seigneur, dit
Consalve, si j'ai eu tort de croire qu'Alamir avait vu
Zayde. – Mais trouvez-vous possible qu'elle soit sortie
de Talavera, répondit le Roi, puisqu'elle y est prison-

nière ? – Mon malheur, répliqua Consalve, ne me laisse pas manquer aux choses qui me peuvent nuire. J'ai donné ordre, en partant, que Zayde eût la liberté de se promener hors de la ville toutes les fois qu'elle le voudrait ; elle attendait Alamir dans ce bois ; il avait raison de me mander qu'une affaire importante qui ne regardait point la guerre l'empêchait de s'arrêter dans ce camp ; il la vit donc hier ; elle pleurait après l'avoir quitté : il est donc vrai que Zayde aime Alamir, et il ne me reste plus d'incertitude. Laissez-moi mourir, seigneur, abandonnez le soin d'un homme qui est trop persécuté de la Fortune pour mériter vos bontés ; je suis honteux d'être aimé de vous, et d'être misérable. »

Don Garcie était sensiblement touché de l'état où il voyait Consalve, et il essayait de lui faire trouver quelque consolation dans les témoignages de son amitié.

Le lendemain on sut que le Prince de Tarse était très dangereusement blessé ; et les jours suivants la fièvre lui prit si violente, qu'on désespéra quasi de sa vie. Consalve s'imagina que Zayde ne pourrait savoir le danger où était ce Prince, sans envoyer apprendre de ses nouvelles : il donna charge à un de ses gens à qui il se fiait, d'aller tous les jours au château où l'on gardait Alamir, et de découvrir s'il ne venait personne pour essayer de le voir. Il eût bien voulu aussi s'éclaircir de cette ressemblance qui lui avait donné tant de curiosité ; mais l'extrémité où était ce Prince ne laissait pas son visage en état de distinguer aucun de ses traits.

Celui qui avait été chargé d'aller à ce château, s'acquitta de sa commission avec soin. Il apprit à Consalve que depuis qu'Alamir était malade, on n'avait point demandé à lui parler ; mais que des gens inconnus venaient tous les jours savoir l'état de sa santé, sans dire le nom de ceux qui les y envoyaient. Quoique Consalve ne doutât point qu'Alamir ne fût aimé de Zayde, toutes les choses qui l'en assuraient lui donnaient une nouvelle douleur. Le Roi entra dans sa tente, qu'il était encore agité de l'affliction qu'il venait de recevoir ; et craignant que tant de déplaisirs ne missent enfin sa vie en danger, il défendit à ceux qui l'approchaient de lui parler d'Alamir et de la Princesse Zayde.

Cependant la trêve était finie, et les deux armées ne demeuraient pas inutiles. Abdérame assiégea une petite place, dont la faiblesse ne lui faisait pas appréhender de résistance ; néanmoins il arriva que le Prince de Galice, proche parent de Don Garcie, qui s'était retiré dans cette place pour se guérir de quelques blessures qu'il avait reçues à la bataille, entreprit de la défendre par une résolution où il y avait plus de témérité que de courage. Abdérame s'en trouva si indigné, que lorsque cette ville fut contrainte de se rendre, il fit trancher la tête à ce Prince. Ce n'était pas la première fois que les Maures avaient abusé de leur victoire, et traité les plus grands seigneurs d'Espagne avec une inhumanité sans exemple. Don Garcie fut extrêmement irrité de la mort du Prince de Galice. Les troupes espagnoles ne le furent pas moins, elles aimaient ce Prince, et déjà lassées de tant de cruautés, dont on n'avait point tiré de vengeance, elles s'assemblèrent en tumulte, et demandèrent au Roi qu'on traitât Alamir de la même manière qu'on avait traité le Prince de Galice. Le Roi y consentit ; il aurait été dangereux de refuser [à] des troupes aussi animées ; il manda au Roi de Cordoue qu'il ferait trancher la tête au Prince de Tarse, sitôt qu'il serait en meilleur état, et que ses blessures permettraient d'en faire un spectacle public, et de lui ôter la vie, sans qu'il parût qu'on n'eût fait que hâter sa mort.

Consalve ignorait par les ordres que le Roi avait donnés, ce qui se passait sur le sujet de ce Prince. Quelques jours après on lui vint dire qu'un écuyer de Don Olmond demandait à le voir : il commanda qu'on le fît entrer, et cet écuyer après lui avoir dit que son maître était bien fâché que les ordres du Roi le retinssent à Baragel, et l'empêchassent de venir apprendre de ses nouvelles, lui remit plusieurs lettres entre les mains. Consalve ouvrit celle qui s'adressait à lui, et il y lut ces paroles.

LETTRE DE DON OLMOND À CONSALVE

Si je ne savais combien vous aimez à faire de grandes actions, je ne vous enverrais pas la lettre que je vous envoie ; et je croirais faire une chose inutile de vous parler en faveur de votre ennemi : mais je vous connais trop pour douter que vous ne receviez avec joie la prière que l'on m'oblige de vous faire. Quelque justice qu'il y ait à traiter le Prince de Tarse, comme on a traité le Prince de Galice, ce sera une action digne de vous, de conserver un homme du mérite et de la qualité d'Alamir. Il me semble aussi que vous devez accorder quelque pitié à une passion qui ne vous est pas inconnue.

Le nom d'Alamir, et la fin de cette lettre, causèrent un trouble extraordinaire à Consalve : il demanda à l'écuyer de Don Olmond, l'explication de ce que son maître lui mandait du Prince de Galice : et quoique cet écuyer ne dût pas croire qu'il ignorât ce qui s'était passé, il ne laissa pas de le lui apprendre en peu de mots. Consalve lut la lettre que Don Olmond lui envoyait ; elle ne contenait que ces paroles.

LETTRE DE FÉLIME À DON OLMOND

Vous pouvez tout sur Consalve ; faites qu'il sauve Alamir de la colère du Roi de Léon. En le garantissant de la mort qu'on lui prépare, il ne lui sauvera pas la vie : ses blessures la lui ôteront bientôt ; et Consalve est déjà assez vengé de ce malheureux Prince, puisqu'on est contraint de recourir à lui pour sa conservation. Travaillez-y, je vous en conjure, vous sauverez plus d'une vie en sauvant celle d'Alamir.

Ah ! Zayde, s'écria Consalve, Félime n'écrit que par vos ordres ; et vous m'ordonnez par cette lettre de vous conserver Alamir. Quelle inhumanité est la vôtre ? Et à quelle extrémité me réduisez-vous ? N'est-ce pas assez que je supporte mes malheurs ; faut-il encore que je travaille à conserver celui qui les cause ? Dois-je m'opposer à la résolution du Roi ? Elle est juste ; il a été contraint de la prendre ; et je n'y ai point eu de part. Je devrais laisser périr Alamir, si je ne savais point qu'il est mon rival, et qu'il est aimé de Zayde : mais je le sais ; et cette raison toute cruelle qu'elle est, ne me permet pas de consentir à sa perte. Quelle loi, reprit-il, me veux-je imposer ? Et quelle générosité m'oblige à conserver Alamir ? Parce que je sais qu'il m'ôte Zayde, faut-il que je lui sauve la vie ? Dois-je prétendre que pour me l'accorder, le Roi se mette au hasard de faire révolter son armée ? Abandonnerai-je les intérêts de Don Garcie, pour m'arracher les douces espérances, dont la mort d'Alamir vient me flatter ? Ce Prince seul me dispute Zayde ; et quelque prévenue qu'elle soit en sa faveur, si elle ne devait jamais le revoir, je pourrais m'assurer d'être heureux.

Après ces paroles, il demeura longtemps dans un silence où il paraissait enseveli ; ensuite il se leva tout d'un coup ; et quoiqu'il fût dans une faiblesse extraordinaire, il se fit conduire chez le Roi. Ce Prince fut très surpris de le voir ; et il le fut encore davantage, lorsqu'il sut ce qu'il venait lui demander.

« Seigneur, lui dit Consalve, si vous avez quelque considération pour moi, il faut m'accorder la vie d'Alamir ; je ne puis vivre, si vous consentez à sa mort. – Que dites-vous, Consalve, lui repartit le Roi ? Et par quelle aventure la vie d'un homme qui fait votre malheur, devient-elle nécessaire à votre repos ? – Zayde, seigneur, m'ordonne de la conserver, répliquat-il, je dois répondre à la bonne opinion qu'elle a de moi. Elle sait que je l'adore, et que je dois haïr ce Prince ; cependant elle m'estime assez pour croire que loin de consentir à sa perte, je travaillerai à le garantir de la mort qu'on lui prépare. Elle veut bien tenir de moi la vie de son amant, je vous la demande par toutes vos bontés. – Je ne dois pas écouter, lui repartit le Roi, les sentiments que vous inspirent une générosité aveugle, et un amour qui ne vous laisse plus de raison. Je dois agir selon mes intérêts, et selon les vôtres. Le Prince de Tarse doit mourir, pour apprendre au Roi de Cordoue à mieux user des droits de la guerre ; pour apaiser mes troupes qui sont prêtes à se révolter ; et il doit mourir pour vous laisser possesseur de Zayde, et pour ne plus troubler votre repos. – Ah ! Seigneur, reprit Consalve, trouverais-je du repos à voir Zayde irritée contre moi, et désespérée de la mort de son amant ? Je ne dois plus penser à disputer Zayde à Alamir vivant, ni à Alamir mort. Il ne faut pas se rendre digne du mauvais traitement de la Fortune par une opiniâtreté déraisonnable. Je veux que Zayde me plaigne de ne m'avoir pas aimé ; et je ne veux pas qu'elle puisse me mépriser ni me haïr. – Prenez du temps, lui dit le Roi, pour examiner ce que vous me demandez, et résolvez avec vous-même si vous le devez vouloir. – Non, seigneur, répondit Consalve, je ne veux point avoir le loisir de changer de sentiments, et m'exposer à combattre une seconde fois les fausses et flatteuses espérances, que la pensée de la mort d'Alamir m'a déjà données. Je ne veux pas même, que Zayde puisse croire, que je sois irrésolu sur le parti que je dois prendre ; et je vous demande la grâce de publier dès aujourd'hui, que vous m'accordez la vie de ce Prince. – Je vous promets, lui répondit le Roi, de vous en laisser le maître : mais attendez encore à le publier. Vous savez l'entreprise qui est faite sur Oropèze [1] ; les habitants doivent cette nuit nous en ouvrir les portes ; si ce dessein réussit, la joie d'un heureux succès mettra peut-être l'armée dans une disposition dont nous aurons moins à craindre : Félime sera entre nos mains : sachez par elle, si Alamir est aimé : éclaircissez votre destinée, avant que de décider de celle de

---

1. Oropeza ou Oropese est une ville d'Espagne, près des frontières de l'Estrémadure.

ce Prince ; et mettez-vous en état de prendre une résolution, dont vous ne puissiez vous repentir. – Mais,
seigneur, répliqua Consalve, peut-être que Félime ne
voudra pas m'apprendre les sentiments de Zayde.
– Pour l'obliger à vous en instruire, interrompit le Roi,
mandez à Don Olmond, que vous ne ferez pas ce
qu'elle désire, si vous ne savez les véritables raisons,
qui lui font prendre tant de part à la conservation
d'Alamir. C'est Don Olmond qui est commandé pour
entrer dans Oropèze, et vous saurez par lui tout ce
qu'il vous est important de savoir. – J'y consens, seigneur, répondit Consalve ; à condition que vous me
permettrez d'obliger les soldats à vous venir demander
eux-mêmes la conservation d'Alamir, dans le même
moment que l'on saura la prise d'Oropèze. Comme
Félime sera prisonnière, Don Olmond pourra lui
cacher la grâce que vous m'aurez accordée, jusques à
ce qu'elle lui ait appris tout ce qui regarde ce Prince :
Zayde saura que j'ai obéi à ses ordres dans le moment
que je les ai reçus ; et elle jugera par cette obéissance
aveugle, que si je renonce aux prétentions que j'avais
sur son cœur, je n'étais pas indigne de le posséder. »

Le Roi consentit à tout ce que voulait Consalve,
mais en même temps il l'obligea d'écrire à Don
Olmond de la manière dont ils l'avaient résolu. Ce
Prince passa une partie de la nuit avec son favori, qui
succombait sous l'effort qu'il venait de se faire, et qui
sacrifiait à une exacte générosité dont il n'attendait
point de gloire, toutes les espérances d'une passion
dont son âme était possédée.

Le lendemain Don Garcie reçut des nouvelles de
l'entreprise d'Oropèze, qui avait réussi comme on
l'avait espéré. Il le fit savoir à Consalve, et lui manda
en même temps, qu'il lui donnait la liberté de travailler
à la conservation d'Alamir. Consalve avec la même
ardeur, que si le succès de son dessein lui eût assuré la
conquête de Zayde, se fit porter dans le camp ; et avec
ce même visage et cette même voix dont il s'était servi
en tant d'occasions pour inspirer aux soldats le courage de le suivre, il leur fit voir quelle honte ils attire-

raient sur lui en voulant ôter la vie à un Prince, qui
n'était entre leurs mains que pour l'avoir attaqué. Il
leur dit que par cette mort, dont on le croirait à jamais
la cause, ils lui faisaient perdre l'honneur qu'il avait
acquis avec eux en tant de combats : qu'il allait à
l'heure même se démettre du commandement de
l'armée et quitter l'Espagne : qu'ils choisissent de lui
voir prendre congé du Roi, ou d'aller dans ce moment
lui demander la vie du Prince de Tarse. Les soldats lui
laissèrent à peine achever ce qu'il avait résolu de leur
dire : se jetant en foule autour de lui, comme pour
empêcher qu'il ne les quittât, ils le suivirent chez Don
Garcie, si animés par les paroles de leur général, qu'il
eût été aussi dangereux de leur refuser alors la conservation d'Alamir, qu'il l'aurait été quelques jours auparavant de leur refuser sa mort.

Cependant Don Olmond, parmi tous les soins que
lui donnait une place dont il venait de se rendre
maître, ne laissa pas de penser que l'intérêt de Consalve l'obligeait à entretenir Félime. Il demanda à la
voir avec autant de respect, que si le droit de la guerre
ne lui en eût pas donné une entière liberté. Il la trouva
dans une tristesse profonde : ce qui s'était passé pendant cette journée, et une maladie considérable que sa
mère avait depuis quelques jours, paraissaient le sujet
de cette tristesse.

Sitôt qu'ils purent se parler sans être entendus : « Et
bien, lui dit-elle, Don Olmond, avez-vous travaillé
auprès de Consalve, et sauverez-vous Alamir ? – La
destinée de ce Prince, est entre vos mains, madame,
lui répondit-il. – Entre mes mains, s'écria-t-elle !
Hélas, et par quelle aventure pourrais-je quelque
chose pour le salut d'Alamir ? – Je vous réponds de sa
vie, repartit-il ; mais pour me mettre en pouvoir de
tenir ma parole, il faut m'apprendre les raisons qui
vous font prendre un intérêt si vif à sa conservation ;
et il faut me les apprendre avec une vérité exacte, aussi
bien que tout ce qui regarde les aventures de ce
Prince. – Ah ! Don Olmond, que me demandez-vous,
répondit Félime ? » À ces mots elle demeura quelque

temps sans parler ; puis tout d'un coup reprenant la parole : « Mais ne savez-vous pas, lui dit-elle, qu'il est parent d'Osmin et de Zuléma ; que nous le connaissons il y a longtemps ; que son mérite est extraordinaire ; et n'est-ce pas assez pour avoir soin de sa vie ? – Le soin que vous en prenez, madame, répliqua Don Olmond, a des raisons plus pressantes ; s'il vous coûte trop de me les apprendre, il dépend de vous de ne le faire pas ; mais vous trouverez bon aussi, que je me dégage de ce que je vous viens de promettre. – Quoi, Don Olmond, répliqua-t-elle, la vie d'Alamir n'est qu'à ce prix ? Et que vous importe de savoir ce que vous me demandez ? – Je suis bien fâché de ne vous le pouvoir dire, reprit Don Olmond ; mais, madame, encore une fois, je ne puis rien autrement, et c'est à vous de choisir. Félime demeura longtemps les yeux baissés dans un si profond silence, que Don Olmond en était surpris : enfin se déterminant tout d'un coup. – Je vais faire, lui dit-elle, la chose du monde que j'aurais le moins cru pouvoir obtenir de moi-même : la bonne opinion que j'ai de vous, et la confiance que j'ai en votre amitié, aident sans doute à me déterminer, aussi bien que la conservation d'Alamir. Gardez-moi un secret inviolable, ajouta-t-elle, et écoutez avec patience le récit que j'ai à vous faire, qui ne peut être qu'un peu long. »

HISTOIRE DE ZAYDE ET DE FÉLIME

« Cid Rahis frère du Calife Osman, et qui lui pouvait disputer l'Empire par le droit de la naissance, se trouva si malheureux et si abandonné de tous ceux qui lui avaient fait espérer de se déclarer pour lui, qu'il fut contraint de renoncer à ses prétentions, et de consentir à être relégué dans l'île de Chypre, sous le prétexte d'y commander. Zuléma et Osmin que vous connaissez, étaient ses enfants ; ils étaient jeunes, bien faits, et avaient donné plusieurs marques de leur valeur. Ils devinrent amoureux de deux personnes d'une beauté extraordinaire, et d'une grande qualité ; elles étaient sœurs, et sortaient de plusieurs Princes qui avaient gouverné cette île, avant qu'elle fût sous l'obéissance des Arabes. L'une s'appelait Alasinthe, et l'autre Bélénie. Comme Osmin et Zuléma savaient bien la langue grecque, ils se firent aisément entendre de celles qu'ils aimaient : elles étaient chrétiennes ; mais la différence de leur religion n'en apporta point dans leurs sentiments ; ils s'aimèrent, et sitôt que la mort de Cid Rahis leur en eut laissé la liberté, Zuléma épousa Alasinthe, et Osmin épousa Bélénie. Ils consentirent à laisser élever leurs enfants dans la religion chrétienne, et firent espérer alors, que dans peu de temps ils l'embrasseraient eux-mêmes. Je naquis d'Osmin et de Bélénie, et Zayde de Zuléma et d'Alasinthe. La passion de Zuléma, et celle d'Osmin les obligea de passer quelques années dans l'île de Chypre : mais enfin, le désir de trouver quelque conjoncture favorable pour renouveler les prétentions de leur père, les rappela en Afrique. Ils eurent d'abord de grandes espérances ; et contre les règles de la politique, le Calife qui succéda à Osman, leur donna des emplois si considérables, qu'Alasinthe et Bélénie ne se pouvaient plaindre de leur éloignement : mais après cinq ou six années d'absence, elles commencèrent à s'en plaindre et à s'en affliger. Elles surent qu'ils avaient d'autres occupations, que celle de la guerre : elles avaient de leurs nouvelles ; mais comme ils ne revenaient point, elles se crurent abandonnées. Alasinthe ne songea plus qu'à Zayde, qui méritait déjà toute son application ; et Bélénie ne pensa qu'à m'élever avec beaucoup de soin.

Lorsque nous commençâmes à sortir de l'enfance, Alasinthe et Bélénie se retirèrent dans un château sur le bord de la mer ; elles y faisaient une vie conforme à leur tristesse ; le soin qu'elles avaient de Zayde et de moi les obligeait néanmoins à vivre avec une grandeur et une magnificence, qu'elles auraient peut-être abandonnées par leur propre inclination. Nous avions auprès de nous plusieurs jeunes personnes de qualité, et rien ne manquait à ce qui pouvait contribuer à notre éducation, et aux divertissements conformes à la retraite où l'on nous élevait. Zayde et moi n'étions pas moins liées par l'amitié que par le sang : j'avais deux années plus qu'elle ; il y avait aussi quelque différence dans nos humeurs : la mienne penchait moins à la joie ; il était aisé de le connaître en nous voyant, aussi bien que l'avantage que la beauté de Zayde avait sur la mienne.

Peu de temps avant que l'Empereur Léon envoyât attaquer l'île de Chypre, nous étions un jour sur le rivage : la mer était tranquille : nous priâmes Alasinthe et Bélénie, de trouver bon que nous entrassions dans des barques pour nous promener. Nous prîmes plusieurs jeunes personnes avec nous, et nous fîmes tourner vers de grands vaisseaux qui étaient à la rade : comme nous approchâmes de ces vaisseaux, nous en vîmes détacher des chaloupes, et nous jugeâmes que c'étaient des Arabes qui venaient prendre terre. Ces chaloupes venaient vers nous comme nous allions vers elles : il y avait dans la première plusieurs hommes magnifiquement habillés, et un entre autres qui par son air noble et la beauté de sa taille, se faisait distinguer de tous ceux qui l'environnaient. Cette rencontre nous surprit ; nous trouvâmes que nous ne devions pas avancer davantage ; et qu'il ne fallait pas donner lieu de croire à ceux qui étaient dans cette chaloupe, que la curiosité de les voir nous eût conduites de leur côté. Nous fîmes tourner notre barque sur la main droite ; la chaloupe que nous voulions éviter tourna comme nous ; les autres allèrent droit à terre. Celle-là nous suivit, et nous approcha assez pour nous faire voir, que cet homme que nous avions distingué des autres était attaché à nous regarder, et qu'il était même bien aise de nous faire remarquer, qu'il prenait plaisir à nous suivre. Zayde trouva notre aventure agréable, et fit encore tourner notre barque pour voir s'il nous suivrait toujours. Pour moi j'en étais embarrassée sans

en pouvoir dire la cause. Je regardai avec attention
celui qui paraissait le maître des autres, et en le voyant
de plus près je lui trouvai dans le visage quelque chose
de si fin et de si agréable, que je crus n'avoir jamais vu
personne si capable de plaire. Je dis à Zayde, qu'il fallait retourner auprès d'Alasinthe et de Bélénie ; et que
sans doute lorsqu'elles nous avaient permis de nous
promener, elles n'avaient pas cru que nous dussions
trouver une pareille aventure. Elle fut de mon avis ;
nous fîmes tourner vers la terre ; la barque qui nous
suivait passa devant nous, et alla débarquer proche
des autres chaloupes qui étaient déjà arrivées.

Lorsque nous abordâmes, celui que nous avions
remarqué, suivi d'un grand nombre des siens, s'avança
pour nous donner la main, avec un air qui nous fit
juger qu'il avait déjà appris qui nous étions, de ceux
qui étaient sur le rivage. Mon étonnement, et celui de
Zayde, étaient extrêmes ; nous n'étions pas accoutumées à nous voir aborder avec tant de liberté, et surtout par les Arabes, pour lesquels on nous avait inspiré
une grande aversion. Nous crûmes, que celui qui nous
venait parler serait bien surpris, lorsqu'il trouverait
que nous n'entendions point sa langue ; mais nous
fûmes bien surprises nous-mêmes, de l'entendre
parler la nôtre, avec toute la politesse de l'ancienne
Grèce.

"Je sais, madame, dit-il en s'adressant à Zayde, qui
marchait la première, qu'un Arabe ne devrait pas être
assez hardi pour vous approcher sans vous en avoir
demandé la permission ; mais je crois que ce qui serait
un crime à un autre, est pardonnable à un homme qui
a l'honneur d'être allié des Princes Zuléma et Osmin.
Touché du désir de voir ce qu'il y a de plus beau dans
la Grèce, j'ai cru ne pouvoir mieux satisfaire ma
curiosité qu'en commençant par l'île de Chypre ; et
mon bonheur me fait trouver en y arrivant, ce que
j'aurais cherché en vain dans toutes les autres parties
du monde."

En disant ces paroles, il attachait ses regards tantôt
sur Zayde, et tantôt sur moi ; mais avec tant de

marques d'une véritable admiration, que nous ne pouvions quasi douter qu'il ne pensât ce qu'il venait de
nous dire. Je ne sais si j'étais déjà prévenue, ou si la
solitude où nous vivions servit à me rendre cette aventure plus agréable ; mais j'avoue que je n'ai jamais rien
vu de si surprenant. Alasinthe et Bélénie qui étaient
assez éloignées, s'avancèrent vers nous, et envoyèrent
en même temps demander le nom de celui qui venait
d'arriver. Elles surent que c'était Alamir Prince de
Tarse, fils de cet Alamir qui prenait la qualité de
Calife, et dont la puissance était si redoutable aux
chrétiens. Elles savaient l'alliance qui était entre ce
Prince et Zuléma ; de sorte que le respect, qui lui était
dû par sa naissance, se joignant à la curiosité d'apprendre de leurs nouvelles, elles le reçurent avec
moins de répugnance qu'elles n'en avaient d'ordinaire
pour les Arabes. Alamir augmenta par ses paroles la
disposition qu'elles avaient à le recevoir favorablement ; il leur parla de Zuléma et d'Osmin qu'il avait
vus il n'y avait pas longtemps ; et il les blâma d'être
capables d'abandonner deux personnes si dignes de
les retenir. La conversation fut si longue sur le bord de
la mer, et Alamir parut si agréable aux yeux même
d'Alasinthe et de Bélénie, que contre l'habitude
qu'elles avaient prise de fuir tout le monde, elles ne
purent s'empêcher de lui offrir une retraite dans le lieu
qu'elles habitaient. Alamir fit voir qu'il savait bien que
la civilité le devait empêcher d'accepter ce qu'on lui
offrait ; mais il fit voir aussi, qu'il ne s'en pouvait
défendre, par le plaisir de ne se pas séparer si tôt d'une
compagnie, qui lui donnait tant d'admiration. Il vint
donc avec nous, et nous présenta un homme de qualité pour qui il avait beaucoup de considération, qui
s'appelait Mulziman. Le soir Alamir continua à nous
paraître tel que nous l'avions trouvé d'abord ; j'étais
surprise à tous les moments, de l'agrément de son
esprit, et de sa personne ; et cet étonnement m'occupait si fort, que je devais bien soupçonner dès lors,
qu'il y avait quelque chose de plus que de la surprise.
Il me sembla qu'il me regardait avec beaucoup

d'attention, et qu'il me donnait de certaines louanges qui me faisaient voir, que ma personne lui plaisait pour le moins autant que celle de Zayde.

Le lendemain au lieu de partir, comme vraisemblablement il le devait faire, il engagea Alasinthe et Bélénie à le retenir. Il envoya quérir des chevaux admirables qu'il avait amenés ; il les fit monter par plusieurs personnes qui étaient à lui, et les monta lui-même avec cette adresse si particulière à ceux de sa nation. Il trouva le moyen de passer trois ou quatre jours avec nous, et de gagner si bien l'esprit d'Alasinthe et de Bélénie, qu'elles consentirent qu'il vînt les revoir pendant le séjour qu'il ferait en Chypre. En nous quittant, il me fit entendre que si j'avais été importunée de sa présence, et que si je l'étais encore à l'avenir, je devais n'en accuser que moi-même. J'avais néanmoins remarqué que ses regards avaient souvent été attachés sur Zayde ; mais souvent aussi je les avais vus attachés sur moi d'une manière qui m'avait paru si naturelle, que joignant le langage de ses yeux à plusieurs choses qu'il m'avait dites, j'étais demeurée persuadée que j'avais fait quelque impression sur son cœur. Ô dieux ! Que celle qu'il fit dans le mien fut véritable ! Sitôt que je l'eus perdu de vue, je me sentis une tristesse que je ne connaissais point : je quittai Zayde ; j'allai rêver ; je ne me trouvai que des pensées confuses ; je m'ennuyai avec moi-même ; je revins trouver Zayde, et il me sembla que j'allais la chercher pour parler d'Alamir. Je la trouvai occupée avec ses filles à faire des festons de fleurs ; et il ne me parut pas qu'elle se souvînt d'avoir vu ce Prince. Je me sentis de l'étonnement de la voir si attachée à ses fleurs ; et je me trouvai si incapable de m'y amuser, que je l'en arrachai malgré elle. Nous allâmes nous promener ; je lui parlai d'Alamir ; je lui dis qu'il me paraissait qu'il l'avait fort regardée ; elle me répondit, qu'elle ne s'en était pas aperçue. J'essayai de démêler, si elle avait remarqué l'attachement qu'il m'avait témoigné ; mais il me sembla, qu'elle n'y avait pas seulement pensé, et je demeurai si étonnée et si confuse de la différence de ce qu'avait produit en Zayde la vue d'Alamir, et de ce qu'elle avait produit en moi, que je m'en fis des reproches qui n'étaient déjà que trop justes.

Quelques jours après Alamir vint nous revoir ; le jour qu'il y revint, Alasinthe et Bélénie étaient allées à un lieu dont elles ne devaient revenir que le soir. Alamir me parut plus aimable qu'il n'avait encore fait : comme Zayde n'y était pas, mon malheur voulut que je le visse sans qu'il eût d'autre attention, que celle de me regarder ; et il me fit paraître tant d'inclination, que celle que j'avais pour lui acheva de me persuader, que je lui plaisais comme il me plaisait. Il nous quitta devant l'heure que Zayde devait revenir, et d'une manière qui me donna lieu de me flatter qu'il ne songeait pas à la voir. Elle revint longtemps après, et je fus bien étonnée lorsque Alasinthe et elle nous dirent, qu'elles l'avaient trouvé assez proche du château, et qu'il était venu les conduire jusques à la porte. Il me sembla que par le temps qu'il était parti, il devait être déjà bien éloigné, lorsqu'elles étaient arrivées ; et que s'il ne les eût attendues, il ne les aurait pas rencontrées. J'eus quelque inquiétude de cette pensée ; néanmoins je crus que le hasard seul pouvait avoir fait ce que je m'imaginais, et je demeurai à attendre le temps de revoir Alamir avec une impatience que je n'avais jamais sentie. Il vint quelques jours après porter à Alasinthe la nouvelle de la guerre, que l'Empereur Léon avait dessein de faire dans l'île de Chypre. Cette nouvelle qui était si importante lui servit plusieurs fois de prétexte pour nous revoir ; et lorsqu'il nous revit, il continua à me témoigner les mêmes sentiments qu'il m'avait déjà fait paraître : il fallait que je me servisse de toute ma raison pour ne lui pas laisser voir les dispositions que j'avais pour lui : peut-être que ma raison aurait été inutile, si les soins que je lui voyais quelquefois pour Zayde n'eussent aidé à me retenir. Je n'attribuais pourtant qu'à une politesse naturelle, ce qu'il faisait pour lui plaire, et son adresse savait me cacher ce qui m'aurait pu donner d'autres pensées.

Nous fûmes avertis que l'armée navale de l'Empereur était proche de nos côtes : Alamir persuada Alasinthe et Bélénie de quitter le lieu où nous étions ; et quoique notre religion ne nous fît pas appréhender les troupes de l'Empereur, l'alliance que nous avions avec les Arabes, et les désordres que cause la guerre nous obligèrent à suivre le conseil d'Alamir, et d'aller [1] à Famagouste. J'en eus de la joie, parce que je pensai que je serais dans le même lieu qu'Alamir, et que Zayde et moi ne serions plus logées ensemble. Sa beauté m'était si redoutable, que j'étais bien aise qu'Alamir me vît sans la voir. Je crus que je m'assurerais entièrement des sentiments qu'il avait pour moi, et que je verrais si je devais m'abandonner à ceux que j'avais pour lui : mais il y avait déjà longtemps qu'il n'était plus en mon pouvoir de disposer de mon cœur : je suis néanmoins persuadée que si j'eusse eu alors la même connaissance de l'humeur d'Alamir, que celle que j'ai eue depuis, j'aurais pu me défendre de l'inclination qui m'entraînait vers lui : mais comme je ne connaissais que les qualités agréables de son esprit et de sa personne, et qu'il paraissait attaché à moi, il était difficile de résister à cette inclination qui était si violente et si naturelle.

Le jour que nous arrivâmes à Famagouste, il vint au-devant de nous : Zayde était ce jour-là d'une beauté si admirable, qu'elle parut aux yeux d'Alamir ce qu'Alamir paraissait aux miens ; c'est-à-dire la seule personne que l'on pût aimer. Je m'aperçus de l'attention extraordinaire qu'il avait à la regarder. Lorsque nous fûmes arrivées, Alasinthe et Bélénie se séparèrent, Alamir suivit Zayde sans chercher même un prétexte à me quitter. Je demeurai pénétrée de la plus grande douleur que j'eusse jamais sentie ; je connus par sa violence le véritable attachement que j'avais pour ce Prince. Cette connaissance augmenta

---

1. Le verbe « obliger » suivi d'un infinitif connaît deux constructions concurrentes au XVIIe siècle (*à* + infinitif et *de* + infinitif), qui sont ici réunies.

ma tristesse ; j'envisageai l'horrible malheur où j'étais
plongée par ma faute ; mais après m'être bien affligée,
il me revint quelque rayon d'espérance ; je me flattai
comme toutes les personnes qui aiment, et je m'imaginai que des raisons que j'ignorais avaient causé ce
qui venait de me déplaire. Je ne fus pas longtemps
dans cette faible espérance ; Alamir avait voulu pendant quelque temps nous laisser croire à Zayde et à
moi qu'il nous aimait, pour se déterminer ensuite
selon la manière dont il serait traité de l'une et de
l'autre ; mais la beauté de Zayde sans le secours de
l'espérance, l'entraîna entièrement. Il oublia même
qu'il avait voulu me persuader, qu'il s'était attaché à
moi ; je ne le vis presque plus ; il ne me chercha que
pour chercher Zayde ; il l'aima avec une passion
ardente ; et enfin je le vis pour elle, comme j'eusse été
pour lui, si la bienséance m'eût permis de faire voir
mes sentiments.

Je ne sais s'il est nécessaire que je vous [dise] ce que
je souffrais, et les divers mouvements dont mon cœur
était combattu ; je ne pouvais supporter de le voir
auprès de Zayde, et de l'y voir si amoureux ; et d'un
autre côté je ne pouvais vivre sans lui. J'aimais mieux
le voir avec Zayde, que de ne le point voir. Cependant
au lieu que ce qu'il faisait pour elle diminuât ma passion, il ne servait qu'à l'augmenter. Toutes ses paroles
et toutes ses actions étaient tellement propres à me
plaire, que si j'eusse pu inspirer une conduite à ceux
qui m'auraient aimée, je l'aurais prescrite telle
qu'Alamir l'avait pour Zayde. Il est vrai aussi que
l'amour est si dangereux à voir, qu'il ne laisse pas
d'enflammer, lors même qu'il ne s'adresse pas à nous.
Zayde me rendait compte des sentiments qu'il avait
pour elle, et de l'éloignement qu'elle avait pour lui :
quand elle m'en parlait ainsi, j'étais quelquefois prête
à lui avouer l'état où j'étais, afin de l'engager par cet
aveu à ne pas souffrir la continuation de l'amour de ce
Prince ; mais je craignais de le lui faire paraître plus
aimable, en lui montrant combien il était aimé. Néanmoins je me fis une loi de ne point rendre de mauvais

offices à Alamir : je connaissais si bien l'horrible malheur de n'être pas aimée, que je ne voulais pas contribuer à le faire sentir à un homme que j'aimais si véritablement. Peut-être que ce qui m'aida à soutenir ce
que j'avais résolu, ce fut le peu d'inclination que
Zayde avait pour lui.

Les troupes de l'Empereur étaient si considérables,
que l'on ne douta point que Chypre ne fût bientôt en
sa puissance[.] Sur le bruit de ce siège, Zuléma et
Osmin sortirent enfin du profond oubli où ils étaient
depuis si longtemps. Le Calife commençait à les
craindre, et paraissait dans le dessein de les éloigner ;
ils voulurent le prévenir ; ils demandèrent le commandement des troupes que l'on envoyait au secours de
Chypre ; et nous les vîmes arriver lorsque nous les
attendions le moins. Ce fut une joie sensible pour Alasinthe et pour Bélénie ; c'en aurait été une pour moi si
j'en avais été capable ; mais j'étais accablée de tristesse, et l'arrivée de Zuléma m'en donna une nouvelle
par la crainte qu'il ne favorisât les desseins d'Alamir.
Ce que j'appréhendais arriva, Zuléma que son séjour
en Afrique avait attaché plus fortement que jamais à
sa religion, souhaitait avec ardeur que Zayde quittât la
sienne ; il était parti de Tunis dans le dessein de l'y
mener, et de la faire épouser au Prince de Fez de la
maison des Idris ; mais le Prince de Tarse lui parut si
digne de sa fille, qu'il approuva les sentiments qu'il
avait pour elle. Je sentis bien alors, que si je ne voulais
pas contribuer à empêcher Zayde d'aimer Alamir,
c'était pourtant la chose du monde que je craignais le
plus, que de le voir heureux par elle.

La passion de ce Prince était devenue si violente,
que tous ceux qui le connaissaient ne pouvaient assez
s'en étonner. Mulziman dont je vous ai parlé, et que
j'entretenais quelquefois, parce qu'il était aimé d'Alamir, m'en paraissait dans un étonnement qui me fit
juger, qu'il fallait que ce Prince eût été bien éloigné
jusques alors d'avoir des passions violentes. Alamir fit
connaître à Zuléma les sentiments qu'il avait pour
Zayde ; et Zuléma fit entendre à Zayde qu'il souhaitait

qu'elle épousât Alamir. Sitôt qu'elle eut appris une chose qu'elle avait tant appréhendée, elle me le vint dire avec beaucoup de marques d'inquiétude : j'avoue que j'avais peine à comprendre sa douleur, et qu'il me paraissait difficile d'avoir tant d'affliction pour être destinée à passer sa vie avec Alamir. Cet infidèle avait si bien oublié les sentiments qu'il m'avait fait paraître, qu'ayant appris par Zuléma la répugnance que Zayde avait témoignée pour lui, il vint m'en faire ses plaintes, et implorer mon secours. Toute ma raison et toute ma constance furent prêtes à m'abandonner ; je sentis un trouble et une émotion dont il se serait aperçu, s'il n'eût été troublé lui-même par la même passion qui m'agitait. Enfin, après un silence qui ne parlait peut-être que trop : "Je suis plus étonnée que personne, lui dis-je, de la répugnance que Zayde témoigne aux volontés de Zuléma ; mais je suis aussi moins propre que personne à la faire changer. Je parlerais contre mes propres sentiments, et le malheur d'être attachée à une personne de votre nation m'est si connu, que je ne puis conseiller à Zayde de s'y exposer. Bélénie m'a fait connaître ce malheur depuis que je suis née ; et je crois qu'Alasinthe en a si bien instruit sa fille, qu'il sera difficile de la faire consentir à ce que vous souhaitez ; et pour moi, je vous assure encore une fois que j'en suis moins capable que personne."

Alamir fut très affligé de me trouver dans des dispositions qui lui étaient si peu favorables ; il espéra de me gagner en me laissant voir toute sa douleu   ⸱   passion qu'il avait pour Zayde. J'étais au a⸳ es⸳   ⸳ de tout ce qu'il me disait ; mais je ne laissais ⸳   ⸳e le plaindre par la conformité de nos malheurs.   ⸳ avais pas un sentiment qui ne fût combattu par ⸳ autre : l'éloignement que Zayde avait pour lui, me donnait quelque joie par le plaisir de la vengeance, que je goûtais pleinement ; et néanmoins ma gloire était blessée de voir mépriser un homme que j'adorais.

Je résolus d'avouer à Zayde l'état de mon cœur ; et devant que de le faire, je la pressai d'examiner avec elle-même si elle était capable de résister toujours au

dessein qu'avait Zuléma de lui faire épouser Alamir.
Elle me dit qu'il n'y avait point d'extrémité où elle ne
se portât, plutôt que de se résoudre à épouser un
homme d'une religion si opposée à la sienne, et dont
la loi permettait de prendre autant de femmes qu'on
en trouvait d'agréables ; mais qu'elle ne croyait pas
que Zuléma la voulût contraindre ; et que quand il le
voudrait, Alasinthe trouverait les moyens de l'en
empêcher. Ce que me dit Zayde me donna toute la
joie, dont j'étais capable ; et je commençai à lui vouloir
dire ce que j'avais résolu de lui avouer. Mais j'y trouvai
plus de peine et plus d'embarras, que je ne l'avais
pensé. Enfin, je surmontai tous les mouvements
d'orgueil et de honte qui s'opposaient à ma résolution ; et je lui appris avec beaucoup de larmes l'état où
j'étais. Elle en fut dans un étonnement extrême, et me
parut aussi touchée de mon malheur, que je le pouvais
désirer. "Mais pourquoi, me dit-elle, avez-vous caché
si soigneusement vos sentiments à celui qui les a fait
naître ? Je ne doute point que s'il les avait découverts
d'abord, il ne vous eût aimée ; et je crois que s'il en
savait quelque chose, l'espérance d'être aimé de vous,
et les traitements qu'il reçoit de moi, l'obligeraient
bientôt à me quitter. Ne voulez-vous point, ajouta-
t-elle en m'embrassant, que j'essaye à lui faire entendre
qu'il doit s'attacher à vous plutôt qu'à moi ? – Ah !
Zayde, repris-je, ne m'ôtez pas la seule chose qui
m'empêche de mourir de douleur : je ne survivrais pas
à celle que j'aurais, si Alamir avait appris mes
sentiments ; j'en serais inconsolable par le seul intérêt
de ma gloire ; mais je le serais encore par l'intérêt de
ma passion. Je puis me flatter qu'il m'aimerait, s'il
savait que je l'aimasse ; je sais bien néanmoins que
l'on n'est pas aimée pour aimer ; mais enfin c'est une
espérance, et quelque faible qu'elle soit, je ne veux pas
me l'ôter, puisque c'est la seule qui me reste." Je dis
encore tant d'autres raisons à Zayde, pour lui faire
voir que je ne devais pas découvrir mes sentiments à
Alamir, qu'elle en demeura d'accord avec moi ; et je

trouvai beaucoup de soulagement à lui avoir ouvert mon cœur, et à me plaindre avec elle.

Cependant la guerre continuait toujours, et l'on voyait bien qu'il était impossible de la soutenir encore longtemps. Tout le plat pays était conquis, et Famagouste était la seule ville qui ne se fût pas rendue [1] : Alamir s'exposait tous les jours avec une valeur où il paraissait du désespoir. Mulziman m'en parlait avec une affliction extrême ; il me fit voir si souvent combien il était surpris de l'attachement que ce Prince avait pour Zayde, que je ne pus m'empêcher de lui en demander la cause ; et de le presser de me dire, si Alamir n'avait jamais été amoureux avant que d'avoir vu Zayde. Il eut quelque peine à m'avouer ce qui faisait son étonnement ; mais je l'en conjurai si fortement, qu'enfin il me conta les aventures de ce Prince. Je ne vous en dirai pas tout le détail, parce qu'il serait trop long, je vous apprendrai seulement ce qui est nécessaire pour vous faire connaître Alamir et mon malheur. »

HISTOIRE D'ALAMIR, PRINCE DE TARSE

« Je vous ai déjà appris la naissance de ce Prince ; ce que je vous ai dit de sa personne, et de mes sentiments, vous a dû persuader qu'il est aussi aimable qu'un homme le peut être. Aussi avait-il pensé dès sa première jeunesse à se faire aimer ; et quoique la manière dont vivent les femmes arabes soit entièrement opposée à la galanterie, l'adresse d'Alamir et le plaisir de surmonter des difficultés lui avaient rendu facile ce qui aurait été impossible à un autre. Comme ce Prince n'est point marié, et que sa religion permet

---

1. Durant l'été 910, le général byzantin Himerios débarqua dans l'île de Chypre. Il sembla triompher, puis les Arabes réagirent et il fut finalement écrasé en octobre 911.

d'avoir plusieurs femmes, il n'y avait point à Tarse de jeune personne qui ne se flattât de l'espérance de l'épouser. Il était bien aise que cette espérance servît à le faire traiter plus favorablement ; mais il était bien éloigné par son inclination de prendre un engagement qu'il ne pût rompre. Il ne cherchait que le plaisir d'être aimé ; celui d'aimer lui était inconnu : il n'avait jamais eu de véritable passion ; mais sans en ressentir il savait si bien l'art d'en faire paraître, qu'il avait persuadé son amour à toutes celles qu'il en avait trouvées dignes. Il est vrai aussi que dans le temps qu'il songeait à plaire, le désir de se faire aimer lui donnait une sorte d'ardeur qu'on pouvait prendre pour de la passion : mais sitôt qu'il était aimé, comme il n'avait plus rien à désirer, et qu'il n'était pas assez amoureux pour trouver du plaisir dans l'amour seul séparé des difficultés et des mystères, il ne songeait qu'à rompre avec celle qu'il avait aimée, et à se faire aimer d'une autre.

Un de ses favoris appelé Sélémin, était le confident de toutes ses passions ; et en avait lui-même d'aussi légères. Les Arabes célèbrent de certaines fêtes en divers temps de l'année ; c'est le seul temps qui donne quelque liberté aux femmes ; il leur est permis alors de se promener dans les villes et dans les jardins ; elles assistent, mais toujours voilées à des jeux publics, qui se font durant quelques jours. Alamir et Sélémin attendaient ce temps avec impatience : il ne se passait jamais sans qu'ils eussent découvert quelques beautés qui leur étaient inconnues, et qu'ils n'eussent trouvé le moyen de leur parler, et d'avoir quelque intelligence avec elles.

À une de ces fêtes, Alamir vit une jeune veuve appelée Naria, dont la beauté, la richesse, et la vertu étaient extraordinaires. Le hasard la lui fit voir dévoilée comme elle parlait à une de ses esclaves ; il fut surpris des charmes de son visage ; elle fut troublée de la vue de ce Prince, et demeura quelque temps à le regarder. Il s'en aperçut, il la suivit, et essaya de lui faire remarquer qu'il la suivait ; enfin, il avait vu une belle personne, et en avait été regardé, c'était assez pour lui donner de l'amour et de l'espérance. Ce qu'il apprit de la vertu et de l'esprit de Naria, lui redoubla l'envie de s'en faire aimer, et le désir de la revoir. Il la chercha avec soin ; il passait incessamment autour de chez elle sans l'apercevoir, ni sans croire en être vu ; il se trouvait sur son chemin lorsqu'elle allait aux bains. Deux ou trois fois il fut assez heureux pour voir son visage, et toutes les fois qu'il le vit, il le trouva si beau, et en fut si touché, qu'il crut que Naria était destinée pour arrêter toutes ses inconstances.

Plusieurs jours se passèrent sans que ce Prince reçût aucune marque qui lui pût faire juger que Naria approuvait son amour ; et il commençait à en avoir un chagrin qui troublait sa joie ordinaire. Néanmoins il n'abandonnait pas le dessein de se faire aimer de deux ou trois autres belles personnes, et surtout d'une fille appelée Zoromade, très considérable par le rang de son père, et par sa beauté. Les difficultés de la voir surpassaient encore, s'il était possible, celles de voir Naria : mais il était persuadé que cette belle fille les aurait surmontées, si elle n'eût pas été en la puissance d'une mère qui la gardait avec un soin extrême. Ainsi il n'était pas si pressé du désir de vaincre ces obstacles que la résistance de Naria, qui ne venait que d'elle seule. Il avait tenté plusieurs fois, mais inutilement, de gagner ses esclaves, pour savoir les jours qu'elle sortait, et les lieux où il la pouvait voir ; enfin, un de ceux qui lui avaient résisté avec plus d'opiniâtreté, lui promit de l'avertir de tout ce qu'elle ferait. Deux jours après, il lui dit qu'elle allait à un jardin admirable qu'elle avait hors de la ville ; et que s'il voulait se promener autour des murailles de ce jardin, il y avait des lieux élevés, d'où il pourrait la voir. Alamir ne manqua pas de se servir de cet avis ; il sortit de Tarse déguisé, et passa toute l'après-dînée autour de ces jardins.

Sur le soir comme il était près de s'en retourner, il vit ouvrir une porte ; il vit l'esclave qu'il avait gagné qui lui faisait signe de s'approcher ; il crut que Naria se promenait, et qu'il la verrait de cette porte ; il s'avança, et se trouva dans un cabinet superbe, et rempli de tous les ornements qui pouvaient l'embellir. Mais aucun ne le frappa si vivement, que la vue de Naria assise sur des carreaux sous un Pavillon magnifique, comme on représente la déesse des amours. Deux ou trois de ses femmes étaient dans un coin du cabinet : Alamir ne put s'empêcher de s'aller jeter à ses pieds, avec un air si rempli de transport et d'étonnement, qu'il augmenta le trouble modeste qui paraissait sur le visage de cette belle personne.

"Je ne sais, lui dit-elle, en l'obligeant de se relever, si je devais vous montrer tout d'un coup l'inclination que j'ai eue pour vous après vous l'avoir cachée si longtemps. Je crois que je vous l'aurais cachée toute ma vie, si vous aviez pris moins de soin de me faire voir celle que vous avez eue pour moi. Mais j'avoue que je n'ai pu résister à une passion soutenue par si peu d'espérance. Vous m'avez paru aimable dans le premier moment que je vous ai vu ; j'ai cherché à vous voir sans que vous me vissiez, avec plus de soin que vous ne m'avez cherchée ; enfin, j'ai voulu mieux connaître la passion que vous avez pour moi, et m'en assurer par vos paroles, comme vous m'en avez assurée par vos actions."

Quelles assurances, grands dieux[,] cherchait Naria dans les paroles d'Alamir ! Elle n'en connaissait guère le charme trompeur et inévitable : il surpassa les espérances qu'elle avait conçues de son amour ; et par son esprit flatteur et insinuant, il acheva de se rendre maître du cœur de cette belle personne. Elle lui promit de le revoir au même lieu. Il s'en revint à Tarse, persuadé qu'il était l'homme du monde le plus amoureux ; et il s'en fallut peu qu'il ne le persuadât à Mulziman et à Sélémin. Il revit plusieurs fois Naria, qui lui fit voir la plus grande inclination, et le plus véritable attachement que l'on ait jamais eus : mais elle lui apprit qu'elle savait la disposition qu'il avait au changement ; qu'elle était incapable de partager son cœur avec quelque autre ; que s'il voulait conserver le sien, il fallait qu'il ne pensât qu'à elle seule ; et qu'elle romprait avec lui sur le premier sujet de jalousie qu'il lui donnerait. Alamir répondit avec tant de serments et tant d'adresse, qu'il persuada Naria d'une fidélité éternelle. Mais il fut blessé de la seule pensée d'un engagement si exact ; et comme il n'y avait plus d'obstacles ni de difficultés à la voir, son amour commença à se ralentir. Néanmoins il lui témoigna toujours la même passion. Comme elle n'avait point eu d'autre pensée que de l'épouser, elle croyait qu'il n'y avait point d'obstacles, puisqu'elle l'aimait, et qu'elle en était aimée : si bien qu'elle commença à lui parler de leur mariage. Alamir fut surpris de ce discours ; mais son adresse empêcha sa surprise de paraître ; et Naria crut que dans peu de jours elle épouserait ce Prince.

Depuis que l'amour qu'il avait pour elle avait commencé à diminuer, il avait redoublé ses soins pour Zoromade ; et par le secours d'une tante de Sélémin, que la faveur de son neveu rendait complaisante aux passions du Prince, il avait trouvé le moyen de lui écrire. L'impossibilité de la voir était toujours pareille ; et par là sa passion était toujours augmentée.

Il n'avait d'espérance qu'en une fête qui se fait au commencement de l'année ; la coutume a établi de se faire des présents magnifiques pendant cette fête ; et l'on ne voit dans les rues que des esclaves chargés de tout ce qu'il y a de plus rare. Alamir envoya des présents à plusieurs personnes : comme Naria avait de la fierté et de la grandeur, elle n'en voulait point recevoir de considérables : il lui donna des parfums d'Arabie, qui étaient si rares, qu'il n'y avait que ce Prince qui en eût. Et il les lui envoya avec tous les ornements qui pouvaient les rendre agréables.

Jamais Naria n'avait été plus vivement touchée de passion pour ce Prince, et si elle eût suivi les mouvements de son cœur, elle serait demeurée chez elle, à penser à lui, et aurait renoncé à tous les divertissements, où elle ne l'aurait pu voir. Néanmoins comme elle était priée par la mère de Zoromade d'aller chez elle à une sorte de festin qui se faisait pendant la fête, elle ne put s'en dispenser. Elle y alla, et en entrant dans un grand cabinet, elle fut surprise de sentir les

mêmes parfums qu'Alamir lui avait envoyés. Elle
s'arrêta avec étonnement pour demander d'où venait
une senteur si agréable : Zoromade qui était fort
jeune, et peu accoutumée à cacher quelque chose
rougit, et fut embarrassée. Sa mère voyant qu'elle ne
répondait point, prit la parole, et dit comme elle le
pensait en effet, que c'était la tante de Sélémin qui les
avait envoyés à sa fille. Cette réponse ne laissa plus de
doute à Naria que ces présents ne vinssent du Prince :
elle les vit avec les mêmes ornements qu'elle avait reçu
les siens, et même avec quelque chose de plus. Cette
connaissance lui donna une douleur si vive, qu'elle feignit de se trouver mal, et s'en alla chez elle aussi
malade en effet qu'elle le voulait paraître. Elle était
fière et sensible ; l'idée d'être trompée par un homme
qu'elle adorait la mettait dans un état pitoyable ; mais
avant que de s'abandonner au désespoir, elle résolut
de s'éclaircir de l'infidélité de ce Prince.

Elle lui manda qu'elle était malade, et qu'elle ne
pourrait aller pendant la fête à aucun des divertissements publics. Alamir la vint voir ; il l'assura qu'il
abandonnerait aussi tous ces divertissements, puisqu'elle ne s'y trouverait pas ; enfin il lui parla d'une
manière qui la persuada quasi qu'elle lui faisait injustice de le soupçonner. Néanmoins sitôt qu'il fut sorti
elle se leva, et se déguisa d'une sorte qu'il ne pouvait
la reconnaître. Elle alla dans les lieux où elle crut le
pouvoir trouver ; et le premier objet qui s'offrit à sa
vue, fut Alamir déguisé ; mais il ne le pouvait être
pour elle. Elle le reconnut qui suivait Zoromade ; et
pendant les jeux qui se faisaient, elle le vit toujours
attaché auprès de cette belle fille. Le lendemain elle le
suivit encore ; mais au lieu de le voir chercher Zoromade, elle le vit déguisé d'une autre sorte, et attaché
auprès d'une autre personne. D'abord sa douleur fut
moindre, et elle eut de la joie de penser qu'Alamir
n'avait parlé à Zoromade que par occasion, ou par
divertissement. Elle se mêla parmi les femmes qui
étaient avec cette jeune personne qu'Alamir suivait ; et
elle s'en approcha de si près, qu'au tournant d'une

place où cette jeune personne était arrêtée, elle entendit Alamir lui parler avec ce même air et ces mêmes paroles qui lui avaient si bien persuadé son amour. Jugez de ce que devint Naria, et la cruelle douleur qu'elle sentit : elle se serait trouvée heureuse dans ce moment, si elle avait pu croire que Zoromade eût été le seul attachement d'Alamir ; elle aurait cru au moins que l'inclination qu'il aurait eue pour cette belle personne, aurait causé son changement : elle aurait pu se flatter d'avoir été aimée de lui devant qu'il se fût attaché à Zoromade ; mais en voyant qu'il était capable de donner les mêmes soins, et de dire les mêmes paroles à deux ou trois en même temps, elle voyait qu'elle n'avait occupé que son esprit, et non pas son cœur ; et qu'elle n'avait fait que son amusement sans faire sa félicité.

C'était une aventure si cruelle pour une personne de son humeur, qu'elle n'avait pas la force de la supporter. Elle s'en retourna chez elle accablée de douleur et d'affliction ; elle y trouva une lettre d'Alamir, qui l'assurait qu'il était renfermé chez lui, et qu'il ne pouvait rien voir puisqu'il ne la voyait pas. Cette tromperie lui faisait juger de quel prix avaient été toutes les actions passées d'Alamir ; et elle mourait de honte d'avoir fait si longtemps son bonheur d'un attachement qui n'avait été qu'une trahison. Elle se détermina bientôt à ce qu'elle devait faire : elle lui écrivit tout ce que la douleur, la tendresse, et le désespoir peuvent faire penser de plus vif et de plus passionné : et sans lui apprendre ce qu'elle devenait, elle lui disait un éternel adieu. Il fut surpris de cette lettre, et même il en fut affligé. La beauté et l'esprit de Naria étaient à un si haut point, qu'ils rendaient sa perte fâcheuse même à l'humeur inconstante d'Alamir.

Il alla conter son aventure à Mulziman, qui lui fit quelque honte de son procédé : "Vous vous trompez, lui dit-il, si vous êtes persuadé, que la manière dont vous en usez avec les femmes, ne soit pas contraire aux véritables sentiments d'un honnête homme." Alamir fut touché de ce reproche. "Je veux me justifier auprès de vous, lui répondit-il, et je vous estime trop pour vouloir vous laisser une si méchante opinion de moi. Croyez-vous que je fusse assez déraisonnable pour ne pas aimer avec fidélité une personne qui m'aimerait véritablement ? – Mais croyez-vous vous justifier, interrompit Mulziman, en accusant celles que vous avez aimées ? Y en a-t-il quelqu'une qui vous ait trompé ? Et Naria ne vous aimait-elle pas avec une passion sincère et véritable ? – Naria croyait m'aimer, répliqua Alamir ; mais elle aimait mon rang, et celui où je pouvais l'élever. Je n'ai trouvé que de la vanité et de l'ambition dans toutes les femmes ; elles ont aimé le Prince, et non pas Alamir. L'envie de faire une conquête éclatante, et le désir de s'élever, et de sortir de cette vie ennuyeuse, où elles sont assujetties, a fait en elles ce que vous appelez de l'amour ; comme le plaisir d'être aimé, et l'envie de surmonter des difficultés, font en moi ce qui leur paraît de la passion. – Je crois que vous faites injustice à Naria, dit Mulziman, et qu'elle aimait véritablement votre personne. – Naria m'a parlé de m'épouser aussi bien que les autres, répondit Alamir, et je ne sais si sa passion était plus véritable. – Quoi, reprit Mulziman, vous voulez qu'on vous aime, et qu'on ne pense pas à vous épouser ? – Non, dit Alamir, je ne veux pas qu'on pense à m'épouser, quand je suis au-dessus de celles qui y prétendent. Je voudrais qu'on y pensât, si l'on ne me connaissait pas pour ce que je suis, et qu'on crût faire une faute en m'épousant. Mais tant qu'on me regardera comme un Prince qui peut donner de l'élévation et quelque liberté, je ne me croirai pas obligé à une grande reconnaissance du dessein qu'on aura de m'épouser, et je ne le prendrai jamais pour de l'amour. Vous verrez, ajouta-t-il, que je ne serais pas incapable d'aimer fidèlement, si je pouvais trouver une personne qui m'aimât sans connaître ce que je suis. – Vous voulez une chose impossible pour faire voir votre fidélité, repartit Mulziman ; et si vous étiez capable de constance, vous en auriez sans attendre des occasions si extraordinaires."

L'impatience de savoir ce qu'était devenue Naria, fit finir cette conversation : Alamir alla chez elle ; il apprit qu'elle était partie pour aller à La Mecque, et que l'on ne savait ni le chemin qu'elle avait pris, ni le temps qu'elle reviendrait. C'était assez pour lui faire oublier Naria ; il ne pensa plus qu'à Zoromade, qui était gardée avec un soin qui rendait quasi toute son adresse inutile. Ne sachant plus ce qu'il pouvait faire pour la voir ; il se résolut de hasarder la chose du monde la plus hardie, qui était de se cacher dans une des maisons où les femmes vont se baigner.

Les bains sont des Palais magnifiques ; les femmes y vont trois ou quatre fois la semaine : elles prennent plaisir à faire paraître leur magnificence, en faisant marcher devant et après elles un nombre infini d'esclaves, qui portent toutes les choses qui leur sont nécessaires. L'entrée de ces maisons est défendue aux hommes sur peine de la vie, et il n'y a point de puissance qui pût les sauver, s'ils y étaient trouvés. La qualité d'Alamir le garantissait de la rigueur des lois ordinaires ; mais son rang l'exposait à une révolte et à une sédition dont il n'aurait pu sauver ni sa vie, ni son État.

Des raisons si considérables ne le purent retenir ; il écrivit à Zoromade ; il lui manda ce qu'il était résolu de hasarder pour la voir ; et il la pria de l'instruire de ce qu'il devait faire pour lui parler. Zoromade eut de la peine à consentir au hasard où Alamir se voulait exposer ; mais enfin emportée par la passion qu'elle avait pour lui ; et forcée par cette contrainte insupportable où vivent les femmes arabes ; elle lui manda que s'il trouvait le moyen d'entrer dans la maison des bains, il fallait qu'il sût l'appartement où elle avait accoutumé d'aller ; que dans cet appartement il y avait un cabinet où il pourrait se cacher ; qu'elle ne se baignerait point, et que pendant que sa mère irait dans les bains, elle pourrait l'entretenir. Alamir sentit un plaisir sensible d'avoir une si difficile entreprise à exécuter ; il gagna le maître des bains par des présents considérables ; il sut le jour que Zoromade y devait aller ; il entra pendant la nuit, il se fit conduire dans l'appartement où était ce cabinet, et y attendit le matin avec toute l'impatience qu'aurait pu avoir un homme véritablement amoureux.

À peu près à l'heure que Zoromade devait venir, il entendit dans la chambre le bruit que font plusieurs personnes qui y entrent ; quelque temps après ce bruit diminua, et on ouvrit la porte de ce cabinet. Il s'attendait de voir entrer Zoromade ; mais au lieu d'elle il vit une personne qu'il ne connaissait point, magnifiquement habillée, d'une beauté qui avait toute la fleur et toute la naïveté de la première jeunesse. Cette personne fut aussi surprise de la vue d'Alamir, qu'Alamir l'était de la sienne ; il n'était pas moins propre qu'elle à donner de l'étonnement par l'agrément de sa personne, et par la beauté de ses habits ; et c'était une chose si extraordinaire de voir un homme en ce lieu ; que si Alamir n'eût fait signe à cette jeune personne de ne rien dire, elle se fût écriée d'une manière qui aurait fait venir à elle ceux qui étaient dans la chambre. Elle s'approcha d'Alamir, qui était charmé de cette aventure, et lui demanda par quel hasard il s'était trouvé en ce lieu. Il lui répondit, que ce serait une chose trop longue à lui raconter ; mais qu'il la conjurait de ne vouloir rien dire, et de ne pas perdre un homme, qui ne comptait pour rien le péril où il se trouvait, puisqu'il devait à ce péril le plaisir de voir la plus belle personne du monde. Elle rougit avec un air d'innocence et de modestie propre à toucher un cœur moins sensible que celui d'Alamir. "Je serais bien fâchée, lui répondit-elle, de rien faire qui vous pût nuire ; mais vous avez bien hasardé en entrant ici ; et je ne sais si vous savez le danger où vous vous êtes exposé. – Oui, madame, repartit Alamir, je le sais, et ce n'est pas le plus grand dont je sois menacé aujourd'hui." Après ces paroles, dont il jugea bien qu'elle entendrait le sens, il la supplia de lui dire qui elle était, et comment elle était entrée dans ce cabinet. "Je m'appelle Elsibery, lui répondit-elle, je suis fille du gouverneur de Lemnos : ma mère n'est à Tarse que depuis deux jours, où elle n'était jamais venue non plus que moi : elle se baigne présentement ; je n'ai pas voulu me baigner, et le hasard m'a fait entrer dans ce cabinet : mais je vous conjure, ajouta-t-elle, de m'apprendre aussi qui vous êtes." Alamir fut bien aise de trouver une jeune personne qui ne le connût pas : il lui dit qu'il s'appelait Sélémin (ce fut le nom qui s'offrit le premier à son esprit). Comme il parlait il entendit du bruit ; Elsibery s'avança vers la porte du cabinet, pour empêcher qu'on entrât. Alamir la suivit de quelques pas, oubliant le péril où il se mettait. "Ne saurait-on espérer de vous revoir, madame, lui dit-il ? – Je ne sais, repartit-elle avec un air plein de trouble, mais il me semble qu'il n'est pas impossible." En disant ces mots, elle sortit, et ferma la porte.

Alamir demeura charmé de son aventure ; il n'avait jamais rien vu de si beau ni de si aimable qu'Elsibery ; il croyait avoir remarqué qu'il ne lui déplaisait pas ; elle ne le connaissait point pour le Prince de Tarse ; enfin il y trouvait tout ce qui le pouvait toucher ; et il demeura jusques à la nuit dans ce cabinet, sans songer qu'il y était venu pour voir Zoromade, tant il était rempli de l'idée d'Elsibery.

Zoromade n'était pas si tranquille ; elle aimait véritablement Alamir ; le péril où elle savait qu'il était exposé, lui donnait une inquiétude mortelle, et un déplaisir sensible de n'avoir pu en profiter. Sa mère s'était trouvée mal ; elle n'avait pas voulu aller aux bains, et l'on avait donné l'appartement où elle allait d'ordinaire, à la mère d'Elsibery. Alamir trouva à son retour une lettre de Zoromade, qui lui apprenait ce que je viens de vous dire ; et qui lui apprenait aussi qu'on parlait de la marier : mais qu'elle n'en avait pas d'inquiétude, puisqu'il pouvait empêcher ce mariage, en découvrant à son père les intentions qu'il avait pour elle. Il montra cette lettre à Mulziman, pour lui faire voir que toutes les femmes n'étaient touchées que du désir de l'épouser : il lui conta l'aventure qui lui était arrivée aux bains ; il lui exagéra les charmes d'Elsibery, et la joie qu'il avait de croire que sans le

connaître pour le Prince, elle avait de l'inclination
pour lui. Il l'assura qu'il avait enfin trouvé ce qui méritait d'engager son cœur, et qu'on verrait s'il n'aurait
pas un véritable attachement pour Elsibery. En effet, il
résolut d'abandonner toutes les autres galanteries
pour ne penser plus qu'à se faire aimer de cette belle
personne. Il lui était quasi impossible de la voir, surtout étant résolu de ne se pas faire connaître pour le
Prince de Tarse. La première chose qui lui vint dans
l'esprit, fut de se cacher encore dans la maison des
bains ; mais il apprit que la mère d'Elsibery était
malade, et que sa fille ne sortait point sans elle.

Cependant le mariage de Zoromade s'avançait, et le
désespoir de se voir abandonnée du Prince, l'obligea
d'y consentir. Comme son père était un homme très
considérable, et que celui qu'elle épousait ne l'était pas
moins, on résolut de faire de grandes cérémonies à ses
noces. Alamir apprit qu'Elsibery s'y devait trouver : la
manière dont les noces se font chez les Arabes, ne lui
donnait aucune espérance de l'y voir, parce que les
femmes sont entièrement séparées des hommes, et
dans les mosquées, et dans les festins. Il résolut néanmoins de hasarder une chose aussi périlleuse que celle
qu'il avait hasardée pour Zoromade. Il feignit de se
trouver mal le jour de la cérémonie, afin de se dispenser d'y assister publiquement ; il s'habilla en
femme, mit un grand voile sur sa tête, comme en ont
toutes celles qui sortent, et s'en alla à la mosquée avec
la tante de Sélémin. Il vit arriver Elsibery ; et bien
qu'elle fût voilée, sa taille avait quelque chose de si
particulier, et son habillement était si différent de ceux
de Tarse, qu'il ne craignait pas de s'y méprendre. Il la
suivit jusques auprès du lieu où se faisait la cérémonie ; et il se trouva si proche de Zoromade, que
poussé par un reste de son humeur naturelle, il ne put
s'empêcher de se faire connaître à elle, et de lui parler
comme s'il ne se fût déguisé que pour la voir. Cette
vue apporta un si grand trouble à Zoromade, qu'elle
fut contrainte de reculer quelques pas ; et se tournant
du côté d'Alamir : "Il y a de l'inhumanité, lui dit-elle,

à venir troubler mon repos, par une action qui me
devrait persuader que vous m'aimez, si je ne savais
trop bien le contraire : mais j'espère que je ne souf-
frirai pas longtemps les maux où vous m'avez
plongée." Elle n'en put dire davantage, et Alamir ne
put répondre. La cérémonie s'acheva, et toutes les
femmes se remirent à leur place.

   Alamir ne pensa pas seulement à la douleur où il
avait vu Zoromade, et ne fut occupé que du soin de
parler à Elsibery. Il se mit à genoux auprès d'elle, et
commença à faire ses prières assez haut selon la
manière des Arabes. Ce murmure confus de ce grand
nombre de personnes qui parlent en même temps, fait
qu'il est difficile d'être entendu que [1] de ceux de qui
l'on est fort proche. Alamir sans tourner la tête du côté
d'Elsibery, et sans changer le ton de ses prières l'appela plusieurs fois : elle se tourna vers lui ; comme il
vit qu'elle le regardait, il laissa tomber un livre ; et en
le ramassant, il releva un peu son voile, en sorte
qu'Elsibery seule le pouvait remarquer ; et il lui fit voir
un visage dont la beauté et la jeunesse ne démentaient
point l'habillement de femme. Il vit bien que ce déguisement ne l'avait pas rendu méconnaissable à Elsibery, il lui demanda néanmoins s'il était assez heureux
pour être reconnu ; Elsibery, dont le voile n'était pas
entièrement baissé, tournant les yeux du côté d'Alamir sans tourner la tête : "Je ne vous connais que trop,
lui dit-elle, mais je tremble pour le péril où vous êtes.
– Il n'y en a point où je ne m'expose, lui répondit-il,
plutôt que de ne vous point voir. – Ce n'était pas pour
me voir, lui dit-elle, que vous vous étiez exposé dans la
maison des bains ; et peut-être n'est-ce pas encore
pour moi que vous êtes ici. – C'est pour vous seule,
madame, répliqua-t-il, et vous me verrez tous les jours
dans ce même hasard, si vous ne me donnez quelque
moyen de vous parler. – Je vais demain avec ma mère
au Palais du Calife, reprit-elle, trouvez-vous-y avec le
Prince ; mon voile sera levé, parce que c'est la pre-

---

1. « Que » a ici le sens de « sinon ».

mière fois que j'y entre." Elle se tut, et ne voulut plus rien dire, de peur d'être entendue des femmes qui étaient proche d'elle.

Alamir demeura bien embarrassé sur le rendez-vous qu'elle lui donnait. Il savait bien que la première fois que l'on mène les femmes de qualité au Palais du Calife, si le Calife ou les Princes leurs enfants entrent dans le lieu où elles sont, elles ne baissent point leur voile ; et hors cette première fois on ne les y revoit jamais que voilées. Ainsi Alamir était assuré de voir Elsibery ; mais pour la voir, il fallait se faire connaître pour le Prince de Tarse, et c'était à quoi il ne pouvait se résoudre. Le plaisir d'être aimé par le seul agrément de sa personne, le touchait si fort qu'il ne voulait pas s'en priver : c'était aussi une chose fâcheuse de perdre une occasion de voir Elsibery, et une occasion qu'elle lui donnait elle-même. Cette légère jalousie qu'elle lui avait témoignée de l'avoir trouvé dans la maison des bains, où il n'était pas pour elle, l'engageait encore à ne manquer à rien de ce qui la pouvait persuader d'un véritable attachement. Cet embarras le fit demeurer longtemps sans lui répondre ; enfin il lui demanda s'il ne pourrait point lui écrire. Je n'oserais me fier à personne, lui dit-elle, mais gagnez, s'il vous est possible, un esclave qui s'appelle Zabelec.

Alamir demeura satisfait de ces paroles ; on sortit du temple ; il alla changer d'habit, et penser à ce qu'il devait faire le lendemain. Quelque difficulté qui lui parût à cacher sa qualité à Elsibery, et quelque peine que cette entreprise lui donnât, parce qu'elle l'obligeait à fuir la personne du monde qu'il avait le plus d'envie de rencontrer, il résolut de l'exécuter ; et il voulut voir s'il serait véritablement aimé sans le secours de sa naissance. Après avoir résolu de quelle manière il se devait conduire, il écrivit cette lettre à Elsibery.

Lettre d'Alamir à Elsibery

Si j'avais déjà mérité quelque chose auprès de vous, ou si vous m'aviez donné quelque espérance, peut-être que je ne vous demanderais pas ce que je vais vous demander, quoiqu'il semblât que j'eusse plus de raison de le prétendre. Mais, madame à peine me connaissez-vous, je n'oserais me flatter d'avoir fait quelque impression dans votre cœur ; vous n'êtes engagée ni par vos sentiments, ni par vos paroles ; et vous allez demain dans un lieu où vous verrez un Prince, qui n'a jamais rien vu de beau qu'il n'ait aimé. Que ne dois-je point craindre, madame, de cette entrevue ? Je ne puis douter qu'Alamir ne vous aime ; et quoiqu'il y ait peut-être du caprice à craindre autant que je le crains, que vous ne voyiez ce Prince, et qu'il ne soit assez heureux pour vous plaire, je ne puis m'empêcher de vous supplier de ne le voir pas. Pourquoi me refuseriez-vous, madame, ce n'est point une faveur que je vous demande ; et je suis peut-être le seul homme du monde qui ait jamais souhaité une pareille chose. Je sais bien qu'elle vous doit paraître bizarre ; elle me le paraît encore plus qu'à vous ; mais ne refusez pas cette grâce à un homme qui vient d'exposer sa vie pour vous pouvoir dire seulement qu'il vous aime.

Après avoir écrit cette lettre, il se déguisa, afin d'aller lui-même avec des gens à qui il se fiait, tâcher d'apprendre qui était celui dont Elsibery lui avait parlé. Il fit tant de diligence autour de la maison du gouverneur de Lemnos, qu'enfin un vieil esclave qu'il gagna, lui alla quérir Zabelec. Il vit de loin venir ce jeune esclave ; il fut surpris de la beauté de sa taille, et de la délicatesse de son visage. Alamir se cachait dans l'enfoncement d'un portique où il faisait assez obscur ; et ce jeune esclave en s'approchant regardait Alamir, comme s'il eût été de sa connaissance. Enfin lorsqu'il fut près de lui, ce Prince sans se faire voir, commença à lui parler d'Elsibery. L'esclave entendant cette voix qu'il ne connaissait point, changea tout d'un coup de visage ; et après avoir fait un grand soupir, il baissa les yeux, et demeura sans parler, avec une tristesse si profonde, qu'Alamir ne put s'empêcher de lui en demander la cause. "Je croyais connaître celui qui me demandait, lui répondit-il, et je ne croyais pas que ce fût d'Elsibery dont on me voulût parler : mais achevez, tout ce qui regarde Elsibery me touche sensiblement." Alamir fut surpris, et embarrassé de la manière dont cet esclave lui parlait ; il acheva néanmoins ce qu'il avait commencé, et lui donna une lettre, ne se faisant connaître que sous le nom de Sélémin. La tristesse et la beauté de cet esclave, firent imaginer à ce Prince, que c'était quelque amant d'Elsibery, qui s'était déguisé pour être auprès d'elle. Le trouble qu'il lui avait vu lorsqu'il lui avait parlé de lui donner des lettres, ne l'en laissait pas douter ; mais il pensait aussi que si Elsibery eût connu cet esclave pour son amant, elle ne l'aurait pas choisi pour lui donner des lettres d'un rival ; enfin cette aventure l'embarrassait ; et de quelque manière qu'elle pût être, l'esclave lui paraissait trop aimable et d'un air trop au-dessus de sa condition, pour le souffrir sans peine auprès d'Elsibery.

Il attendit le lendemain avec diverses sortes d'inquiétudes ; il alla de bonne heure chez la Princesse sa mère. Jamais amant n'a eu tant d'impatience de voir sa maîtresse, qu'Alamir avait de désir de ne pas voir la sienne ; et jamais un amant n'a eu tant de raisons de souhaiter de ne la pas voir. Il pensait que si Elsibery ne venait point au Palais, c'était lui accorder la grâce qu'il lui avait demandée ; que c'était aussi une marque qu'elle avait reçu la lettre qu'il avait mise entre les mains de Zabelec ; et que si cet esclave la lui avait rendue, il fallait qu'il ne fût pas son rival. Enfin en ne voyant point arriver Elsibery avec sa mère, il apprenait qu'il avait un commerce établi avec elle ; qu'il n'avait point de rival, et qu'il pouvait espérer d'être aimé. Il était occupé de ces pensées, lorsqu'on le vint avertir que la mère d'Elsibery arrivait ; et il eut le plaisir de voir qu'elle n'était pas suivie de sa fille. Jamais transport n'a été pareil au sien. Il se retira, ne voulant pas même que son visage fût connu de la mère de sa maîtresse, et s'en alla attendre chez lui l'heure qu'il avait prise pour parler à Zabelec.

Le bel esclave revint le trouver avec autant de tristesse sur le visage, qu'il en avait le jour précédent, et lui apporta la réponse d'Elsibery. Ce Prince fut charmé de cette lettre ; il y trouva de la modestie mêlée avec beaucoup d'inclination. Elle l'assurait qu'elle aurait pour lui la complaisance de ne point voir le Prince de Tarse, et qu'elle n'aurait jamais de répugnance à lui accorder de pareilles grâces. Elle le priait aussi de ne rien hasarder pour lui parler ; parce que sa timidité naturelle, et la manière dont elle était gardée, rendraient inutile tout ce qu'il pourrait entreprendre. Alamir quoique très satisfait de cette lettre, ne pouvait s'accoutumer à la beauté et à la tristesse de l'esclave ; il lui fit plusieurs questions sur les moyens dont il pourrait se servir pour voir Elsibery ; mais l'esclave n'y répondit qu'avec beaucoup de froideur. Ce procédé augmenta les soupçons du Prince ; et comme il se trouvait plus touché de la beauté d'Elsibery, qu'il ne l'avait jamais été d'aucune autre, il craignait d'entrer dans le même état où il avait mis toutes celles qu'il avait aimées, et de s'engager avec une personne qui aurait d'autres attachements. Cependant il lui écrivait tous les jours ; il l'obligeait à lui apprendre les lieux où elle allait, et son amour lui donnait autant de soin de la fuir dans les lieux publics où elle le pouvait connaître pour le Prince, qu'il avait d'application à chercher les moyens de la voir en particulier. Il considéra si bien tous les environs de la maison où elle logeait, qu'il remarqua que le haut qui était couvert en terrasse avait une espèce de balcon avancé sur une petite rue si étroite, que l'on pouvait se parler de la maison qui était de l'autre côté. Il trouva bientôt le moyen de se rendre maître de cette maison ; il écrivit à Elsibery qu'il la conjurait de venir la nuit sur sa terrasse, et qu'il pourrait l'y entretenir. Elle y vint, Alamir pouvait facilement lui parler sans être entendu ; et l'obscurité n'était pas si grande, qu'il n'eût le plaisir de distinguer cette beauté dont il était si touché.

Ils entrèrent dans une longue conversation, sur les sentiments qu'ils avaient l'un pour l'autre. Elsibery voulut être éclaircie de l'aventure qui l'avait conduit dans la maison des bains. Il lui avoua la vérité, et lui conta tout ce qui s'était passé entre Zoromade et lui. Les jeunes personnes sont trop touchées de ces sortes de sacrifices, pour en craindre les conséquences pour elles-mêmes. Elsibery avait une inclination violente pour Alamir ; elle s'engagea entièrement dans cette conversation, et ils résolurent de se revoir dans le même lieu. Comme il était près de se retirer, il tourna la tête par hasard, et fut bien surpris de voir dans un coin de la terrasse ce bel esclave, qui lui avait déjà donné tant d'inquiétude.

Il ne put cacher son chagrin, et prenant la parole : "Si je vous ai témoigné de la jalousie, dit-il à Elsibery, la première fois que je vous ai écrit, oserai-je, madame, vous en témoigner encore la première fois que je vous parle ? Je sais que les personnes de votre qualité ont toujours des esclaves auprès d'elles ; mais il me semble qu'ils ne sont point de l'âge et de l'air de celui que je vois auprès de vous. J'avoue que ce que je connais de la personne et de l'esprit de Zabelec, me le rend aussi redoutable que me le pourrait être le Prince de Tarse." Elsibery sourit de ce discours ; et appelant le bel esclave : « Venez, Zabelec, lui dit-elle, venez guérir Sélémin de la jalousie que vous lui donnez : je ne l'oserais faire sans votre consentement. – Je voudrais, madame, lui répondit Zabelec, que vous eussiez la force de lui laisser de la jalousie. Ce n'est pas par mon intérêt que je le souhaite, c'est par le vôtre, et par la crainte des malheurs où je vois bien que vous vous plongez. Mais, seigneur, continua l'esclave, en s'adressant au Prince, qu'elle [1] ne

─────────────

1. On peut noter l'usage d'un pronom personnel féminin, qui précède la révélation du sexe de Zabelec. Les flottements ou confusions de ce type sont nombreux dans les romans pastoraux et héroïques, qui multiplient les travestissements d'un sexe à l'autre.

connaissait que pour Sélémin, il n'est pas juste de vous laisser soupçonner la vertu d'Elsibery.

"Je suis une malheureuse, que le hasard a mise à son service : je suis chrétienne, grecque, et d'une naissance fort au-dessus de la condition où vous me voyez. Quelque beauté, dont il ne paraît peut-être plus de marques, m'avait attiré plusieurs amants pendant ma première jeunesse ; je trouvai en eux si peu de fidélité, et tant de trahison, que je ne les regardai qu'avec mépris. Un plus infidèle que les autres, mais qui savait mieux se déguiser, se fit aimer de moi : je rompis à cause de lui un mariage très considérable pour ma fortune ; mes parents nous persécutèrent, il fut obligé de se retirer ; il m'épousa ; je me déguisai en homme et je le suivis. Nous nous embarquâmes ; il se trouva dans notre vaisseau une personne assez aimable, que quelque aventure extraordinaire obligeait aussi bien que moi à passer en Asie. Mon mari en devint amoureux ; nous fûmes attaqués, et pris par les Arabes ; ils partagèrent les esclaves ; on donna le choix à mon mari, et à un de ses parents, d'être du nombre des esclaves qui appartenaient au lieutenant du navire, ou de ceux qui appartenaient au capitaine. Le sort m'avait donnée à ce dernier, et par une ingratitude sans exemple, je vis mon mari choisir d'aller avec le lieutenant pour suivre cette personne qu'il aimait. Ma présence, mes larmes, ni ce que j'avais fait pour lui, et l'état où il me laissait, ne le purent toucher. Jugez de ma douleur, on me conduisit ici ; ma bonne fortune me donna au père d'Elsibery : quoi que j'aie vu de l'infidélité de mon mari, je ne saurais perdre entièrement l'espérance de son retour, et ce fut ce qui causa les changements que vous remarquâtes à mon visage, le premier jour que j'allai parler à vous. J'avais espéré que c'était lui qui me demandait ; et quelque mal fondé que fût cet espoir, je ne pus le perdre sans douleur. Je ne m'oppose point à l'inclination qu'Elsibery a pour vous ; je sais par une cruelle expérience, combien il est inutile de s'opposer à ces sortes de sentiments ; mais je la plains, et je prévois les vives douleurs que vous lui causerez. Elle n'a jamais eu de passion ; elle va avoir pour vous un attachement sincère et véritable, qu'aucun homme qui a déjà aimé ne peut mériter."

Quand elle eut cessé de parler, Elsibery dit à Alamir que son père et sa mère connaissaient sa qualité, son sexe, et son mérite ; mais que des raisons qu'elle avait de demeurer inconnue, faisaient qu'on la traitait en apparence comme un esclave. Ce Prince demeura surpris de l'esprit et de la vertu de Zabelec ; et il eut beaucoup de joie de connaître combien la jalousie qu'il en avait eue avait été mal fondée. Il trouva dans la suite tant de charmes et tant de sincérité dans les sentiments d'Elsibery, qu'il était persuadé qu'il n'avait jamais été aimé que par elle. Elle l'aimait sans autre dessein que de l'aimer ; et sans penser quelle fin aurait sa passion, elle ne s'informait, ni de sa fortune, ni de ses intentions ; elle hasardait toutes choses pour le voir, et faisait aveuglément tout ce qu'il pouvait souhaiter. Une autre personne aurait trouvé de la contrainte dans la conduite qu'il désirait d'elle ; car comme il voulait toujours qu'elle le crût Sélémin, il était forcé de l'empêcher de se trouver à de certaines fêtes publiques où il était obligé de paraître pour le Prince ; mais elle ne trouvait rien de difficile pour lui plaire.

Alamir se trouva heureux pendant quelque temps d'être aimé pour l'amour de lui-même ; mais enfin il lui vint dans l'esprit qu'encore qu'Elsibery l'eût aimé sans savoir qu'il était le Prince de Tarse, peut-être ne laisserait-elle pas de l'abandonner pour un homme qui aurait cette qualité. Il résolut de mettre son cœur à cette épreuve, de lui faire passer le véritable Sélémin pour le Prince de Tarse, de faire en sorte qu'il lui témoignât de l'amour, et de voir de ses propres yeux de quelle manière elle le traiterait. Il apprit son intention à Sélémin ; et ils trouvèrent ensemble les moyens de l'exécuter. Alamir fit une course de chevaux, et dit à Elsibery, que pour lui donner quelque part de ce divertissement, il obligerait le Prince à passer avec toute sa troupe devant ses fenêtres : qu'ils auraient les mêmes habits ; qu'il marcherait à côté de lui ; et que bien qu'il eût toujours appréhendé qu'elle ne vît Alamir, il se croyait trop assuré de son cœur pour craindre que ce Prince n'attirât ses regards, surtout dans un lieu où il serait assez proche pour les partager. Elsibery demeura persuadée que celui qu'elle verrait auprès de son amant, serait le Prince de Tarse ; et le lendemain voyant le véritable Sélémin auprès d'Alamir, elle ne douta point que ce ne fût ce Prince : elle trouva même que son amant avait tort de lui avoir dépeint Alamir comme un homme si redoutable ; et il lui parut qu'il n'était pas si agréable que celui qu'elle croyait son favori. Elle n'oublia pas de dire à Alamir le jugement qu'elle avait fait ; mais ce n'était pas assez pour le satisfaire. Il voulut encore éprouver si ce faux Prince ne lui plairait point ; lorsqu'il lui paraîtrait amoureux d'elle, et qu'il lui proposerait de l'épouser.

À une de ces fêtes des Arabes, où le Prince n'était point obligé de paraître en public ; il dit à Elsibery qu'il se déguiserait pour se trouver auprès d'elle : il se déguisa en effet, et mena Sélémin avec lui. Ils se mirent proche d'Elsibery, et Sélémin l'appela deux ou trois fois. Comme elle avait Alamir dans l'esprit, elle ne douta point que ce ne fût lui ; et prenant un temps où personne ne la regardait, elle leva son voile pour se faire voir, et pour lui parler ; mais elle fut bien surprise de trouver auprès d'elle celui qu'elle croyait le Prince de Tarse. Sélémin témoigna être surpris ; et touché de sa beauté, il voulut lui parler, mais elle ne l'écouta point ; et troublée de cette aventure, elle se rapprocha de sa mère, en sorte que Sélémin ne pût l'aborder de tout le reste du jour. La nuit Alamir vint lui parler sur la terrasse ; elle lui conta ce qui lui était arrivé avec une vérité si exacte et une si grande crainte qu'il ne la soupçonnât d'y avoir contribué, qu'il devait en être satisfait. Néanmoins il ne s'en contenta pas ; il fit gagner le vieil esclave qu'il avait déjà trouvé sensible aux présents, pour donner une lettre à Elsibery de la part du Prince. Lorsque cet esclave voulut la lui donner, elle la refusa, et lui fit une sévère réprimande. Elle en rendit compte à Alamir qui le savait déjà, et qui jouissait du plaisir de sa tromperie. Pour achever ce qu'il avait résolu, il mena Sélémin sur la terrasse, où il avait accoutumé de parler à Elsibery, et se cacha en sorte qu'elle ne le pouvait voir, mais qu'il pouvait entendre toutes leurs paroles. La surprise d'Elsibery fut extrême, lorsqu'elle vit sur la terrasse celui qu'elle croyait le Prince. Son premier mouvement fut de s'en aller ; mais le soupçon que son amant la sacrifiait au Prince, et l'envie de s'en éclaircir, la retinrent pour quelques moments. "Je ne vous dirai point, madame, lui dit Sélémin, si c'est par mon adresse, ou du consentement de celui que vous croyez trouver ici, que j'occupe la place qui lui était destinée. Je ne vous dirai pas même s'il ignore les sentiments que j'ai pour vous ; vous en jugerez par la vraisemblance, et par le pouvoir que la qualité de Prince me peut donner. Je veux seulement vous apprendre que d'une seule vue, vous avez fait en moi ce que de longs attachements n'avaient pu faire : je n'ai jamais voulu m'engager, et je ne regarde présentement d'autre bonheur que celui de vous faire accepter la dignité où je me trouve. Vous êtes la seule à qui je l'aie offerte, et vous serez la seule à qui je l'offrirai. Songez plus d'une fois, madame, à me refuser ; et pensez qu'en refusant le Prince de Tarse, vous refusez la seule chose qui vous peut retirer de cette captivité éternelle, où vous êtes destinée."

Elsibery n'entendit plus tout ce que lui dit celui qu'elle croyait le Prince. Sitôt qu'il lui eut donné lieu de croire que son amant la sacrifiait à son ambition ; et sans répondre à ce qu'il lui venait de dire. "Je ne sais, seigneur, lui dit-elle, par quelle aventure vous vous trouvez ici ; mais de quelque manière que ce puisse être, je ne dois pas avoir de plus longue conversation avec vous ; et je vous supplie de trouver bon que je me retire." En disant ces paroles, elle quitta la terrasse avec Zabelec qui l'avait suivie, et s'en alla dans sa chambre avec autant d'inquiétude, qu'Alamir avait de joie et de tranquillité. Il voyait avec plaisir qu'elle méprisait les offres d'une si grande fortune, dans le même moment qu'elle avait lieu de croire qu'il l'avait trompée ; et il ne pouvait plus douter qu'elle ne fût à l'épreuve des sentiments d'ambition qu'il avait appréhendés. Le lendemain il essaya encore de lui faire donner une lettre de la part du Prince, pour voir si le dépit ne l'aurait point fait changer ; mais le vieil esclave qui la voulut donner, fut aussi maltraité qu'il l'avait été la première fois.

Elsibery avait passé la nuit avec une douleur incroyable : toutes les apparences étaient que son amant l'avait trahie ; lui seul pouvait avoir appris leur intelligence, et le lieu où ils se parlaient : néanmoins la tendresse qu'elle avait pour lui, ne lui permettait pas de le condamner sans l'entendre. Elle le revit le jour suivant, et il sut si bien lui persuader qu'il avait été trahi par un de ses gens, et que le Calife à la prière de son fils l'avait retenu une partie de la nuit pour l'empêcher de venir sur la terrasse, qu'il se justifia entièrement auprès d'Elsibery, et lui persuada même qu'il avait un déplaisir sensible de la passion que le Prince avait pour elle. La belle esclave n'était pas si aisée à persuader qu'Elsibery, et son expérience de la tromperie des hommes ne lui permettait pas d'ajouter foi aux paroles du faux Sélémin. Elle tâcha en vain de faire voir à Elsibery qu'il la trompait ; mais peu de temps après le hasard lui donna lieu de l'en convaincre.

Le véritable Sélémin n'était pas si occupé des galanteries du Prince, qu'il n'en eût pour lui-même. La personne qu'il aimait alors avait pour confidente une jeune esclave, qui était touchée d'une passion violente pour Zabelec, qu'elle prenait pour un homme. Elle lui conta l'amour de Sélémin et de sa maîtresse, et la manière dont ils se voyaient. Zabelec qui ne connaissait Alamir que sous le nom de Sélémin, se fit instruire par cette esclave de tout ce qui pouvait faire voir à Elsibery l'infidélité de son amant, et alla le lui apprendre à l'heure même. On ne peut être plus sensiblement affligé, que le fut cette belle personne ; mais elle s'abandonna à son affliction, sans s'emporter contre celui qui la causait. Zabelec fit tous ses efforts, pour lui persuader de cesser entièrement de voir Alamir, et de n'écouter plus des justifications qui ne pouvaient être que de nouvelles tromperies. Elsibery eût bien voulu suivre ses conseils, mais elle n'en avait pas la force.

Alamir vint le soir même sur la terrasse, et il fut bien étonné lorsque Elsibery commença leur conversation par un torrent de larmes, et ensuite par des reproches si tendres, que ceux même qui ne l'auraient pas aimée en auraient été touchés. Il ne pouvait comprendre de quoi on pouvait l'accuser, ni par quel bizarre effet du hasard n'ayant jamais été fidèle que pour Elsibery, elle fût quasi la seule qui l'eût accusé d'infidélité. Il se défendit avec toute la force que donne la vérité ; mais malgré la disposition qu'avait Elsibery à le croire innocent, elle ne pouvait ajouter de foi à ses paroles. Il la pressa de lui nommer celle qu'elle l'accusait d'aimer ; elle le fit, et lui conta toutes les circonstances de leur commerce. Alamir fut bien surpris, lorsqu'il vit que c'était le nom de Sélémin qui le faisait paraître coupable ; et il fut bien embarrassé sur la manière dont il devait se justifier. Il ne put se déterminer sur l'heure ; et il se contenta de faire de nouveaux serments de son innocence sans entrer dans d'autres justifications. Son embarras, et des paroles si générales, ne laissèrent plus douter Elsibery de son infidélité.

Cependant ce Prince vint conter son malheur à Sélémin, et chercher avec lui les moyens de faire paraître son innocence. "Je romprais pour l'amour de vous, lui dit Sélémin, avec la personne que j'aime, si vous en pouviez tirer quelque avantage ; mais quand je cesserais de la voir, Elsibery croirait toujours qu'au moins il y a eu un temps où vous lui avez été infidèle, et ainsi elle ne pourrait plus avoir de confiance en vos paroles : si vous voulez la guérir entièrement de ses soupçons, je crois que vous lui devez avouer qui vous êtes, et qui je suis. Elle vous a aimé sans que votre qualité ait contribué à sa passion ; elle m'a cru le Prince de Tarse, et m'a méprisé pour l'amour de vous ; il me semble que c'est tout ce que vous aviez à souhaiter. – Vous avez raison, mon cher Sélémin, s'écria le Prince, mais je ne saurais me résoudre à apprendre ma naissance à Elsibery ; je perdrai en la lui apprenant ce qui a fait le charme de mon amour ; je hasarderai le seul véritable plaisir que j'aie jamais eu ; et je ne sais si je ne perdrai point la passion que j'ai pour elle. – Songez aussi, seigneur, répondit Sélémin, qu'en paraissant encore sous mon nom, vous perdrez le cœur d'Elsibery, et qu'en le perdant vous perdrez en effet tous les plaisirs qu'une fausse imagination vous fait craindre de ne trouver plus."

Sélémin parla avec tant de force à Alamir, qu'enfin il le fit résoudre à déclarer la vérité à Elsibery ; il le fit dès le même soir, et jamais personne n'a passé en un moment d'un état si déplorable, à un état si heureux. Elle trouvait des marques d'une passion très sincère, et très délicate, dans tout ce qui lui avait paru des tromperies ; elle avait le plaisir d'avoir persuadé son attachement à Alamir sans le connaître pour le Prince : enfin elle était dans une joie que son cœur était à peine capable de contenir. Elle la laissa voir tout entière à Alamir ; mais cette joie lui fut suspecte : il crut que le Prince de Tarse y avait part, et qu'Elsibery était touchée du plaisir de l'avoir pour amant. Néanmoins il ne le lui témoigna pas, et continua de la voir avec soin. Zabelec était surprise de s'être trompée en se défiant de la passion des hommes ; et elle enviait le bonheur d'Elsibery d'en avoir trouvé un si fidèle. Elle n'eut pas longtemps sujet de l'envier : il était impossible que des choses aussi extraordinaires, que celles qu'Alamir avait faites pour Elsibery, n'apportassent une nouvelle vivacité à la passion qu'elle avait pour lui ; ce Prince s'en aperçut ; ce redoublement d'amour lui parut une infidélité, et lui causa le même chagrin que la diminution lui en aurait dû causer. Enfin il se persuada si bien que le Prince de Tarse était plus aimé qu'Alamir ne l'avait été sous le nom de Sélémin, que sa passion commença à diminuer, sans qu'il prît même de nouvel attachement. Il en avait déjà eu de

tant de sortes ; et celui qu'il venait d'avoir avait eu
d'abord quelque chose de si piquant, qu'il se trouva
insensible à tous les autres. Elsibery vit finir insensiblement l'amour et les soins qu'il avait pour elle ; et
quoiqu'elle tâchât de se tromper elle-même, elle ne
put douter de son malheur, lorsqu'elle apprit que le
Prince s'en allait voyager par toute la Grèce ; et elle
l'apprit avant qu'il lui en eût parlé. L'ennui qu'il trouvait à Tarse lui avait inspiré ce dessein, et il l'exécuta
sans que les prières et les larmes d'Elsibery le pussent
retenir.

La belle esclave trouva alors que sa destinée n'était
pas plus malheureuse que celle d'Elsibery ; et Elsibery
chercha toute sa consolation à se plaindre avec elle :
son mari fut tué, elle le sut, et en eut une vive douleur
malgré l'horrible infidélité qu'il lui avait faite. Comme
sa mort faisait cesser les raisons qu'elle avait eues de se
cacher, elle pria le père d'Elsibery de lui donner la
liberté qu'il lui avait offerte tant de fois : il la lui
accorda, et elle se résolut de s'en retourner passer le
reste de sa vie dans son pays, éloignée du commerce
de tous les hommes. Elle avait parlé plusieurs fois à
Elsibery de la religion chrétienne ; et cette belle personne touchée de ce qu'elle lui en avait dit, et de
l'inconstance d'Alamir dont elle n'espérait point de se
consoler, se résolut de se faire chrétienne, de suivre
Zabelec, et d'aller vivre avec elle dans un profond
oubli de tous les attachements de la terre. Elle partit
sans en avertir ses parents, que par une lettre qu'elle
leur laissa.

Alamir avait déjà commencé ses voyages, et ce ne
fut que par une lettre de Sélémin qu'il apprit ce que je
viens de vous dire d'Elsibery. En quelque lieu qu'elle
soit, peut-être trouverait-elle de la consolation si elle
avait pu apprendre combien elle fut vengée de l'infidélité d'Alamir, par la passion violente que lui donna la
beauté de Zayde.

Il arriva en Chypre, et aima cette Princesse, comme
je vous l'ai dit, après avoir balancé quelque temps
entre elle et moi ; mais il l'aima avec une passion si dif-

férente de toutes celles qu'il avait eues, qu'il ne se reconnaissait pas lui-même. Il avait toujours déclaré son amour aussitôt qu'il l'avait senti ; il n'avait jamais appréhendé d'offenser celles à qui il le déclarait, et à peine osait-il le laisser deviner à Zayde. Il fut surpris de ce changement ; mais lorsque forcé par sa passion il l'eut déclarée à Zayde, et qu'il trouva que l'indifférence qu'elle avait pour lui, ne faisait qu'augmenter l'amour qu'il avait pour elle ; quand il vit qu'il était désespéré du traitement qu'il en recevait sans cesser d'en être amoureux, et sans croire qu'il pût cesser de l'être, il sentit une douleur qui ne se peut représenter.

"Quoi, disait-il à Mulziman, l'amour n'a jamais eu de pouvoir sur moi, qu'autant que j'ai voulu lui en donner ; quand il m'aurait surmonté entièrement, il ne m'aurait donné que de la joie dans tous les lieux où j'ai aimé ; et il faut que par la seule personne du monde en qui j'aie trouvé de la résistance, il me domine avec un empire si absolu qu'il ne me reste aucun pouvoir de me dégager. Je n'ai pu aimer toutes celles qui m'ont aimé ; Zayde me méprise, et je l'adore. Est-ce son admirable beauté qui produit un effet si extraordinaire ? Ou serait-il possible que le seul moyen de m'attacher fût de ne m'aimer pas ? Ah ! Zayde, ne me mettrez-vous jamais en état de connaître, que ce ne sont pas vos rigueurs qui m'attachent à vous ?"

Mulziman ne savait que lui répondre, tant il était surpris de l'état où il le voyait. Il tâchait néanmoins de le consoler, et d'adoucir ses inquiétudes. Depuis que le père de Zayde était arrivé, et qu'elle s'était si fortement déclarée sur la résolution de ne vouloir pas épouser ce Prince, son désespoir était encore augmenté, et le portait à chercher la mort avec joie. »

« Voilà à peu près ce que j'appris de Mulziman, continua Félime, peut-être ne vous l'ai-je raconté qu'avec trop de soin ; mais pardonnez aux charmes que trouvent celles qui ont de la passion à parler des personnes qu'elles aiment, quoique ce soit même sur des sujets désagréables. » Don Olmond témoigna à cette Princesse, que bien loin qu'elle lui dût faire des excuses de la longueur de son récit, il lui devait des remerciements de l'avoir instruit des aventures d'Alamir. Il la conjura d'achever ce qu'elle avait commencé à lui dire, et elle reprit ainsi son discours.

« Vous pouvez juger que ce que je sus des aventures et de l'humeur d'Alamir, ne me donna pas d'espérance, puisque j'appris que le seul moyen d'être aimée de lui, était de ne l'aimer pas. Cependant je ne l'en aimai pas moins : les dangers où il s'exposait tous les jours, me donnaient des inquiétudes mortelles : je croyais que tous les coups devaient tomber sur sa tête, et qu'il n'y avait de péril que pour lui. J'étais si accablée, qu'il me semblait que mes maux ne pouvaient plus augmenter ; mais la fortune m'exposa à une sorte de douleur plus cruelle que tout ce que j'avais encore senti.

Quelques jours après que Mulziman m'eut raconté les aventures d'Alamir, j'en parlais avec Zayde, et je faisais de si tristes réflexions sur la cruauté de ma destinée, que mon visage était tout baigné de mes larmes. Une des femmes de Zayde passa dans le lieu où nous étions, et laissa la porte ouverte sans que je m'en aperçusse. "Il faut avouer que je suis bien malheureuse, disais-je à Zayde, de m'être attachée à un homme si indigne en toutes façons des sentiments que j'ai pour lui." Comme j'achevais ces paroles, j'entendis quelqu'un dans la chambre ; je crus que c'était cette même femme qui venait de passer ; mais à quel point fus-je surprise et troublée, quand je vis que c'était Alamir, et qu'il était si proche de moi que je ne pus douter qu'il n'eût entendu mes dernières paroles. Mon trouble, et les larmes qui coulaient sur mon visage, m'ôtaient tous les moyens de lui cacher que ce que je venais de dire ne fût véritable. Les forces me manquèrent ; je perdis la parole ; je souhaitai la mort ; enfin je me sentis dans le plus violent état où une personne se soit jamais trouvée. Pour achever la cruauté de mon aventure, la Princesse Alasinthe arriva suivie de plusieurs

Dames qui se mirent à parler avec Zayde, en sorte que je demeurai seule avec Alamir.

Ce Prince me regarda avec un air qui témoignait de la crainte d'augmenter encore l'embarras où il me voyait. "J'ai bien du déplaisir, madame, me dit-il, d'être arrivé dans un temps où apparemment vous ne vouliez être entendue que de Zayde. Mais, madame, puisque le hasard en a disposé autrement, trouvez bon que je vous demande s'il est possible, qu'un homme qui a été assez heureux pour ne vous pas déplaire, puisse vous obliger à dire qu'il est indigne en toutes façons de l'attachement que vous avez pour lui. Je sais bien qu'il n'y a point d'homme qui puisse être digne de la moindre de vos bontés ; mais y en a-t-il quelqu'un qui puisse vous donner lieu de vous plaindre de ses sentiments ? Ne soyez point fâchée, madame, que j'aie quelque part à votre confiance ; vous ne m'en trouverez pas indigne ; et avec quelque soin que vous m'ayez caché ce que je viens d'apprendre, j'aurai néanmoins une extrême reconnaissance d'une chose que je ne devrai qu'au hasard."

Alamir eût encore parlé longtemps s'il eût attendu que j'eusse eu la force de l'interrompre : j'étais si hors de moi-même, et si combattue de la crainte de lui faire connaître qu'il était celui dont je me plaignais, et de la douleur de le voir persuadé que j'en aimais un autre, qu'il m'était impossible de lui répondre. Vous croirez peut-être que lui ayant caché avec tant de soin la passion que j'avais pour lui, et le voyant si attaché à Zayde, il me devait être indifférent, qu'il s'imaginât que quelque autre eût pu me plaire : mais l'amour se fait déjà une si grande violence de se cacher à la personne qui l'a fait naître, qu'il ne se peut faire encore la cruelle douleur de lui laisser croire, qu'il ait été allumé par un autre. Alamir attribuait tout mon embarras au chagrin de le voir persuadé que j'avais quelque attachement. "Je vois bien, madame, reprit-il, que vous souffrez avec peine, que je sois votre confident ; mais il y a de l'injustice au chagrin que vous en avez. Peut-on avoir plus de respect pour vous que j'en ai, et plus

d'intérêt à vous plaire ? Vous avez un pouvoir absolu
sur cette belle Princesse de qui dépend ma destinée :
apprenez-moi, madame, qui est celui dont vous vous
plaignez ; et si j'ai autant de pouvoir sur lui que vous
en avez sur celle que j'adore, vous verrez si je ne saurai
pas lui faire connaître son bonheur, et le rendre digne
de vos bontés."

Les paroles d'Alamir augmentaient mon trouble et
mon agitation : il me pressa encore de lui dire de qui
je me plaignais ; mais que toutes les raisons qui lui
donnaient envie de le savoir, me le faisaient paraître
indigne de l'apprendre ! Enfin Zayde qui jugea de
l'embarras où j'étais, vint nous interrompre, sans qu'il
eût été en mon pouvoir de dire une seule parole à
Alamir. Je m'en allai sans jeter les yeux sur lui ; mon
corps ne put soutenir l'agitation de mon esprit ; je
tombai malade dès la même nuit ; et ma maladie fut
très longue.

Dans le nombre de gens de qualité qui demeuraient
dans l'île de Chypre, il était difficile que quelqu'un ne
se fût attaché à moi, et ne prît intérêt à la conservation
de ma vie : j'apprenais les soins qu'ils avaient de savoir
de mes nouvelles ; je considérais le peu d'effet que
leur amour avait produit et quand je pensais que si
Alamir avait connu mon attachement, il n'aurait pas
fait plus d'impression sur lui, qu'en faisait sur moi la
passion de ceux qui m'aimaient, je me trouvais heureuse d'être assurée qu'il ignorait mes sentiments :
mais il faut pourtant avouer que c'était un bonheur
qui n'était goûté que de ma raison, et à quoi mon cœur
ne prenait aucune part. Quand je commençai à me
porter assez bien pour être vue, je retardai autant que
je pus les occasions de voir Alamir ; et lorsque je le
revis, je remarquai qu'il m'observait avec beaucoup de
soin, afin d'apprendre par mes actions qui était celui
dont je me plaignais. Plus je voyais qu'il m'observait,
plus je maltraitais ceux qui s'étaient attachés à moi.
Quoiqu'il y en eût plusieurs dont le mérite et la qualité
ne me dussent point faire de honte, il n'y en avait
aucun dont je ne trouvasse ma gloire blessée : je ne

pouvais supporter qu'il crût que j'aimais sans être aimée ; et il me semblait que je lui en paraissais moins digne de lui.

Les troupes de l'Empereur pressèrent si fort Famagouste, que tous les Arabes jugèrent qu'il fallait l'abandonner. Zuléma et Osmin résolurent de nous faire embarquer avec les Princesses Alasinthe et Bélénie : Alamir prit aussi la résolution de quitter Chypre, et pour suivre Zayde, et pour sortir d'un lieu où sa valeur ne pouvait plus être utile. Il avait conservé une extrême curiosité de savoir qui était celui dont il m'avait ouï parler ; et lorsque nous fûmes prêts à partir, et qu'il vit que ma tristesse n'augmentait point : "Quoique vous abandonniez Chypre, me dit-il, sans qu'il paraisse en vous de nouvelles marques d'affliction, il n'est pas impossible, madame, que vous ne sentiez ce départ ; faites-moi la grâce de m'apprendre qui est celui à qui vous prenez intérêt. Il n'y a point d'homme de tous ceux qui sont ici, que je n'engage aisément à faire le voyage d'Afrique ; et vous aurez le plaisir de le voir sans qu'il sache même que vous l'avez désiré. – Je n'ai point voulu m'opiniâtrer, lui répondis-je, à vous ôter une opinion que vous avez prise sur des apparences assez vraisemblables ; mais je vous assure néanmoins, que ces apparences sont trompeuses. Je ne laisse personne à Famagouste à qui je prenne intérêt ; et ce n'est point par aucun changement qui soit arrivé dans mon cœur. – Je vous entends, madame, repartit Alamir, celui qui a été assez heureux pour vous plaire n'est point ici : je le cherchais inutilement parmi ceux qui vous adorent ; et il était sans doute parti de Chypre devant que j'eusse l'honneur de vous voir. – Ce n'est ni devant que vous m'eussiez vue, ni depuis que vous êtes ici, lui répliquai-je assez brusquement, que quelqu'un a été assez heureux pour me plaire ; et je vous supplie de ne me parler plus d'une chose qui m'offense."

Alamir voyant bien que je lui avais répondu avec colère, ne m'en dit pas davantage, et m'assura qu'il ne m'en parlerait jamais. Je fus bien aise d'avoir fini des conversations où j'étais toujours en hasard de laisser voir ce que je souhaitais si ardemment de cacher. Enfin nous nous embarquâmes, et notre navigation fut d'abord si heureuse, que nous ne devions pas croire qu'elle finît par un naufrage aussi malheureux que celui que nous fîmes aux côtes d'Espagne, comme je vous le dirai bientôt. »

Félime allait continuer son récit, lorsqu'on la vint avertir que sa mère se trouvait plus mal que de coutume : « Quoique j'eusse encore beaucoup de choses à vous apprendre, dit-elle à Don Olmond en le quittant, je vous en ai assez appris pour vous faire juger que ma vie est attachée à celle d'Alamir, et pour vous engager à me tenir la parole que vous m'avez donnée. – Je vous la tiendrai exactement, madame, lui répondit-il ; mais je vous supplie de vous souvenir aussi que vous devez m'instruire du reste de vos aventures. »

Le lendemain il alla trouver le Roi : sitôt que ce Prince le vit, il voulut satisfaire l'impatience et l'inquiétude qui paraissaient sur le visage de Consalve ; et les amenant tous deux dans son cabinet, il ordonna à Don Olmond de lui dire s'il avait vu Félime, et si elle lui avait appris quel intérêt elle prenait à la conservation d'Alamir. Don Olmond sans faire paraître qu'il pénétrât dans les raisons qui donnaient au Roi tant de curiosité pour les aventures de ce Prince, fit un récit exact de tout ce qu'il avait su par Félime de sa passion pour Alamir, de celle d'Alamir pour Zayde, et de tout ce qui leur était arrivé jusques à leur départ de Chypre. Lorsqu'il eut achevé, il jugea bien que la conversation n'était pas aussi libre entre le Roi et Consalve, que s'il n'eût pas été présent ; et pour les laisser en liberté, il feignit d'être obligé de s'en retourner à Oropèze.

Sitôt qu'il fut parti, le Roi regardant son favori avec un air qui témoignait les sentiments qu'il avait pour lui : « Croyez-vous encore, lui dit-il, qu'Alamir soit aimé de Zayde ? Croyez-vous que ce soit elle qui ait fait écrire Félime, et ne voyez-vous pas combien vos craintes ont été mal fondées ? – Non, seigneur, reprit tristement Consalve, tout ce que Don Olmond vient de raconter, ne me persuade pas encore que je n'aie point de sujet de craindre. Zayde n'a peut-être pas d'abord aimé Alamir, ou elle l'a caché à Félime voyant l'amour qu'elle avait pour ce Prince ; mais qui pleurait Zayde lorsqu'elle fit naufrage aux côtes d'Espagne, si ce n'était Alamir qu'elle croyait mort ? À qui puis-je ressembler, si ce n'est à ce Prince ? Félime n'a parlé que de lui dans son récit ; Zayde l'a trompée, seigneur, ou Zayde ne lui a avoué les sentiments qu'elle avait pour lui que depuis qu'elle a été chez Alphonse : tout ce que j'ai appris ne détruit point les opinions que j'ai eues ; et je crains bien que ce qui me reste encore à apprendre, ne les confirme plutôt que de les détruire. »

Il était si tard lorsque Consalve quitta le Roi, qu'il ne devait penser qu'à chercher du repos, mais son inquiétude ne lui permettait pas d'en trouver ; le récit de Félime augmentait sa curiosité, et le laissait encore dans cette cruelle incertitude où il était depuis si longtemps. Sur le matin un officier de l'armée qui revenait d'Oropèze, lui apporta un billet de Don Olmond ; il l'ouvrit, et y trouva ces mots.

LETTRE DE DON OLMOND À CONSALVE

Félime m'a tenu sa parole, et m'a conté le reste de ses aventures. Le seul amour qu'elle a pour Alamir, a causé les soins qu'elle a eus de sa vie : Zayde n'y prend point d'intérêt, et si quelqu'un en prenait à Zayde, ce n'est pas d'Alamir qu'il devrait être jaloux.

Ce billet jeta Consalve dans un nouvel embarras, et lui fit penser qu'il s'était trompé seulement, lorsqu'il avait cru qu'Alamir était aimé ; mais qu'il ne s'était pas trompé, lorsqu'il avait cru que Zayde avait quelque passion. La lettre qu'il lui avait vu écrire chez Alphonse, ce qu'il lui avait ouï dire à Tortose d'une première inclination, et le billet qu'il venait de recevoir de Don Olmond, ne lui permettaient pas d'en douter.

Il lui parut qu'il devait être également malheureux, puisque le cœur de Zayde avait été touché. Néanmoins par un sentiment dont il ne pouvait démêler la cause, il sentit quelque soulagement, en apprenant, que ce n'était pas par le Prince de Tarse.

Cependant les Maures firent des propositions pour la paix, et elles étaient si avantageuses qu'il semblait difficile de les refuser. On nomma des députés de part et d'autre pour en régler les articles, et on accorda une nouvelle trêve. Consalve avait part à tous les conseils ; mais quelque occupé qu'il pût être par l'importance des affaires dont le Roi lui laissait le soin, il l'était encore davantage par l'impatience de savoir qui était ce rival dont il n'avait jamais ouï parler. Il attendait Don Olmond avec une inquiétude qui ne lui laissait point de repos ; et enfin il supplia le Roi de le faire venir au camp, ou de permettre qu'il l'allât trouver à Oropèze. Don Garcie qui avait de la curiosité pour la suite des aventure de Zayde, voulut être présent au récit qu'en ferait Don Olmond : et il lui envoya commander de venir à l'heure même. Lorsque Consalve le vit arriver, et qu'il le regarda comme un homme qui allait lui apprendre les véritables sentiments de Zayde, il fut quasi prêt à l'empêcher de parler, tant il craignait la certitude de son malheur, bien qu'il souhaitât d'en être éclairci. Don Olmond avec la même discrétion qu'il avait déjà eue, et sans faire voir à Consalve qu'il remarquait son embarras, raconta ainsi ce qu'il avait appris de Félime dans leur dernière conversation, après que le Roi lui en eut fait le commandement.

SUITE DE L'HISTOIRE DE FÉLIME
ET DE ZAYDE

« Le[s] Prince[s] Zuléma et Osmin, avaient quitté Chypre dans le dessein de s'en aller en Afrique, et de débarquer à Tunis : Alamir les avait suivis, et leur navigation avait été assez heureuse, lorsqu'un vent impétueux les repoussa vers Alexandrie. Comme Zuléma s'en vit proche, il voulut y aborder pour voir Albumazar ce grand astrologue si célèbre dans toute l'Afrique, qu'il connaissait depuis longtemps. Les Princesses qui n'étaient pas accoutumées à la fatigue de la mer, furent bien aises de descendre à terre, et de se reposer. Le vent demeura si contraire, qu'ils ne purent sitôt se remettre à la voile.

Un jour que Zuléma montrait à Albumazar plusieurs choses rares qu'il avait rapportées de ses voyages, Zayde vit dans une cassette le portrait d'un jeune homme d'une beauté extraordinaire, et d'une physionomie très agréable. L'habillement qui était pareil à celui des Princes arabes, lui fit imaginer que ce portrait était celui d'un des fils du Calife. Elle demanda à son père, si elle ne se trompait pas. Il lui répondit qu'il ne savait point pour qui ce portrait avait été fait ; qu'il l'avait acheté de quelques soldats ; et qu'il le conservait pour sa beauté. Zayde parut surprise de l'agrément de cette peinture : Albumazar remarqua l'attention qu'elle avait à la regarder ; il lui en fit la guerre [1], et lui dit qu'il voyait bien qu'un homme qui ressemblerait à ce portrait, pourrait espérer de lui plaire. Comme les Grecs ont une grande opinion de l'astrologie [2], et que les jeunes personnes ont une grande curiosité de l'avenir, Zayde pria plusieurs fois ce fameux astrologue de lui dire quelque chose de sa destinée : mais il s'en défendait toujours ; il passait avec Zuléma le peu de temps qu'il dérobait à l'étude, et semblait éviter de faire paraître

---

1. « *Guerre* se dit figurément en choses spirituelles et morales. [...] On dit aussi *faire la guerre à quelqu'un*, pour dire, lui reprocher par raillerie quelque petit défaut, ou lui témoigner qu'on sait quelque secret de lui qu'il veut tenir caché » (*Académie*).

2. L'astrologie est encore très en vogue à la cour de France à l'époque de Mme de Lafayette. Celle-ci en fait d'ailleurs mention dans *La Princesse de Clèves*, où la reine Catherine de Médicis affirme croire aux horoscopes et prédictions, et où le roi Henri II rapporte qu'un astrologue lui a prédit qu'il serait tué en duel.

son savoir extraordinaire. Enfin un jour qu'elle le
trouva dans la chambre de son père, elle le pressa plus
fortement qu'elle n'avait encore fait, de consulter les
astres sur sa Fortune. "Il n'est pas nécessaire que je les
consulte, lui dit-il en souriant, pour vous assurer,
madame, que vous êtes destinée à celui dont Zuléma
vous a fait voir le portrait. Peu de Princes dans
l'Afrique peuvent s'égaler à lui ; vous serez heureuse si
vous l'épousez ; prenez garde de laisser engager votre
cœur à quelque autre." Zayde ne reçut les paroles
d'Albumazar, que comme un reproche de l'attention
qu'elle avait eue à regarder ce portrait ; mais Zuléma
lui dit avec toute l'autorité d'un père, qu'elle ne devait
point douter de la vérité de cette prédiction ; qu'il n'en
doutait pas lui-même, et que de son consentement elle
n'épouserait jamais que celui pour qui cette peinture
avait été faite.

Zayde et Félime avaient peine à croire que Zuléma
parlât selon ses véritables sentiments ; mais elles n'en
doutèrent pas, lorsqu'il dit à la Princesse sa fille qu'il
ne pensait plus à lui faire épouser le Prince de Tarse.
Félime ne sentit pas une médiocre joie, de savoir que
Zayde n'était pas destinée pour Alamir ; elle s'imagina
un plaisir sensible à l'apprendre à ce Prince, et elle se
flatta de l'espérance qu'il reviendrait à elle, s'il n'espérait plus que Zayde pût être à lui. Elle pria cette belle
personne de lui permettre de dire à Alamir la prédiction d'Albumazar, et les sentiments de Zuléma. Cette
permission n'était pas difficile à obtenir ; Zayde con-
sentait sans peine à tout ce qui pouvait guérir le Prince
de Tarse de la passion qu'il avait pour elle.

Félime chercha les occasions de parler à ce Prince,
et sans faire paraître de joie de ce qu'elle avait à lui
dire, elle lui conseilla de se détacher de Zayde, puisqu'elle était destinée pour un autre, et que Zuléma ne
lui était plus favorable. Elle lui apprit ensuite ce qui
avait fait changer les sentiments de ce Prince, et lui
montra ce portrait, qui devait décider de la fortune de
Zayde. Alamir parut accablé des paroles de Félime, et
surpris de la beauté du portrait qu'on lui faisait voir, il

demeura longtemps sans parler ; enfin levant les yeux avec un air, où sa douleur était peinte. "Je le crois, madame, lui dit-il, celui que je vois est destiné pour Zayde : il est digne d'elle par sa beauté ; mais il ne la possédera jamais, et je lui ôterai la vie avant qu'il puisse prétendre à m'enlever Zayde. – Mais si vous entreprenez, lui répondit Félime, d'attaquer tous les hommes qui pourraient ressembler à ce portrait, vous en attaqueriez peut-être un grand nombre sans trouver celui pour qui il a été fait. – Je ne suis pas assez heureux, repartit Alamir, pour être au hasard de me méprendre : il y a une beauté si grande et si particulière dans ce portrait, que peu de gens lui peuvent ressembler : mais, madame, ajouta-t-il, cette physionomie agréable peut cacher un esprit si fâcheux, et des mœurs si opposées à celles qui doivent plaire à Zayde, que quelque beauté qu'ait ce prétendu rival, peut-être ne sera-t-il pas aimé d'elle ; et quelque favorables que lui puissent être, et la Fortune, et Zuléma, s'il ne touche point l'inclination de Zayde, je ne me trouverai pas entièrement malheureux. Je serai moins désespéré de la voir possédée par un homme qu'elle n'aimera pas, que de lui en voir aimer un autre, à qui elle ne pourrait jamais être. Cependant, madame, continua-t-il, quoique ce portrait ait fait une impression dans mon esprit qui se peut difficilement effacer, je vous conjure de me le laisser quelque temps, afin que je le considère avec loisir, et que l'idée s'en imprime plus fortement dans ma mémoire."

Félime était si troublée de voir que ce qu'elle venait de dire, n'avait pu diminuer les espérances d'Alamir, qu'elle lui laissa emporter ce portrait ; et ce Prince le lui rendit quelques jours après, malgré l'envie qu'il eût eue de l'ôter pour jamais des yeux de Zayde.

Après quelque séjour dans Alexandrie, le vent leur permit d'en partir. Alamir reçut des nouvelles de son père, qui l'obligèrent de quitter Zayde pour retourner à Tarse ; mais comme il ne s'y croyait nécessaire que pour peu de jours, il dit à Zuléma qu'il serait quasi dans le même temps que lui à Tunis. Félime fut aussi

affligée de leur séparation que si elle eût été aimée de
lui. Elle était accoutumée à toutes les douleurs que
l'amour peut donner, mais elle n'avait point eu celle
de l'absence ; et elle la sentit si vivement, qu'elle
connut bien que le seul plaisir de voir celui qu'elle
aimait, lui avait donné la force de supporter le malheur de n'en être pas aimée.

Alamir s'en alla à Tarse, et Zuléma et Osmin sur de
différents vaisseaux, prirent la route de Tunis. Zayde
et Félime ne voulurent pas se quitter, et demeurèrent
ensemble dans le vaisseau de Zuléma. Après quelques
jours de navigation, il survint une tempête épouvantable ; tous les vaisseaux furent séparés, celui où était
Zayde perdit son grand mât, et Zuléma jugea qu'il n'y
avait plus d'espérance. Comme il connut qu'ils étaient
assez proche de terre, il se résolut de se jeter dans la
chaloupe. Il y fit descendre sa femme, sa fille, et Félime,
et prit avec lui ce qu'il avait de plus précieux ; mais
comme il y voulait entrer aussi, un coup de vent rompit
la corde qui la tenait attachée au vaisseau, et la chaloupe
vint se briser contre le rivage. Zayde fut jetée sur la côte
de Catalogne à demi morte, et Félime qui s'était soutenue sur une planche, fut poussée sur la même côte,
après avoir vu périr la Princesse Alasinthe. Lorsque
Zayde revint de l'état où elle était, elle fut bien étonnée
de se voir parmi des personnes qu'elle ne connaissait
point, et dont elle n'entendait pas la langue.

Deux Espagnols qui demeuraient sur le bord de la
mer, l'avaient trouvée évanouie, et l'avaient fait porter
chez eux. Des pêcheurs y amenèrent Félime : Zayde
eut beaucoup de joie de la revoir ; mais elle fut très
affligée d'apprendre par elle la mort de la Princesse sa
mère. Après avoir donné beaucoup de larmes à cette
perte, elle pensa à sortir du lieu où elle était, et fit
entendre qu'elle désirait d'aller à Tunis, où elle espérait de trouver Osmin et Bélénie.

En regardant le plus jeune de ces Espagnols, qui
s'appelait Théodoric, elle s'aperçut qu'il ressemblait à
ce portrait qu'elle avait trouvé si agréable : cette ressemblance la surprit, et le lui fit regarder avec plus

d'attention. Elle alla chercher le long du rivage pour voir si elle ne trouverait point une cassette où était ce portrait, et qu'elle croyait avoir vu mettre dans la chaloupe lorsqu'elles avaient fait naufrage. Sa peine fut inutile, elle sentit un chagrin extraordinaire de ne pouvoir trouver ce qu'elle cherchait. Il lui parut pendant quelques jours que Théodoric avait de la passion pour elle ; quoiqu'elle n'en pût juger par ses paroles, il y avait un air dans ses actions qui le lui faisait soupçonner ; et ces soupçons ne lui étaient pas désagréables.

Quelque temps après, elle crut s'être trompée, elle le vit triste, sans qu'elle lui donnât sujet de l'être ; elle vit qu'il la quittait souvent pour aller rêver ; enfin elle s'imagina qu'il avait quelque autre passion qui le rendait malheureux. Cette pensée lui donna un trouble et un chagrin qui la surprirent, et qui la rendirent aussi mélancolique que Théodoric le lui paraissait. Quoique Félime fût assez occupée de ses propres pensées, elle connaissait trop bien l'amour pour ne se pas apercevoir de celui que Théodoric avait pour Zayde, et de l'inclination que Zayde avait pour Théodoric. Elle lui en parla plusieurs fois ; et quelque répugnance qu'eût cette belle Princesse à se l'avouer à elle-même, elle ne put s'empêcher de l'avouer à Félime.

"Il est vrai, lui dit-elle, j'ai des sentiments pour Théodoric, dont je ne suis pas la maîtresse ; mais Félime n'est-ce point de lui dont Albumazar m'a voulu parler ? Et ce portrait que nous avons vu, ne serait-il point fait pour lui ? – Il n'y pas d'apparence, répondit Félime ; la fortune et la patrie de Théodoric n'ont rien qui se puisse rapporter aux paroles d'Albumazar. Considérez, madame, que n'ayant jamais cru à cette prédiction, vous commencez à y croire par vous imaginer que Théodoric peut être celui qui vous est destiné, et jugez par là quels sont les sentiments que vous avez pour lui. – Jusques ici, répliqua Zayde, je n'avais point pris les paroles d'Albumazar pour une véritable prédiction ; mais je vous avoue que depuis que j'ai vu Théodoric, elles ont commencé à me faire

de l'impression dans l'esprit. Il m'a paru extraordinaire d'avoir trouvé un homme qui ressemble à ce
portrait, et d'avoir senti de l'inclination pour lui. Je
suis surprise quand je pense qu'Albumazar m'a
défendu de laisser engager mon cœur ; il me semble
qu'il prévoyait les sentiments que j'ai pour Théodoric ;
et sa personne me plaît d'une telle sorte, que si je suis
destinée à un homme qui lui ressemble, ce qui devrait
faire mon bonheur va faire le malheur de ma vie. Mon
inclination se trompe à cette ressemblance : elle me
porte à celui à qui je ne dois pas être, et me prévient
peut-être d'une telle sorte, que je ne pourrai plus
aimer celui qu'il faudra que j'aime. Il n'y a point de
remède, continua-t-elle, pour éviter tous ces malheurs, que d'abandonner un lieu où je cours tant de
périls, et où même la bienséance ne nous permet pas
de demeurer. – Il ne dépend pas de nous d'en sortir,
reprit Félime ; nous sommes dans un pays qui nous
est inconnu, et où notre langue n'est pas seulement
entendue. Il faut que nous attendions les vaisseaux ;
mais souvenez-vous que quelque soin que vous
apportiez à quitter Théodoric, vous n'effacerez pas
aisément l'impression qu'il a faite en votre cœur. Je
vois en vous les mêmes choses que j'ai senties, lorsque
j'ai commencé à aimer Alamir, et plût au Ciel que
j'eusse vu en lui les mêmes choses que vous voyez en
Théodoric. – Vous vous trompez, dit Zayde, lorsque
vous croyez qu'il a de l'inclination pour moi ; il en a
sans doute pour quelque autre, et la tristesse que je lui
vois vient d'une passion dont je ne suis pas la cause.
J'ai au moins la consolation dans mon malheur, que
l'impossibilité de lui parler m'empêche d'avoir la faiblesse de lui dire que je l'aime."

Peu de jours après cette conversation, Zayde vit de
loin Théodoric qui regardait avec attention quelque
chose qu'il tenait entre ses mains. La jalousie lui fit
imaginer que c'était un portrait : elle résolut de s'en
éclaircir, et s'approcha de lui le plus doucement qu'il
lui fut possible. Ce ne put être avec si peu de bruit
qu'il ne l'entendît ; il se tourna, et cacha ce qu'il tenait

en sorte qu'elle vit seulement briller des pierreries. Elle ne douta plus que ce ne fût une boîte de portrait ; quoiqu'elle l'eût déjà soupçonné ; la certitude qu'elle en crut avoir lui donna tant de douleur, qu'elle ne put cacher sa tristesse, ni regarder Théodoric ; et elle demeura pénétrée de douleur de sentir une inclination si vive pour un homme qui soupirait pour un[e] autre. Le hasard voulut que Théodoric laissât tomber ce qu'il avait caché ; elle vit que c'était une attache de diamants qui tenait à un bracelet de ses cheveux, qu'elle avait perdu quelques jours auparavant. La joie qu'elle eut de s'être trompée, ne lui permit pas de témoigner de la colère ; elle prit son bracelet, et rendit les pierreries à Théodoric, qui les jeta dans la mer à l'heure même, pour lui faire entendre qu'il les méprisait lorsqu'elles étaient séparées de ses cheveux. Cette action persuada à Zayde l'amour et la magnificence de cet Espagnol, et ne fit pas un médiocre effet dans son cœur.

Ensuite il lui fit entendre par le moyen d'un tableau où il avait fait représenter une belle personne qui pleurait un homme mort, qu'il était persuadé que les rigueurs qu'elle avait pour lui, venaient de l'attachement qu'elle avait pour cet homme qu'elle regrettait. Ce fut une douleur sensible à Zayde, de voir que Théodoric croyait qu'elle en aimât un autre ; elle ne doutait quasi plus de son amour, et elle l'aimait avec une tendresse qu'elle n'essayait plus de surmonter.

Le temps qu'elle devait partir s'approchait, et ne pouvant se résoudre à le quitter qu'il ne sût au moins qu'elle l'avait aimé ; elle dit à Félime qu'elle était résolue de lui écrire tous ses sentiments, et de ne lui donner ce qu'elle aurait écrit que dans le moment qu'elle s'embarquerait. "Je ne veux lui apprendre, ajouta-t-elle, l'inclination que j'ai eue pour lui, que dans un temps où je serai assurée de ne le voir jamais. Ce me sera une consolation qu'il sache que je ne pensais qu'à lui ; lorsqu'il croyait que je n'étais occupée que du souvenir d'un autre. Je trouverai une douceur infinie à lui expliquer toutes mes actions, et à m'abandonner à lui dire combien je l'ai aimé. J'aurai cette douceur sans manquer à mon devoir : il ne sait qui je suis ; il ne me verra jamais ; et qu'importe qu'il sache qu'il a touché le cœur de cette étrangère, qu'il a sauvée du naufrage. – Vous avez oublié, lui dit Félime, que Théodoric n'entend pas votre langue, en sorte que ce que vous lui écrirez lui sera inutile. – Ah ! Madame, reprit Zayde, s'il a de la passion pour moi, il trouvera à la fin les moyens de se faire expliquer ce que je lui aurai écrit ; s'il n'en a pas, je serai consolée qu'il ignore que je l'aime : et je suis résolue de lui laisser avec ma lettre le bracelet de mes cheveux, que je lui ôtai si cruellement, et qu'il ne mérite que trop."

Zayde commença dès le lendemain à écrire ce qu'elle voulait laisser à Théodoric ; il la surprit comme elle écrivait, et elle jugea aisément que cette lettre lui donnait de la jalousie. Si elle eût suivi les mouvements de son cœur, elle lui aurait fait entendre à l'heure même qu'elle n'écrivait que pour lui ; mais sa sagesse et le peu de connaissance qu'elle avait de la qualité et de la fortune de cet inconnu, l'obligeaient à ne rien faire qu'il pût prendre pour des engagements, et à lui cacher ce qu'elle souhaitait qu'il sût lorsqu'il ne la verrait plus.

Peu de temps avant qu'elle dût partir, Théodoric la quitta, et lui fit comprendre qu'il reviendrait le lendemain : le jour suivant, elle s'alla promener avec Félime sur le bord de la mer : ce n'était pas sans impatience pour le retour de Théodoric. Cette impatience la rendait plus rêveuse qu'à l'ordinaire, en sorte que voyant aborder une chaloupe sur le rivage, au lieu d'avoir de la curiosité pour ceux qui étaient dedans, elle tourna ses pas d'un autre côté ; mais elle fut bien surprise de s'entendre appeler, et de reconnaître la voix du Prince son père. Elle courut à lui avec beaucoup de joie, et il en eut une extrême de la revoir. Après qu'elle lui eut appris comme elle était échappée du naufrage, il lui dit en peu de mots, que son vaisseau était allé échouer aux côtes de France, dont il n'avait pu partir que depuis quelques jours, et qu'il était venu à Tarragone attendre les vaisseaux qui devaient faire voile pour l'Afrique : que cependant il avait voulu parcourir la côte où Alasinthe, Félime et elle avaient fait naufrage, pour voir si par hasard quelqu'une ne se serait point sauvée. Au nom d'Alasinthe, Zayde ne put s'empêcher de pleurer ; ses larmes firent connaître à Zuléma la perte qu'il avait faite ; et après avoir employé quelque temps à la regretter, il commanda à ces jeunes Princesses de passer dans sa chaloupe pour s'en aller avec lui à Tarragone. Zayde se trouva bien embarrassée pour persuader à son père de ne l'emmener pas à l'heure même : elle lui dit les obligations qu'elle avait aux Espagnols, qui l'avaient reçue chez eux, pour le faire consentir qu'elle leur allât dire adieu : mais quelques raisons dont elle se pût servir, il ne jugea pas à propos de la remettre au pouvoir de ces Espagnols ; et il la fit embarquer malgré toute sa résistance. Elle fut si touchée de l'opinion qu'aurait Théodoric de l'ingratitude avec laquelle elle le quittait, ou pour mieux dire elle fut si touchée de le quitter sans espérance de le revoir jamais, que n'étant pas maîtresse de sa douleur, elle fut contrainte de dire qu'elle était malade. Le seul soulagement qu'elle eut dans son affliction, fut de voir que son père avait sauvé du naufrage le portrait qu'elle avait trouvé si agréable, et qui était devenu celui de son amant. Mais cette consolation ne fut pas assez forte pour lui aider à soutenir l'absence de Théodoric : elle ne put y résister, elle tomba dangereusement malade, et Zuléma fut longtemps dans la crainte de voir mourir une personne si parfaite, dans les premières années de sa jeunesse et de sa beauté. Enfin l'on cessa de craindre pour sa vie ; mais elle demeura dans une langueur qui ne permettait pas de l'exposer à la fatigue de la mer. Elle fit toute son occupation d'apprendre la langue espagnole ; et comme elle avait des truchements, et qu'elle ne voyait que des Espagnols, elle l'apprit aisément pendant l'hiver qu'elle passa en

Catalogne. Elle voulut aussi que Félime la sût, et elle trouvait quelque plaisir à ne parler que cette langue.

Cependant les grands vaisseaux étaient partis de Tarragone pour l'Afrique ; et quoique Zuléma ignorât ce qu'était devenu Osmin, lorsque la tempête les avait séparés, il lui avait écrit pour lui apprendre son naufrage, et la raison qui le retenait en Catalogne. Les vaisseaux furent revenus d'Afrique avant que Zayde eût recouvert sa santé : Osmin manda au Prince son frère qu'il était arrivé heureusement ; qu'il avait trouvé le Calife dans le dessein de les tenir toujours éloignés ; et que le Roi Abdérame lui ayant demandé des généraux, il les avait destinés pour passer en Espagne ; et qu'il lui en envoyait les ordres. Zuléma jugea aisément qu'il serait dangereux de ne pas obéir au Calife, il résolut de prendre un brigantin pour aller par mer jusques à Valence joindre le Roi de Cordoue ; et sitôt que la Princesse sa fille se porta mieux, il la fit conduire à Tortose. Il y demeura quelques jours pour lui donner encore du repos ; mais elle était bien éloignée d'en trouver. Pendant le temps de sa maladie, et depuis qu'elle commençait à se mieux porter, l'envie de faire savoir de ses nouvelles à Théodoric, et la difficulté de le pouvoir lui avaient donné et lui donnaient encore une cruelle inquiétude. Elle ne pouvait se consoler d'avoir eu sur elle le jour de son départ la lettre qu'elle lui avait écrite, et de ne l'avoir pas laissée dans un lieu où le hasard l'eût pu faire tomber entre ses mains. Enfin la veille de son départ de Tortose, elle ne put résister à l'envie de la lui envoyer ; elle la confia à un des écuyers de Zuléma, et lui fit entendre le lieu où demeurait Théodoric, en lui nommant le port qui en était proche. Elle lui défendit de dire qui l'avait chargé de cette lettre, et de prendre garde qu'on ne le suivît et qu'on ne le pût reconnaître. Quoiqu'elle n'eût pas espéré de voir Théodoric, elle sentit néanmoins un renouvellement de douleur d'abandonner le pays qu'il habitait, et elle passa une partie de la nuit dans les beaux jardins de la maison où elle était logée, à s'en plaindre avec Félime. Le lendemain comme elle était

prête de [1] s'embarquer, cet écuyer qui était parti
devant que le soleil commençât à paraître, revint lui
dire qu'il avait été au lieu qu'elle lui avait marqué ;
mais qu'il avait appris que Théodoric en était parti le
jour d'auparavant, et qu'il n'y devait plus retourner.
Zayde sentit vivement cette bizarrerie du hasard qui la
privait de la seule consolation qu'elle avait cherchée, et
qui privait son amant de la seule faveur qu'elle lui eût
jamais faite. Elle s'embarqua avec une tristesse mortelle, et arriva à Cordoue dans peu de jours. Osmin et
Bélénie l'y attendaient ; le Prince de Tarse y était
aussi ; et ayant su à Tunis qu'elle était en Espagne, il
s'était servi du prétexte de la guerre pour la venir
chercher. Félime ne sentit point en revoyant Alamir,
que l'absence l'eût guérie de la passion qu'elle avait
pour lui. Alamir ne trouva que de l'augmentation aux
rigueurs de Zayde ; et Zayde ne sentit qu'un redoublement d'aversion pour Alamir.

Le Roi de Cordoue mit entre les mains de Zuléma
le commandement général de ses troupes avec le gouvernement de Talavera, et celui d'Oropèze à Osmin.
Ces deux Princes peu de temps après eurent quelque
sujet de se plaindre d'Abdérame ; et ne voulant pas le
faire paraître, ils se retirèrent dans leurs gouverne-
ments sous prétexte d'en visiter les fortifications.
Alamir suivit Zuléma pour être auprès de Zayde ;
mais peu après la guerre l'appela auprès d'Abdérame.
Je partis dans ce même temps pour aller chercher
Consalve ; je fus pris prisonnier par les Arabes, et on
me conduisit à Talavera. Bélénie et Félime s'en allèrent
à Oropèze, et Zayde ne voulut point quitter le Prince
son père.

Après que Consalve eut pris Talavera, et pendant
qu'on proposait la dernière trêve, Alamir fit savoir à

---

1. Dans la langue classique, « près de », « prêt de », « près à » et
« prêt à » s'emploient indifféremment et signifient non seulement
« disposé à », mais également « sur le point de ». Pour le sens qui est
donné dans le texte, on attendrait, dans la langue moderne, « près
de ».

Zuléma qu'il profiterait de la liberté de cette trêve
pour l'aller voir, et qu'en y allant il passerait à Oropèze. Zayde ayant su du Prince son père ce que je
viens de vous dire, écrivit à Félime, et lui manda
qu'elle avait retrouvé Théodoric ; qu'elle ne voulait
pas qu'il pût croire que le Prince de Tarse fût celui
qu'il l'avait soupçonnée de pleurer chez Alphonse, et
qu'elle la priait de défendre de sa part à ce Prince
d'aller à Talavera.

Félime n'eut pas de peine à se résoudre à faire ce
commandement à Alamir. Le lendemain de la trêve,
Bélénie qui se trouvait mal, voulut profiter de la liberté
qu'elle avait de sortir de la ville, et s'alla promener
dans un grand bois qui n'en était pas fort éloigné.
Comme elle s'y promenait avec Osmin et Félime, ils
virent arriver le Prince de Tarse, ils en eurent beaucoup de joie : et après qu'ils eurent parlé longtemps
ensemble, Félime trouva le moyen d'entretenir Alamir
en particulier.

"Je suis bien fâchée, lui dit-elle, d'avoir à vous
apprendre une chose qui empêchera le voyage que
vous avez dessein de faire ; mais Zayde vous prie de
ne point aller à Talavera ; et elle vous en prie d'une
manière qui peut passer pour un commandement.
– Par quel excès de cruauté, madame, s'écria Alamir,
Zayde veut-elle m'ôter la seule joie que ses rigueurs
m'aient laissée, qui est celle de la voir ? – Je crois, lui
répondit Félime, qu'elle veut faire finir la passion que
vous lui témoignez. Vous connaissez sa répugnance
pour épouser un homme de votre religion : vous savez
même qu'elle a lieu de croire qu'elle ne vous est pas
destinée ; et vous savez aussi que Zuléma a changé de
sentiments. – Tous ces obstacles, repartit Alamir, ne
me feront pas changer, non plus que la continuation
des rigueurs de Zayde ; et malgré la destinée, et la
manière dont elle me traite, je n'abandonnerai jamais
l'espérance d'en être aimé." Félime plus touchée que
de coutume de voir l'opiniâtreté de la passion
d'Alamir, disputa longtemps contre lui sur les raisons
qui devaient le guérir ; mais voyant que tout ce qu'elle

lui disait était inutile, le dépit s'alluma dans son âme, et cessant pour la première fois d'être maîtresse d'elle-même : "Si les ordonnances du Ciel, et les rigueurs de Zayde, lui dit-elle, ne vous font point perdre l'espérance, je ne sais pas ce qui vous la pourrait ôter. – Ce serait, madame, répondit le Prince de Tarse, de voir qu'un autre eût touché son inclination. – N'espérez donc plus, répliqua Félime, Zayde a trouvé un homme, qui a su lui plaire, et dont elle est aimée. – Eh ! Qui est ce bienheureux, madame, s'écria Alamir ? – Un Espagnol, répondit-elle, qui ressemble au portrait que vous avez vu : ce n'est pas apparemment celui pour qui il a été fait, et celui dont Albumazar a prétendu parler ; mais comme vous ne craignez que ceux qui peuvent plaire à Zayde, et non pas ceux qui la doivent épouser, il vous suffit d'apprendre qu'elle l'aime, et que c'est la crainte de lui donner de la jalousie qui fait qu'elle ne veut pas vous voir. – Ce que vous dites ne peut être, répliqua Alamir ; le cœur de Zayde ne se touche pas si aisément. Si quelqu'un l'avait touché, vous ne me le diriez pas : Zayde vous aurait engagée au secret, et vous n'avez point de raison qui vous pût obliger à me l'apprendre. – Je n'en ai que trop, répliqua-t-elle, emportée par sa passion, et vous…" Elle allait continuer, mais tout d'un coup la raison lui revint ; elle vit avec étonnement tout ce qu'elle venait de dire ; elle en fut troublée ; elle sentit son trouble ; cette connaissance redoubla son embarras ; elle demeura quelque temps sans parler, et quasi hors d'elle-même ; enfin elle jeta les yeux sur Alamir ; et croyant voir dans les siens qu'il démêlait une partie de la vérité, elle fit un effort, et reprit un visage où il paraissait plus de tranquillité qu'il n'y en avait dans son âme. "Vous avez raison de croire, lui dit-elle, que si Zayde aimait quelque chose, je ne le vous dirais pas ; j'ai voulu seulement vous le faire craindre : il est vrai que nous avons trouvé un Espagnol qui est amoureux de Zayde, et qui ressemble au portrait que vous avez vu, mais vous m'avez fait apercevoir que j'ai peut-être fait une

faute de vous l'avoir dit ; et j'ai une inquiétude
extrême que Zayde n'en soit offensée."

Il y eut quelque chose de si naturel à ce que dit
Félime, qu'elle crut que ses paroles avaient fait une
partie de l'effet qu'elle pouvait souhaiter ; néanmoins
son embarras avait été si grand, et ce qu'elle avait dit
avait été si remarquable, que sans le trouble où elle
voyait le Prince de Tarse, elle n'eût pu se flatter de
l'espérance que ses paroles n'eussent pas découvert
ses sentiments. Osmin qui vint dans ce moment, interrompit leur conversation : Félime pressée par ses soupirs et par ses larmes qu'elle ne pouvait retenir, entra
dans le bois pour cacher sa douleur, et pour la soulager en la contant à une personne en qui elle se
confi[ait] entièrement. La Princesse sa mère la fit rappeler pour retourner à Oropèze ; elle n'osa jeter les
yeux sur Alamir, de peur d'y voir trop de douleur de ce
qu'elle lui avait dit de Zayde, ou trop d'intelligence de
ce qu'elle lui avait dit d'elle-même : elle remarqua néanmoins qu'il reprenait le chemin du camp, et elle eut
quelque joie de penser qu'il n'allait pas voir Zayde. »

Le Roi ne put s'empêcher d'interrompre en cet
endroit le récit de Don Olmond. « Je ne m'étonne plus,
dit-il à Consalve, de la tristesse où vous parut Alamir,
lorsque vous le rencontrâtes après qu'il eut quitté
Félime. C'était à elle à qui ces cavaliers l'avaient vu
parler dans le bois ; ce qu'elle lui venait de dire, fut
cause qu'il vous reconnut, et nous entendons présentement les paroles que vous dit ce Prince en mettant
l'épée à la main, qui vous parurent si obscures, et qui
nous donnèrent tant de curiosité. » Consalve ne
répondit que des yeux au Roi de Léon, et Don Olmond
reprit ainsi son discours.

« Il est aisé de juger en quel état Félime passa la nuit,
et de combien de sortes de douleurs son esprit était
partagé. Elle trouvait qu'elle avait trahi Zayde ; elle
craignait d'avoir désespéré Alamir ; et malgré sa
jalousie elle était affligée de l'avoir rendu si malheureux. Elle souhaitait néanmoins qu'il sût que Zayde
était touchée par une autre inclination ; elle craignait

de lui avoir trop bien ôté l'opinion qu'elle lui en avait donnée ; et elle appréhendait plus que toutes choses de lui avoir fait connaître la passion qu'elle avait pour lui. Le lendemain une nouvelle douleur effaça toutes les autres ; elle sut le combat d'Alamir contre Consalve, et elle ne sentit que la crainte de le perdre. Elle envoya tous les jours savoir de ses nouvelles au château où il était, et quand elle commença à avoir quelque espérance de sa guérison, elle apprit ce que le Roi avait ordonné de sa vie pour se venger de la mort du Prince de Galice. Vous avez vu la lettre qu'elle m'écrivit ces jours passés, pour m'obliger à travailler à sa conservation ; je lui ai appris ce qu'a fait Consalve à sa prière, et il ne me reste rien à vous dire, sinon que je n'ai jamais vu en une même personne tant d'amour, tant de raison, et tant de douleur. »

Don Olmond finit ainsi son récit ; et tant qu'il dura, il fit sentir à Consalve ce qui ne se peut exprimer. Apprendre qu'il était aimé de Zayde, trouver des marques de tendresse dans tout ce qu'il avait jugé des marques d'indifférence, c'était un excès de bonheur qui l'emportait hors de lui-même, et qui lui faisait goûter dans un moment tous les plaisirs que les autres amants ne goûtent qu'interrompus, et séparés. Le Roi allait découvrir à Don Olmond que Consalve était Théodoric, lorsqu'on le vint avertir que les députés qui traitaient la paix demandaient à lui parler. Il laissa ces deux amis ensemble, et Don Olmond prenant la parole : « Je pourrais me plaindre avec justice, dit-il à Consalve, de ne devoir qu'à moi seul la connaissance de Théodoric ; et notre amitié m'avait mis en état d'espérer de le connaître par vous-même. Je m'étonne que vous ayez pu croire qu'il fût possible de me le cacher, en me laissant voir tant de curiosité pour ce qui regardait Zayde. Je connus que vous l'aimiez le premier jour que vous me parlâtes d'elle ; et je fus étonné que ce que je croyais une première vue eût produit en vous une passion qui me paraissait déjà si violente. Ce que j'ai appris de Félime m'a fait voir

depuis qu'un homme tel qu'elle m'a dépeint Théodoric, ne pouvait être que Consalve. Je n'ai point
voulu d'autre vengeance du secret que vous m'en
aviez fait, que le billet que je vous ai écrit, avec
quelque intention de vous donner de l'inquiétude : ma
vengeance est satisfaite, et le plaisir que je viens de
vous donner par mon récit, me fait oublier tout ce qui
m'avait pu déplaire. Mais je ne veux pas, ajouta-t-il,
vous laisser prendre plus de joie que vous n'en devez
avoir : et je dois vous dire qu'à moins que votre dernière vue n'ait produit un grand changement dans
l'esprit de Zayde, elle est résolue à combattre l'inclination qu'elle a pour vous, et à suivre les volontés du
Prince son père. »

Consalve avait abandonné son âme à une joie trop
sensible, pour être en état de concevoir de la crainte :
ce que lui dit Don Olmond ne lui en put donner ; et
après l'avoir assuré que la honte seule l'avait obligé à
lui cacher son amour, il s'en alla penser à tout ce qu'il
avait appris, et le rapporter aux actions de Zayde. Il
n'eut plus de peine à comprendre ce qu'il lui avait ouï
dire à Tortose sur la bizarrerie de sa destinée, et il vit
qu'il avait raison d'être content qu'elle eût souhaité
qu'il pût être celui à qui il ressemblait.

La certitude d'être aimé lui inspira un si violent
désir de voir cette Princesse, qu'il supplia le Roi de lui
permettre d'aller à Talavera. Don Garcie le lui permit
avec joie, et Consalve partit dans l'espérance de recevoir du moins des beaux yeux de Zayde, la confirmation de tout ce qu'il avait appris de Don Olmond. Il
sut en arrivant dans le château, que Zuléma se trouvait mal ; Zayde le vint recevoir à l'entrée de l'appartement du Prince son père, et lui témoigner la douleur
qu'il avait de n'être pas en état de le voir. Consalve
demeura si surpris et si ébloui de l'éclatante beauté de
cette Princesse, qu'il s'arrêta, et ne put s'empêcher de
faire paraître son étonnement. Elle le remarqua, elle
en rougit, et demeura dans un embarras de modestie
qui lui donna de nouveaux charmes. Il la conduisit
chez elle, et lui parla de son amour avec moins de

crainte qu'il n'avait fait dans sa première conversation ; mais comme il vit qu'elle lui répondait avec
une sagesse et une retenue qui lui auraient ôté la
connaissance des dispositions de son cœur, s'il ne les
avait apprises par Don Olmond, il se résolut de lui
faire entendre qu'il savait une partie de ses sentiments.

« Ne m'expliquerez-vous jamais, madame, lui dit-il,
les raisons qui vous ont fait souhaiter que je pusse être
celui à qui je ressemble ? – Ne savez-vous pas, lui
répondit-elle, que c'est un secret que je ne puis vous
apprendre ? – Est-il possible, madame, reprit-il en la
regardant, que la passion que j'ai pour vous, et les
obstacles que vous voyez à mon bonheur, ne vous fas-
sent pas assez de pitié pour me laisser voir que vous
souhaiteriez au moins que ma destinée fût heureuse ?
Ce n'est que ce simple souhait de mon bonheur que
vous me cachez avec tant de soin. Ah ! Madame, est-
ce trop pour un homme qui vous a adorée du moment
qu'il vous a vue, que de le préférer seulement par des
souhaits à quelque Africain que vous n'avez jamais
vu ? » Zayde demeura si surprise du discours de Consalve, qu'elle ne put y répondre. « Ne soyez point
étonnée, madame, lui dit-il, craignant qu'elle n'accu-
sât Félime d'avoir découvert ses sentiments, ne soyez
point étonnée que le hasard m'ait appris ce que je
viens de vous dire ; je vous entendis dans le jardin où
vous étiez la veille que vous partîtes de Tortose, et je
sus par vous-même ce que vous avez la cruauté de me
cacher. – Quoi, Consalve, s'écria Zayde, vous m'en-
tendîtes dans les jardins de Tortose ; vous étiez proche
de moi, et vous ne me parlâtes point ! – Ah ! Madame,
répondit Consalve en se jetant à ses genoux, quelle
joie me donnez-vous par ce reproche, et quels
charmes ne [trouvé]-je point à vous voir oublier que je
vous ai écoutée, pour vous souvenir que je ne vous ai
pas parlé. Ne vous repentez point, madame, continua-
t-il, en voyant combien elle était troublée d'avoir laissé
voir les sentiments de son cœur. Ne vous repentez
point de me donner quelque joie, et laissez-moi croire
que je ne vous suis pas tout à fait indifférent. Mais

pour me justifier de ce reproche que vous venez de me faire, il faut vous dire, madame, que je vous entendis à Tortose sans vous connaître ; et que mon imagination était si frappée d'être séparé de vous par des mers, qu'encore que j'entendisse votre voix, comme il était nuit, que je ne vous voyais pas, et que vous parliez la langue espagnole, je ne soupçonnai jamais que je fusse si proche de vous. Je vous vis le lendemain dans une barque : mais quand je vous vis, et que je vous connus, je n'étais plus en état de vous parler, et j'étais au pouvoir de ceux que le Roi avait envoyés pour me chercher. – Puisque vous m'avez entendue, répondit Zayde, il serait inutile de vouloir donner un autre sens à mes paroles ; mais je vous supplie de ne m'en demander pas davantage, et de souffrir que je vous quitte : car j'avoue que la honte de ce que vous avez entendu sans que je le susse, et la honte de ce que je viens de vous dire sans en avoir eu le dessein, me donnent une telle confusion, que si j'ai quelque pouvoir sur vous, je vous conjure de vous retirer. » Consalve était si content de ce qu'il venait de voir, qu'il ne voulut pas presser Zayde de lui faire un aveu plus sincère de ses sentiments. Il la quitta comme elle le souhaitait, et revint au camp rempli de l'espérance de lui faire bientôt changer les résolutions qu'elle avait prises.

Les forces de Don Garcie, et la valeur de Consalve, s'étaient rendues si redoutables, que les Maures accordèrent tous les articles de la paix comme le Roi de Léon le souhaitait. Le traité fut signé de part et d'autre ; et comme ils devaient remettre de certaines places éloignées, on résolut que Don Garcie pour sa sûreté garderait les prisonniers qu'il avait entre les mains, jusques à l'entière exécution de ce traité. Cependant il voulut séjourner quelque temps dans les places qu'il avait conquises, et il alla à Almaras que les Maures lui avaient cédé. La Reine, qui aimait passionnément le Roi son mari, l'avait presque toujours suivi depuis que la guerre était commencée ; pendant le siège de Talavera, elle était demeurée à un lieu qui n'en était pas fort éloigné ; une légère indisposition l'y retenait encore ; mais elle devait bientôt se rendre auprès de lui. Consalve impatient de voir Zayde, pria Don Garcie de mander à la Reine de passer à Talavera, sur le prétexte de voir cette nouvelle conquête, et d'amener avec elle toutes les Dames arabes qui y étaient prisonnières. La Reine savait l'intérêt que son frère prenait à Zayde, et elle fut bien aise de réparer dans cette passion les traverses qu'elle lui avait causées dans celle de Nugna Bella. Elle alla à Talavera, et toutes les Dames consentirent avec joie de passer auprès d'elle le temps qu'elles devaient être en Espagne. Zuléma qui demeurait prisonnier à Talavera, eut quelque peine à se résoudre que Zayde le quittât : et le rang qu'il avait toujours tenu lui faisait voir avec douleur que la Princesse sa fille fût obligée à suivre la Reine, comme les autres Dames. Il s'y résolut néanmoins, et Consalve eut la joie de savoir qu'il verrait bientôt cette admirable beauté qui lui avait donné tant d'amour. Le jour que la Reine arriva, le Roi alla deux lieues au-devant d'elle : il la trouva à cheval avec toutes les Dames de sa suite : sitôt qu'elle fut assez proche, elle lui présenta Zayde, dont la beauté était encore augmentée par le soin de se parer, que lui avait peut être inspiré le désir de paraître aux yeux de Consalve, avec tous ses charmes. Les grâces de sa personne, l'agrément de son esprit, et sa modestie, surprirent tout le monde. Elle fut traitée comme le devait être une Princesse de sa naissance, de son mérite, et de sa beauté, et elle se vit en peu de jours les délices et l'admiration de la Cour de Léon. Consalve ne la regardait qu'avec transport, et l'assurance d'en être aimé ne lui laissait pas envisager les obstacles qui s'opposaient à son bonheur. S'il l'avait aimée par la seule vue de sa beauté, la connaissance de son esprit et de sa vertu, lui donnait de l'adoration. Il cherchait avec autant de soin les occasions de lui parler en particulier, qu'elle en prenait de les éviter. Enfin l'ayant trouvée un soir dans le cabinet de la Reine, où il y avait peu de monde, il la conjura avec tant d'ardeur et de respect de lui apprendre les dispositions où elle était pour lui, qu'elle ne put le refuser.

« S'il m'était possible de vous les cacher, lui dit-elle, je le ferais, quelque estime que j'aie pour vous ; et je m'épargnerais la honte de laisser voir de l'inclination à un homme à qui je ne suis pas destinée. Mais puisque malgré moi vous avez su mes sentiments, je veux bien vous les avouer ; et vous expliquer ce que vous n'avez pu savoir que confusément. » Alors elle lui dit tout ce qu'il avait déjà appris par Don Olmond des prédictions d'Albumazar, et des résolutions de Zuléma. «Vous voyez, ajouta-t-elle, que tout ce que je puis, est de vous plaindre et de m'affliger ; et vous êtes trop raisonnable pour me demander de ne pas suivre les volontés de mon père. – Laissez-moi croire au moins, madame, lui dit-il, que s'il était capable de changer, vous ne vous y opposeriez pas. – Je ne saurais vous dire si je m'y opposerais, répondit-elle, mais je crois que je le devrais faire, puisqu'il y va du bonheur de toute ma vie. – Si vous croyez, madame, repartit Consalve, être malheureuse en me rendant heureux, vous avez raison de demeurer dans les résolutions que vous avez prises ; mais j'ose vous dire que si vous aviez les sentiments dont vous voulez bien que je me flatte, il n'y aurait rien qui vous pût persuader que vous pussiez être malheureuse. Vous vous trompez, madame, lorsque vous pensez avoir quelque bonté pour moi ; et je me suis trompé chez Alphonse, lorsque j'ai cru voir en vous des dispositions qui m'étaient favorables. – Ne parlons point, reprit Zayde, de ce que nous avons eu lieu de croire l'un et l'autre, pendant que nous étions dans cette solitude ; et ne me faites pas souvenir de tout ce qui m'a dû persuader que vous étiez occupé par d'autres chagrins que par ceux que je pouvais vous donner ; j'ai appris depuis que je vous ai vu à Talavera, ce qui vous avait obligé à quitter la Cour ; et je ne doute point que vous ne donnassiez au souvenir de Nugna Bella, tout le temps que vous ne passiez pas auprès de moi. » Consalve fut bien aise que Zayde lui donnât lieu de la rassurer sur tous les doutes qu'elle avait eus de sa passion ; il lui apprit le véritable état où était son cœur lorsqu'il l'avait connue ; il lui dit ensuite tout ce qu'il avait souffert de ne la point entendre, et tout ce qu'il s'était imaginé de son affliction. « Je ne m'étais pas néanmoins entièrement trompé, madame, ajouta-t-il, lorsque j'avais cru avoir un rival ; et j'ai su depuis la passion que le Prince de Tarse avait pour vous. – Il est vrai, répondit Zayde, qu'Alamir m'en a témoigné, et que mon père avait résolu de me donner à lui avant qu'il eût vu ce portrait qu'il conserve avec un soin si extraordinaire, tant il est persuadé que mon bonheur dépend de me faire épouser celui pour qui il a été fait. – Et bien, madame, reprit Consalve, vous êtes résolue d'y consentir, et de vous donner à celui à qui vous trouvez que je ressemble. S'il est vrai que vous n'ayez pas d'aversion pour moi, vous devez croire que vous n'en aurez pas pour lui : ainsi, madame, l'assurance que j'ai que je ne vous déplais pas, m'est une certitude que vous épouserez mon rival sans répugnance. C'est une sorte de malheur, que nul autre que moi n'a jamais éprouvé ; et je ne sais comment l'état où je suis ne vous fait point de pitié. – Ne vous plaignez point de moi, lui dit-elle, plaignez-vous d'être né espagnol : quand je serais pour vous comme vous le pouvez désirer, et quand mon père ne serait point prévenu, votre patrie serait toujours un obstacle invincible à ce que vous souhaitez ; et Zuléma ne consentirait jamais que je fusse à vous. – Permettez-moi au moins, madame, répliqua Consalve, de lui faire savoir mes sentiments : la répugnance que vous avez témoignée pour Alamir, lui a dû ôter l'espérance de vous faire épouser un homme de sa religion ; peut-être n'est-il pas si attaché aux paroles d'Albumazar que vous le pensez : enfin, madame, permettez-moi de tenter toutes choses pour parvenir à un bonheur sans lequel il m'est impossible de vivre. – Je consens à ce que vous voulez, dit Zayde, et je veux bien même que vous croyiez que je crains que tout ce que vous tenterez ne soit inutile. »

Consalve s'en alla à l'heure même trouver le Roi pour le supplier de lui aider dans le dessein qu'il avait de savoir les sentiments de Zuléma, et d'essayer de se les rendre favorables. Ils résolurent de donner cette commission à Don Olmond, que son adresse et son amitié pour Consalve rendaient plus capable qu'aucun autre d'y réussir. Le Roi écrivit par lui à Zuléma, et lui demanda Zayde pour Consalve de la même manière qu'il l'aurait demandée pour lui-même. Le voyage de Don Olmond, et la lettre de Don Garcie furent inutiles. Zuléma répondit que le Roi lui faisait trop d'honneur ; qu'il avait sa fille entre les mains, qu'il en pouvait disposer ; mais que de son consentement elle n'épouserait jamais un homme d'une religion contraire à la sienne. Cette réponse donna à Consalve toute la douleur qu'il pouvait sentir ; étant aimé de Zayde, il ne voulut pas la lui apprendre aussi fâcheuse qu'elle était, de peur que la certitude de ne pouvoir être à lui ne l'obligeât à changer les sentiments qu'elle lui faisait paraître. Il lui dit seulement qu'il ne désespérait pas de gagner Zuléma, et d'obtenir de lui ce qu'il souhaitait avec tant d'ardeur.

La Princesse Bélénie mère de Félime, qui était demeurée malade à Oropèze, mourut quelque temps après la paix. On envoya Osmin à Talavera avec Zuléma, en attendant le temps que l'on avait arrêté pour rendre les prisonniers, et l'on conduisit Félime à la Cour. Elle n'y parut pas avec tous ses charmes. Les maux de son esprit avaient tellement abattu son corps, que sa beauté en était diminuée. Mais il était aisé de s'apercevoir que le mauvais état de sa santé était cause de ce changement. Cette Princesse fut bien surprise de trouver que ce Consalve qu'elle croyait ne pas connaître, et qu'elle ne pouvait entendre nommer sans douleur, à cause de l'état où il avait mis le Prince de Tarse, était le même Théodoric qu'elle avait vu chez Alphonse, et qui avait su plaire à Zayde. Son affliction redoubla par la pensée que ce qu'elle avait dit à Alamir dans le bois d'Oropèze, lui avait fait connaître Consalve pour son rival, et avait été la cause de leur combat.

On avait transporté ce Prince à Almaras ; elle avait la consolation d'apprendre tous les jours de ses nouvelles, et de ne point cacher son affliction que l'on attribuait à la mort de sa mère. Alamir, dont la jeunesse avait soutenu la vie pendant quelque temps, se trouva enfin si affaibli, que les médecins désespérèrent de sa guérison. Félime était avec Zayde et Consalve, lorsqu'on leur vint dire qu'un écuyer de ce malheureux Prince demandait à parler à Zayde. Elle rougit, et après avoir été quelque temps embarrassée, elle le fit entrer, et lui demanda tout haut ce que souhaitait le Prince de Tarse. « Mon maître est près d'expirer, madame, répondit-il, il vous demande l'honneur de vous voir avant que de mourir, et il espère que l'état où il est vous empêchera de lui refuser cette grâce. » Zayde fut touchée, et surprise du discours de cet écuyer, elle demeura quelque temps sans répondre ; enfin elle tourna les yeux du côté de Consalve, comme pour lui demander ce qu'il désirait qu'elle fît : mais voyant qu'il ne parlait point, et jugeant même par l'air de son visage qu'il appréhendait qu'elle ne vît Alamir. « Je suis très fâchée, dit-elle à son écuyer, de ne pouvoir accorder au Prince de Tarse ce qu'il souhaite de moi. Si je croyais que ma présence pût contribuer à sa guérison, je le verrais avec joie ; mais comme je suis persuadée qu'elle lui serait inutile, je le supplie de trouver bon que je ne le voie pas, et je vous conjure de l'assurer, que j'ai beaucoup de déplaisir de l'état où il est. » L'écuyer se retira après cette réponse, Félime demeura abîmée dans une douleur dont elle ne donnait néanmoins d'autres marques que son silence. Zayde avait de la tristesse de celle de Félime, et elle avait aussi quelque pitié de la misérable destinée du Prince de Tarse. Consalve était combattu entre la joie, d'avoir vu la complaisance de Zayde pour des sentiments qu'il ne lui avait pas même expliqués, et entre la peine d'avoir privé ce Prince mourant de la vue de cette Princesse.

Comme toutes ces personnes étaient occupées de ces divers sentiments, l'écuyer d'Alamir revint, et dit à Félime que son maître demandait à la voir, et qu'il n'y avait point de moments à perdre, si elle voulait lui accorder cette grâce. Félime se leva du lieu où elle était assise ; il ne lui resta rien d'une personne vivante, que la force de marcher : elle donna la main à cet écuyer, et suivie de ses femmes, elle s'en alla au lieu où était le Prince de Tarse. Elle s'assit auprès de son lit, et sans lui rien dire, elle demeura immobile à le regarder. « Je suis bien heureux, madame, lui dit ce Prince, que l'exemple de Zayde ne vous ait pas inspiré la cruauté de me refuser la consolation de vous voir. C'est la seule que je pouvais espérer, puisque j'ai été privé de celle que j'avais osé prétendre. Je vous supplie, madame, de lui vouloir dire que c'est avec raison, qu'elle m'a jugé indigne de l'honneur que Zuléma m'avait voulu faire. Mon cœur avait brûlé de tant de flammes, et s'était profané par tant de fausses adorations, qu'il ne méritait pas de toucher le sien ; mais si une inconstance qui a fini en la voyant, pouvait avoir été réparée par une passion qui m'a rendu entièrement opposé à ce que j'étais, et par un attachement le plus respectueux qu'on ait jamais eu, je crois, madame, que j'aurais expié tous les crimes de ma vie. Assurez-la, je vous conjure, que j'ai eu pour elle l'adoration qu'on a pour les dieux ; et que je meurs bien moins des blessures que j'ai reçues de Consalve, que de la douleur de savoir qu'il est aimé d'elle. Vous m'aviez dit la vérité dans le bois d'Oropèze, lorsque vous m'apprîtes que son cœur avait été touché ; je ne le crus que trop, quoique je vous [disse] [1] d'abord que je ne le croyais pas. Je venais de vous quitter, et je n'étais rempli que de l'idée de cet heureux Espagnol, quand je rencontrai Consalve. Sa ressemblance avec le portrait que j'avais vu, et ce que vous veniez de me

---

1. Le texte emploie le subjonctif présent (« die »), tandis que la langue moderne exige le recours au subjonctif imparfait (« quoique je vous disse »).

dire me frappa d'abord, et je ne balançai point à croire qu'il ne fût celui dont vous m'aviez parlé. Je lui fis connaître que j'étais Alamir ; il m'attaqua avec l'animosité d'un homme, qui savait que j'étais son rival. J'ai su depuis que je ne m'étais pas trompé, en le croyant celui qui avait su plaire à Zayde : il mérite de toucher son cœur : j'envie son bonheur sans l'en trouver indigne. Je meurs accablé de mes malheurs sans en murmurer ; et si j'osais je me plaindrais seulement de l'inhumanité de Zayde, d'avoir privé de sa vue un homme qui la va perdre pour jamais. » On peut juger de combien de douleurs mortelles les paroles d'Alamir percèrent le cœur de Félime : elle voulut parler deux ou trois fois ; mais ses sanglots et ses larmes lui empêchèrent la parole ; enfin avec une voix entrecoupée de soupirs, et emportée par une tendresse qu'elle ne put retenir. « Croyez, lui dit-elle, que si j'avais été à la place de Zayde, nul autre n'aurait été préféré au Prince de Tarse. » Malgré sa douleur elle sentit la force de ses paroles, et elle tourna la tête pour cacher l'abondance de ses larmes, et pour éviter les yeux d'Alamir. « Hélas, madame, reprit ce Prince mourant, serait-il possible que ce que vous me laissez voir fût véritable ? Je vous avoue que le jour que je vous parlai dans le bois, je crus une partie de ce que j'ose croire présentement : mais j'étais si troublé, et vous sûtes si bien donner un autre sens à vos paroles, qu'il ne m'en resta qu'une légère impression. Pardonnez-moi, madame, ce que j'ose penser ; et pardonnez-moi d'avoir causé un malheur qui a été plus grand pour moi que pour vous ; je ne méritais pas d'être heureux, je l'aurais trop été si… »

Une faiblesse l'empêcha de continuer : il perdit la parole, et tourna les yeux vers Félime, comme pour lui dire adieu ; ensuite il les ferma pour jamais, et mourut quasi dans le même moment. Les larmes de Félime s'arrêtèrent ; elle demeura saisie de douleur, et elle regarda mourir ce Prince avec des yeux qui n'avaient plus de mouvement. Ses femmes voyant qu'elle demeurait dans la place où elle était assise, l'[em]menèrent d'un lieu où il ne restait que des objets funestes. Elle se laissa conduire sans prononcer une seule parole : mais lorsqu'elle fut dans sa chambre, la vue de Zayde aigrit sa douleur, et lui donna la force de parler. «Vous êtes contente, madame, lui dit-elle d'une voix assez faible, Alamir est mort. Alamir est mort, continua-t-elle, et comme si elle se l'eût appris à elle-même ; je ne le verrai donc plus ; j'ai donc perdu pour jamais l'espérance d'en être aimée ; il n'est plus au pouvoir de l'amour de faire qu'il soit attaché à moi : mes yeux ne trouveront plus les siens ; sa présence qui adoucissait tous mes malheurs, n'est plus un bien que je puisse recouvrer. Ah ! Madame, dit-elle à Zayde, est-il possible que quelqu'un vous pût plaire, et qu'Alamir ne vous ait pas plu ? Quelle inhumanité a été la vôtre ? Pourquoi ne l'aimiez-vous pas ? Il vous adorait ; que lui manquait-il pour être aimable ? – Mais, reprit doucement Zayde, vous savez bien que j'eusse augmenté vos souffrances si je l'eusse aimé ; et que c'était la chose du monde que vous craigniez le plus. – Il est vrai, madame, répliqua-t-elle, il est vrai, je ne voulais pas que vous le rendissiez heureux ; mais je ne voulais pas que vous lui ôtassiez la vie. Ah ! Pourquoi lui ai-je si soigneusement caché la passion que j'avais pour lui, reprit-elle, peut-être l'aurait-elle touché ; peut-être aurait-elle fait quelque diversion de ce fatal amour qu'il a eu pour vous. Que craignais-je ? Pourquoi ne voulais-je pas qu'il sût que je l'adorais ? La seule consolation qui me reste, c'est qu'il en ait deviné quelque chose. Et bien, quand il l'aurait su, il aurait feint de m'aimer, et m'aurait trompée ; qu'importe qu'il m'eût trompée, comme il avait commencé. Ils sont encore chers à mon souvenir ces moments précieux, où il voulut bien me laisser croire qu'il m'aimait. Est-il possible qu'après tant de maux que j'ai soufferts, il m'en restât encore de si grands à souffrir ! J'espère au moins que j'aurai assez de douleur pour n'avoir pas la force de la supporter. »

Comme elle parlait ainsi, Consalve parut à la porte de sa chambre, qui croyant qu'elle était dans une

autre, venait savoir en quel état elle était revenue de
chez Alamir. Il se retira à l'heure même pour ne pas
irriter sa douleur par sa présence ; mais ce ne put être
si promptement qu'elle ne le vît, et que cette vue ne lui
fît faire des cris si douloureux, que les cœurs les plus
durs en auraient été touchés. « Faites en sorte,
madame, dit-elle à Zayde, que je ne voie point Consalve. Je ne saurais supporter la vue d'un homme par
qui Alamir a reçu la mort, et qui lui a ôté ce qu'il pré-
férait à sa vie. »

La violence de sa douleur lui fit perdre la parole et
la connaissance ; et comme sa santé était déjà fort
affaiblie, on jugea aisément qu'elle était dans un grand
péril. Le Roi et la Reine avertis de son mal vinrent la
voir, et envoyèrent quérir tous ceux qui la pouvaient
soulager. Après cinq ou six heures d'une espèce de
léthargie, la quantité des remèdes la fit revenir. De
tout ce qui s'offrit à sa vue, elle ne reconnut que
Zayde, qui pleurait auprès d'elle avec beaucoup de
douleur. « Ne me regrettez point, lui dit-elle, si bas
qu'à peine pouvait-on l'entendre ; je n'aurais plus été
digne de votre amitié ; et je n'aurais pu aimer une personne qui aurait causé la mort d'Alamir » ; elle n'en
put dire davantage ; elle retomba dans les accidents
dont on venait de la tirer ; et le lendemain à la même
heure qu'elle avait vu mourir le Prince de Tarse, elle
finit une vie que l'amour avait rendue si malheureuse.

La mort de deux personnes d'un mérite si extraordinaire, parut si digne de compassion, que toute la
Cour de Léon en fut affligée. Zayde demeura dans
une douleur inconcevable ; elle aimait tendrement
Félime ; et la manière dont elle était morte, redoublait
encore son affliction. Plusieurs jours se passèrent,
sans que les soins et les prières de Consalve pussent
apporter quelque modération à sa tristesse. Mais enfin
la crainte de partir d'Espagne, et d'abandonner Consalve, fit faire quelque trêve à ses larmes, et lui donna
une autre sorte de douleur. Le Roi s'en retourna à
Léon ; et il restait si peu de choses à faire pour
l'entière exécution de la paix, que selon les appa-

rences, Zuléma devait bientôt repasser en Afrique. Il
n'était pas néanmoins en état de partir ; il avait été
dangereusement malade, dans le même temps que
Félime était morte ; et l'on avait caché à Zayde l'extrémité de sa maladie, pour ne l'accabler pas de tant de
déplaisirs à la fois. Consalve était dans des inquiétudes
mortelles, et ne songeait qu'aux moyens de faire
consentir ce Prince à son bonheur, ou d'obtenir de
Zayde de demeurer en Espagne auprès de la Reine,
puisque la bienséance lui permettait de ne pas suivre
un père qui paraissait résolu à la faire changer de religion. Quelques jours après qu'on fut arrivé à Léon,
Consalve entra un soir dans le cabinet de la Reine ;
Zayde y était, mais si attachée à regarder un portrait
de Consalve, qu'elle ne le vit point entrer. « Je suis bien
destiné, madame, lui dit-il, à être jaloux d'un portrait,
puisque je le suis même du mien, et que j'envie l'attention que vous avez à le regarder. – De votre portrait,
répondit Zayde, avec un étonnement extrême ? – Oui,
madame, de mon portrait, reprit Consalve, je vois
bien que vous avez peine à le croire par sa beauté ;
mais je vous assure néanmoins, qu'il a été fait pour
moi. – Consalve, lui dit-elle, n'a-t-on point fait pour
vous quelque autre portrait semblable à celui que je
vois ? – Ah ! Madame, s'écria-t-il, avec ce trouble que
donnent les joies incertaines, puis-je croire ce que
vous me laissez deviner, et ce que je n'ose même vous
dire ? Oui, madame, continua-t-il, d'autres portraits
pareils à celui que vous voyez ont été faits pour moi ;
mais je n'oserais m'abandonner à croire ce que je vois
bien que vous pensez, et ce que j'aurais pensé il y a
longtemps, si je m'étais cru digne des prédictions
qu'on vous a faites, et si vous ne m'aviez pas toujours
dit que le portrait à qui je ressemblais était celui d'un
Africain. – Je l'avais cru à l'habillement, répondit
Zayde, et les paroles d'Albumazar m'en avaient persuadée. Vous savez, ajouta-t-elle, combien j'ai souhaité
que vous pussiez être celui à qui vous ressembliez ;
mais ce qui m'étonne, est que l'ayant tant souhaité, la
préoccupation m'ait empêchée de le croire. J'en parlai

à Félime, sitôt que je vous vis chez Alphonse. Lorsque je vous revis à Talavera, et que je sus votre naissance, cette pensée me revint dans l'esprit ; et je ne le regardai pourtant que comme un effet de mes souhaits. Mais qu'il sera difficile, reprit-elle en soupirant, de persuader mon père de cette vérité ; et que je crains que ces prédictions qui lui ont paru véritables, quand il a cru qu'elles regardaient un homme de sa religion, ne lui paraissent fausses lorsqu'elles regarderont un Espagnol ! » Comme elle parlait, la Reine entra dans le cabinet ; Consalve lui fit part de sa joie ; elle ne voulut pas retarder d'un moment celle qu'en aurait le Roi. Elle alla lui dire ce qu'ils venaient de découvrir, et le Roi vint à l'heure même savoir de Consalve ce qui restait à faire pour rendre son bonheur accompli. Après avoir examiné assez longtemps par quelle manière on pourrait gagner Zuléma ; ils résolurent de le faire venir à Léon. On dépêcha aussitôt à Talavera, pour lui faire savoir que le Roi souhaitait qu'il fût conduit à la Cour ; et comme sa santé était entièrement rétablie, il y arriva en peu de temps. Le Roi le reçut avec beaucoup de témoignages d'estime, et le fit entrer dans son cabinet. « Vous ne m'avez pas voulu accorder Zayde, lui dit-il, pour l'homme du monde que je considère le plus : mais j'espère que vous ne la refuserez pas pour celui dont voilà le portrait ; et à qui je sais qu'elle est destinée par les prédictions d'Albumazar. » À ces mots, il lui fit voir le portrait de Consalve, et lui présenta Consalve même, qui s'était un peu retiré. Zuléma les regardait l'un et l'autre, et paraissait enseveli dans une profonde rêverie. Le Roi crut que son silence venait de son incertitude. « Si vous n'étiez pas assez persuadé par la ressemblance, lui dit-il, que ce portrait ne soit celui de Consalve, on vous en donnerait tant d'autres marques, que vous n'en pourriez douter. Le portrait que vous avez, et qui est pareil à celui-ci, ne peut être tombé entre vos mains, que depuis la bataille que perdit Nugnez Fernando père de Consalve, contre les Maures. Il le fit faire par un excellent peintre qui avait voyagé par tout le monde, et

à qui les habillements d'Afrique avaient paru si beaux,
qu'il les donnait à tous ses portraits. – Il est vrai, seigneur, repartit Zuléma, que je n'ai ce portrait que
depuis le temps que vous me marquez ; il est vrai aussi
que par ce que vous me faites l'honneur [de me] dire,
et par la grande ressemblance, je ne puis douter que ce
ne soit celui de Consalve. Mais ce n'est pas ce qui
cause mon silence et mon étonnement. J'admire les
décrets du Ciel, et les effets de sa providence. On ne
m'a point fait de prédictions, seigneur, et les paroles
d'Albumazar, dont je vois bien que vous avez entendu
parler, ont été prises par ma fille dans un autre sens
qu'elles ne doivent l'être. Mais puisque vous avez la
bonté de vous intéresser dans sa fortune, trouvez bon,
seigneur, que je vous informe de ce que vous ne
pouvez savoir que par moi ; et que je vous apprenne
les commencements d'une vie dont vous seul pouvez
présentement faire le bonheur.

Les justes prétentions de mon père sur l'Empire du
Calife, le firent reléguer en Chypre : j'y allai avec lui ;
j'y devins amoureux d'Alasinthe, et je l'épousai. Elle
était chrétienne : je résolus d'embrasser sa religion,
qui me paraissait la seule que l'on dût suivre : néanmoins l'austérité m'en fit peur, et retarda l'exécution
de mon dessein. Je m'en retournai en Afrique ; les
délices et la corruption des mœurs me rengagèrent
plus que jamais dans ma religion, et me donnèrent
une nouvelle aversion pour les chrétiens. J'oubliai Alasinthe pendant plusieurs années ; mais enfin touché
du désir de la revoir, et de revoir Zayde que j'avais
laissée dans la première enfance, je résolus de l'aller
quérir en Chypre, pour lui faire changer de religion, et
pour la faire épouser au Prince de Fez de la maison
des Idris. Il avait entendu parler d'elle ; il la désirait
avec passion, et son père avait pour moi une amitié
particulière. La guerre qui était en Chypre, me fit
hâter mon dessein : lorsque j'y arrivai, j'y trouvai le
Prince de Tarse amoureux de Zayde ; il me parut
aimable ; je ne doutai point qu'il n'en fût aimé. Je crus
que ma fille se résoudrait aisément à l'épouser. Je

n'étais pas entièrement engagé au Prince de Fez. Sa mère était chrétienne, et je craignais qu'elle ne fût un obstacle au dessein que j'avais que Zayde changeât de religion. Je consentis donc aux sentiments qu'Alamir avait pour elle, mais je fus fort surpris de la répugnance qu'elle me témoigna pour lui ; et tant que le siège de Famagouste dura, quelques efforts que je fisse je ne pus l'obliger à recevoir ce Prince pour son mari. Je pensai que je ne devais pas m'opiniâtrer à vaincre une aversion qui me paraissait naturelle : et je résolus de la donner au Prince de Fez, sitôt que nous serions en Afrique. Il m'avait écrit depuis que j'étais en Chypre ; j'avais su que sa mère était morte : ainsi je n'avais rien à désirer pour ce mariage. Nous quittâmes Famagouste ; nous abordâmes en Alexandrie ; et j'y trouvai Albumazar que je connaissais il y avait longtemps. Il remarqua que ma fille regardait avec attention et avec plaisir un portrait pareil à celui que je viens de voir. Le lendemain comme je parlais à ce savant homme de l'aversion qu'elle avait témoignée pour Alamir, je lui dis la résolution où j'étais de lui faire épouser le Prince de Fez, quelque répugnance qu'elle y pût avoir.

"Je doute qu'elle en ait pour sa personne, me répondit Albumazar. Ce portrait qui lui a paru si agréable, ressemble si fort à ce Prince, que je crois qu'il a été fait pour lui. – Je n'en saurais juger, repartis-je, parce que je ne l'ai jamais vu. Il n'est pas impossible que ce ne soit son portrait, mais j'ignore pour qui il a été fait, et je ne le tiens que du hasard. Je souhaite que ce Prince plaise à Zayde, et quand il lui déplairait, je n'aurais pas pour elle la même complaisance que j'ai eue sur le sujet du Prince de Tarse." Peu de jours après, ma fille pria Albumazar de lui dire quelque chose de sa Fortune : comme il savait mes intentions, et qu'il croyait que le portrait qu'elle avait vu était celui du Prince de Fez, il lui dit sans aucun dessein de faire passer ses paroles pour une prédiction, qu'elle était destinée à celui dont elle avait vu le portrait. Je feignis de croire qu'Albumazar parlait par une connaissance par-

ticulière des choses à venir ; et j'ai toujours paru à
Zayde dans ce même sentiment. Lorsque je quittai
Alexandrie, Albumazar m'assura que je ne réussirais
pas dans les desseins que j'avais pour elle ; néanmoins
je n'en pouvais perdre l'espérance. Pendant la maladie
dont je viens de sortir, les pensées que j'avais eues
autrefois d'embrasser la véritable religion, me sont
revenues si fortement dans l'esprit, que je n'ai songé
depuis ma guérison qu'à me confirmer dans ce dessein. J'avoue toutefois que cette heureuse résolution
n'était pas encore aussi ferme qu'elle le devait être ;
mais je me rends à ce que le Ciel fait en ma faveur ; il
me conduit, par les mêmes moyens dont j'ai prétendu
me servir pour faire épouser à ma fille un homme de
ma religion, à lui en faire épouser un de la sienne. Les
paroles d'Albumazar qu'il a dites sans dessein, et sur
une ressemblance où il s'est mépris, se trouvent une
véritable prédiction ; et cette prédiction s'accomplit
entièrement par le bonheur que trouve ma fille à
épouser un homme qui est l'admiration de son siècle.
Il me reste seulement, seigneur, à vous demander la
grâce de me vouloir recevoir au nombre de vos sujets,
et de me permettre de finir mes jours dans votre
Royaume. »

Le Roi et Consalve furent si surpris et si touchés du
discours de Zuléma, qu'ils l'embrassèrent sans lui rien
dire, ne pouvant trouver de paroles qui expliquassent
leurs sentiments. Enfin après lui avoir témoigné leur
joie, ils admirèrent longtemps toutes les circonstances
d'une si étrange aventure. Néanmoins Consalve ne fut
pas surpris qu'Albumazar se fût trompé à la ressemblance du Prince de Fez ; il savait que plusieurs personnes s'y étaient trompées, et il apprit à Zuléma que
la mère de ce Prince était sœur de Nugnez Fernando
son père ; et qu'ayant été prise dans une irruption des
Maures, elle fut conduite en Afrique, où sa beauté la
rendit femme légitime du père du Prince de Fez.

Zuléma s'en alla apprendre à sa fille ce qui se
venait de passer ; et il lui fut facile de juger par la
manière dont elle reçut cette nouvelle, qu'elle n'était

pas insensible au mérite de Consalve. Peu de jours après, Zuléma embrassa publiquement la religion chrétienne ; on ne songea ensuite qu'aux préparatifs des noces, qui se firent avec toute la galanterie des Maures, et toute la politesse d'Espagne.

Fin de la seconde et dernière partie de Zayde.

APPENDICES

LETTRE DE L'ORIGINE DES ROMANS
DE PIERRE DANIEL HUET
(1670)

Conçu initialement comme un simple exposé devant tenir lieu de préface à *Zayde*, ce texte, également connu sous le titre *Lettre-traité de l'origine des romans*, est publié de façon quasi systématique avec le roman de Mme de Lafayette jusqu'à la fin du XIXe siècle [1]. Le paradoxe qui fait son originalité est l'union du galant et du docte. En effet, Huet parle avant tout pour un lecteur honnête homme, instruit sans être savant, amateur de romans, mais n'exclut toutefois pas un lectorat d'érudits.

Cette lettre est adressée à Segrais, le proche de Mme de Lafayette qui a signé *Zayde*. Les *Mémoires* de

---

1. Cette « lettre-traité » est publiée en préface au roman tout au long du XVIIe siècle, sous sa forme originale. Elle fait en outre l'objet de cinq éditions indépendantes, revues et abondamment corrigées par l'auteur, entre 1670 et 1711. Pour une approche génétique de ce texte, voir *Poétiques du roman. Scudéry, Huet, Du Plaisir et autres textes théoriques et critiques du XVIIe siècle sur le genre romanesque*, éd. C. Esmein, Honoré Champion, « Sources classiques », 2004, p. 357-534.

Huet rapportent les circonstances de sa genèse, qui
remonte à 1666, et soulignent également la commu-
nauté de vues qui réunit Segrais, Huet et Mme de
Lafayette, ce qui autorise l'hypothèse d'une sorte
d'atelier d'écriture autour de Mme de Lafayette :

> Tandis que Mme de Lafayette composait son charmant
> roman de *Zayde*, auquel Segrais a mis la main et son nom,
> ce dernier me demanda un jour qui étaient selon moi les
> premiers auteurs de romans. Je lui répondis sur-le-champ
> et en peu de mots, mais toutefois de manière à lui inspirer
> le désir d'avoir ma réponse par écrit. Je répliquai que la
> chose était trop peu importante, mais qu'elle exigerait
> néanmoins beaucoup de peine et de temps, s'il fallait seu-
> lement mettre au net ce que je venais d'improviser. « Je
> vous prie alors, me dit-il, de l'écrire à votre loisir et de me
> le communiquer ensuite. » Je le lui promis, à condition de
> ne pas m'engager pour tel jour et de choisir mon temps [1].

L'architecture du texte est la suivante : une définition initiale est suivie de cinq grandes sections, consa-
crées respectivement à l'Orient, à la Grèce antique, à
la Rome antique, au Moyen Âge en France, en Italie et
en Espagne, et à l'époque moderne. La recherche de
l'origine des romans se fonde donc sur une enquête
chronologique qui dégage les différentes manifesta-
tions et établit filiations, transitions et ruptures. Cette
histoire légitimante du genre romanesque fournit des
éléments de poétique du roman, qui le situent entre
baroque et classicisme. Par cette poétique de transition, Huet vise avant tout à promouvoir une conception du genre qui tient à la fois de l'esthétique et de
l'éthique, et à diffuser les ambitions multiples, et parfois contradictoires, que ses contemporains confèrent
à la fiction.

Sont ici reproduites les premières pages, qui formu-
lent une définition du roman, et la fin du texte, où
l'auteur s'interroge sur un bon usage possible de la

---

1. Pierre Daniel Huet, *Mémoires*, éd. P.-J. Salazar, Toulouse,
Société de Littératures classiques, 1993, p. 99.

lecture romanesque. Huet, dont le projet est de donner de grandes règles pour la construction de romans et surtout de livrer une réflexion d'ordre anthropologique sur le rôle et l'effet de la fiction, fait très peu référence à l'œuvre de Mme de Lafayette, comme à l'ensemble de la production romanesque contemporaine.

Votre curiosité est bien raisonnable, et il sied bien de vouloir savoir l'origine des romans à celui qui entend si parfaitement l'art de les faire. Mais je ne sais, monsieur, s'il me sied bien aussi d'entreprendre de satisfaire votre désir. Je suis sans livres ; j'ai présentement la tête remplie de tout autre chose ; et je connais combien cette recherche est embarrassante. Ce n'est ni en Provence, ni en Espagne, comme plusieurs le croient, qu'il faut espérer de trouver les premiers commencements de cet agréable amusement des honnêtes paresseux : il faut les aller chercher dans des pays plus éloignés, et dans l'antiquité la plus reculée. Je ferai pourtant ce que vous souhaitez ; car comme notre ancienne et étroite amitié vous donne droit de me demander toutes choses, elle m'ôte aussi la liberté de vous rien refuser.

Autrefois, sous le nom de romans on comprenait, non seulement ceux qui étaient écrits en prose, mais plus souvent encore ceux qui étaient écrits en vers. Le Giraldi et le Pigna son disciple dans leurs traités *De romanzi* [1], n'en reconnaissent presque point d'autres, et donnent le Boiardo, et l'Arioste pour modèles [2]. Mais aujourd'hui l'usage contraire a prévalu, et ce que l'on appelle proprement romans sont des fictions d'aventures amoureuses, écrites en prose avec art, pour le plaisir et l'instruction des lecteurs. Je dis des fictions, pour les distinguer des histoires véritables. J'ajoute, d'aventures amoureuses, parce que l'amour doit être le principal sujet du roman. Il faut qu'elles soient écrites en prose, pour être conformes à

---

1. Huet se réfère aux deux théoriciens du *romanzo* au XVIᵉ siècle. Giraldi propose une poétique de ce genre dans le *Discorso intorno al compore dei romanzi* (1554). Pigna publie la même année *I Romanzi* [...] *Divisi in tre libri. Ne quali della Poesia e della vita dell'Ariosto si tratta*.

2. Il s'agit de deux auteurs de *romanzi*. Boiardo est l'auteur du *Roland amoureux* (1476-1494), resté inachevé, et l'Arioste celui du *Roland furieux* (1516 et 1532).

l'usage de ce siècle. Il faut qu'elles soient écrites avec art, et sous de certaines règles ; autrement ce sera un amas confus, sans ordre et sans beauté. La fin principale des romans, ou du moins celle qui le doit être, et que se doivent proposer ceux qui les composent, est l'instruction des lecteurs, à qui il faut toujours faire voir la vertu couronnée ; et le vice châtié. Mais comme l'esprit de l'homme est naturellement ennemi des enseignements, et que son amour-propre le révolte contre les instructions, il le faut tromper par l'appât du plaisir, et adoucir la sévérité des préceptes par l'agrément des exemples, et corriger ses défauts en les condamnant dans un autre. Ainsi le divertissement du lecteur, que le romancier habile semble se proposer pour but, n'est qu'une fin subordonnée à la principale, qui est l'instruction de l'esprit, et la correction des mœurs ; et les romans sont plus ou moins réguliers, selon qu'ils s'éloignent plus ou moins de cette définition et de cette fin. C'est seulement de ceux-là que je prétends vous entretenir : et je crois aussi que c'est là que se borne votre curiosité.

Je ne parle donc point ici des romans en vers, et moins encore des poèmes épiques, qui outre qu'ils sont en vers, ont encore des différences essentielles qui les distinguent des romans : quoiqu'ils aient d'ailleurs un très grand rapport, et que suivant la maxime d'Aristote, qui enseigne que le poète est plus poète par les fictions qu'il invente, que par les vers qu'il compose [1], on puisse mettre les faiseurs de romans au nombre des poètes. Pétrone dit que les poèmes doivent s'expliquer par de grands détours, par le ministère des dieux, par des expressions libres et hardies ; de sorte qu'on les prenne plutôt pour des oracles, qui partent d'un esprit plein de fureur, que pour une narration exacte et fidèle : les romans sont plus simples, moins élevés, moins figurés dans l'invention et dans l'expression. Les poèmes ont plus du merveilleux, quoique toujours vraisemblables : les romans ont plus du vraisemblable, quoiqu'ils aient quelquefois du merveilleux. Les poèmes sont plus réglés, et plus châtiés dans l'ordonnance, et reçoivent moins de matière, d'événements, et d'épisodes : les romans en reçoivent davantage, parce qu'étant moins élevés et moins figurés, ils ne tendent pas tant l'esprit, et le laissent en état de se charger d'un plus grand nombre

---

1. Voir Aristote, *Poétique*, 1451b.

de différentes idées. Enfin les poèmes ont pour sujet une action militaire ou politique, et ne traitent l'amour que par occasion : les romans au contraire ont l'amour pour sujet principal, et ne traitent la politique et la guerre que par incident. Je parle des romans réguliers, car la plupart des vieux romans français, italiens, et espagnols sont bien moins amoureux que militaires. C'est ce qui a fait croire à Giraldi que le nom de roman vient d'un mot grec qui signifie la force et la valeur ; parce que ces livres ne sont faits que pour vanter la force et la valeur des paladins [1] : mais Giraldi s'est abusé en cela, comme vous verrez dans la suite. Je ne comprends point ici non plus ces histoires qui sont reconnues pour avoir beaucoup de faussetés, telles que sont celle d'Hérodote, qui pourtant en a bien moins que l'on ne croit, la navigation d'Hannon, la *Vie d'Apollonius* écrite par Philostrate, et plusieurs semblables [2]. Ces ouvrages sont véritables [en] gros, et faux seulement dans quelques parties : les romans au contraire sont véritables dans quelques parties, et faux dans le gros. Les uns sont des vérités mêlées de quelques faussetés, les autres sont des faussetés mêlées de quelques vérités. Je veux dire que la vérité tient le dessus dans ces histoires, et que la fausseté prédomine tellement dans les romans, qu'ils peuvent même être entièrement faux, et en gros et en détail. Aristote enseigne que la tragédie dont l'argument est connu, et pris dans l'Histoire, est la plus parfaite [3] : parce qu'elle est plus vraisemblable que celle dont l'argument est nouveau, et entièrement controuvé : et néanmoins il ne condamne pas cette dernière. Sa raison est, qu'encore

1. Paladin : « Héros ou ancien aventurier ou chevalier errant, dont il est fait beaucoup de mention dans les romans, fondés sur ce que la plupart étaient des plus notables officiers de la cour et du palais de l'empereur Charlemagne. Ainsi ce mot est venu par corruption de *palatin* ; et on l'a donné à Roland, Renaud, Ogier, Olivier, qui étaient des princes de la cour de Charlemagne, dont on a fait des héros de romans » (Furetière).

2. Hannon est un navigateur carthaginois qui avait été chargé de faire le tour de l'Afrique et qui laissa une relation de voyage, traduite en grec au IVe siècle av. J.-C. Philostrate de Lemnos, écrivain grec du IIIe siècle, est l'auteur d'une *Vie des sophistes* et d'une vie d'Apollonius de Tyane. Syméon Métaphraste est un hagiographe byzantin de la seconde moitié du Xe siècle, auteur d'un grand recueil de vies de saints, le *Synaxarion*.

3. Voir Aristote, *Poétique*, 1451b.

que l'argument d'une tragédie soit tiré de l'Histoire, il est
pourtant ignoré de la plupart des spectateurs, et nouveau
à leur égard, et que cependant il ne laisse pas de divertir
tout le monde. Il faut dire la même chose des romans,
avec cette distinction toutefois, que la fiction totale de
l'argument est plus recevable dans les romans dont les
acteurs sont de médiocre fortune, comme dans les romans
comiques, que dans les grands romans dont les princes et
les conquérants sont les acteurs, et dont les aventures sont
illustres et mémorables : parce qu'il ne serait pas vraisemblable que de grands événements fussent demeurés
cachés au monde, et négligés par les historiens : et la vraisemblance, qui ne se trouve pas toujours dans l'Histoire,
est essentielle au roman. J'exclus aussi du nombre des
romans de certaines histoires entièrement controuvées et
dans le tout et dans les parties, mais inventées seulement
au défaut de la vérité. Telles sont les origines imaginaires
de la plupart des nations, et même des plus barbares.
Telles sont encore ces histoires si grossièrement supposées par le moine Annius de Viterbe, qui ont mérité l'indi-
gnation ou le mépris de tous les savants [1]. Je mets la même
différence entre les romans et ces sortes d'ouvrages,
qu'entre ceux qui par un artifice innocent se travestis-
sent et se masquent pour se divertir en divertissant les
autres ; et ces scélérats qui prenant le nom et l'habit de
gens morts ou absents, usurpent leurs biens à la faveur
de quelque ressemblance. Enfin je mets aussi les fables
hors de mon sujet : car les romans sont des fictions de
choses qui ont pu être, et qui n'ont point été : et les
fables sont des fictions de choses qui n'ont point été et
n'ont pu être.

[...]

Il me suffira de vous dire que tous ces ouvrages [2], auxquels l'ignorance avait donné la naissance, portaient des
marques de leur origine, et n'étaient qu'un amas de fictions grossièrement entassées les unes sur les autres, et
bien éloignées de ce souverain degré d'art et d'élégance,

---

1. J. Nanni, dit Annius (1432-1502), est un dominicain, auteur
d'ouvrages d'exégèse et d'un recueil d'antiquités, les *Commentaires*
(1498), qui mêle à des textes d'historiens antiques des textes apo-
cryphes et des pièces supposées.
2. Huet a analysé dans les pages qui précèdent des romans français, italiens et espagnols du Moyen Âge.

où notre nation a depuis porté les romans. Il est vrai qu'il y a sujet de s'étonner qu'ayant cédé aux autres le prix de la poésie épique et de l'Histoire, nous ayons emporté celui-ci avec tant de hauteur, que leurs plus beaux romans n'égalent pas les moindres des nôtres. Je crois que nous devons cet avantage à la politesse de notre galanterie, qui vient, à mon avis, de la grande liberté dans laquelle les hommes vivent en France avec les femmes. Elles sont presque recluses en Italie et en Espagne, et sont séparées des hommes par tant d'obstacles, qu'on les voit peu, et qu'on ne leur parle presque jamais. De sorte que l'on a négligé l'art de les cajoler agréablement, parce que les occasions en étaient rares. L'on s'applique seulement à surmonter les difficultés de les aborder ; et cela fait, on profite du temps sans s'amuser aux formes. Mais en France les dames vivant sur leur bonne foi, et n'ayant point d'autres défenses que leur propre cœur, elles s'en sont fait un rempart plus fort et plus sûr que toutes les clefs, que toutes les grilles, et que toute la vigilance des duègnes. Les hommes ont donc été obligés d'assiéger ce rempart par les formes, et ont employé tant de soin et d'adresse pour le réduire, qu'ils s'en sont fait un art presque inconnu aux autres peuples. C'est cet art qui distingue les romans français des autres romans, et qui en a rendu la lecture si délicieuse, qu'elle a fait négliger des lectures plus utiles. Les Dames ont été les premières prises à cet appât : elles ont fait toute leur étude des romans, et ont tellement méprisé celle de l'ancienne fable et de l'Histoire, qu'elles n'ont plus entendu des ouvrages qui tiraient de là autrefois leur plus grand ornement. Pour ne rougir plus de cette ignorance, dont elles avaient si souvent occasion de s'apercevoir, elles ont trouvé que c'était plutôt fait de désapprouver ce qu'elles ignoraient, que de l'apprendre. Les hommes les ont imitées pour leur plaire ; ils ont condamné ce qu'elles condamnaient, et ont appelé pédanterie, ce qui faisait une partie essentielle de la politesse, encore du temps de Malherbe. Les poètes, et les autres écrivains français qui l'ont suivi, ont été contraints de se soumettre à ce jugement ; et plusieurs d'entre eux voyant que la connaissance de l'Antiquité leur était inutile, ont cessé d'étudier ce qu'ils n'osaient plus mettre en usage. Ainsi une bonne cause a produit un très mauvais effet, et la beauté de nos romans a attiré le mépris des belles lettres, et ensuite l'ignorance.

Je ne prétends pas pour cela en condamner la lecture. Les meilleures choses du monde ont toujours quelques suites fâcheuses. Les romans en peuvent avoir de pires encore que l'ignorance. Je sais de quoi on les accuse : ils dessèchent la dévotion, ils inspirent des passions déréglées, ils corrompent les mœurs. Tout cela peut arriver, et arrive quelquefois. Mais de quoi les esprits mal faits ne peuvent-ils point faire un mauvais usage ? Les âmes faibles s'empoisonnent elles-mêmes, et font du venin de tout. Il leur faut donc interdire l'Histoire, qui rapporte tant de pernicieux exemples, et la fable, où les crimes sont autorisés par l'exemple même des dieux. Une statue de marbre qui faisait la dévotion publique parmi les païens, fit la passion, la brutalité et le désespoir d'un jeune homme. Le Chaerea de Térence se fortifie dans un dessein criminel à la vue d'un tableau de Jupiter, qui attirait peut-être le respect de tous les autres spectateurs [1]. On a eu peu d'égard à l'honnêteté des mœurs dans la plupart des romans grecs et des vieux français, par le vice des temps où ils ont été composés. *L'Astrée* même, et quelques-uns de ceux qui l'ont suivie, sont encore un peu licencieux : mais ceux de ce temps, je parle des bons, sont si éloignés de ce défaut, qu'on n'y trouvera pas une parole, pas une expression qui puisse blesser les oreilles chastes, pas une action qui puisse offenser la pudeur. Si l'on dit que l'amour y est traité d'une manière si délicate, et si insinuante, que l'amorce de cette dangereuse passion entre aisément dans de jeunes cœurs : je répondrai que non seulement il n'est pas périlleux, mais qu'il est même en quelque sorte nécessaire que les jeunes personnes du monde connaissent cette passion, pour fermer les oreilles à celle qui est criminelle, et pouvoir se démêler de ses artifices ; et pour savoir se conduire dans celle qui a une fin honnête et sainte. Ce qui est si vrai, que l'expérience fait voir que celles qui connaissent moins l'amour en sont les plus susceptibles, et que les plus ignorantes sont les plus dupes. Ajoutez à cela que rien ne dérouille tant l'esprit, ne sert tant à le façonner et à le rendre propre au monde, que la lecture des bons romans. Ce sont des pré-

---

1. Dans l'*Eunuque* de Térence, Chaerea contemple un tableau représentant Jupiter déversant une pluie d'or dans le sein de Danaé, puis assimile son stratagème à l'égard de la jeune fille qu'il aime à celui de Jupiter et se conforte dans son dessein (acte III, scène v).

cepteurs muets, qui succèdent à ceux du collège, et qui apprennent à parler et à vivre d'une méthode bien plus instructive, et bien plus persuasive que la leur.

M. d'Urfé fut le premier qui les tira de la barbarie, et les remit dans les règles en son incomparable *Astrée*, l'ouvrage le plus ingénieux et le plus poli, qui eût jamais paru en ce genre, et qui a terni la gloire que la Grèce, l'Italie et l'Espagne s'y étaient acquise. Il n'ôta pourtant pas le courage à ceux qui vinrent après lui d'entreprendre ce qu'il avait entrepris, et n'occupa pas si fort l'admiration publique, qu'il n'en restât encore pour tant de beaux romans qui parurent en France après le sien. L'on n'y vit pas sans étonnement ceux qu'une fille autant illustre par sa modestie, que par son mérite, avait mis au jour sous un nom emprunté se privant si généreusement de la gloire qui lui était due, et ne cherchant sa récompense que dans sa vertu : comme si, lorsqu'elle travaillait ainsi à la gloire de notre nation, elle eût voulu épargner cette honte à notre sexe. Mais enfin le temps lui a rendu la justice qu'elle s'était refusée, et nous a appris que *L'Illustre Bassa*, *Le Grand Cyrus*, et *Clélie*, sont les ouvrages de Mlle de Scudéry ; afin que désormais l'art de faire les romans, qui pouvait se défendre contre les censeurs scrupuleux, non seulement par les louanges que lui donne le Patriarche Photius, mais encore par les grands exemples de ceux qui s'y sont appliqués, pût aussi se justifier par le sien ; et qu'après avoir été cultivé par des philosophes, comme Apulée et Athénagoras, par des Préteurs romains, comme Sisenna ; par des consuls, comme Pétrone ; par des prétendants à l'Empire, comme Claudius Albinus ; par des prêtres, comme Theodorus Prodromus ; par des évêques, comme Héliodore et Achille Tatius ; par des papes, comme Pie II, qui avait écrit les amours d'Euryale et de Lucrèce [1] ; et par des saints, comme Jean Damascène ; il eût encore l'avantage d'avoir été exercé par une sage et vertueuse fille. Pour vous, monsieur, puisqu'il est vrai comme je l'ai montré, et comme Plutarque l'assure [2],

---

1. Il s'agit d'un bref roman d'Aeneas Sylvius Piccolimini, le pape et humaniste italien Pie II (1405-1464), *Euryale et Lucrèce. Histoire de deux amants* (1444), qui relate une histoire amoureuse tragique et qui est caractérisé par une grande érudition.

2. Voir Plutarque, *Comment lire les poètes*, et la première *Olympique* de Pindare.

qu'un des plus grands charmes de l'esprit humain, c'est le tissu d'une fable bien inventée et bien racontée ; quel succès ne devez-vous pas espérer de *Zayde* dont les aventures sont si nouvelles et si touchantes, et dont la narration est si juste et si polie. Je souhaiterais pour l'intérêt que je prends à la gloire du grand roi que le ciel a mis sur nos têtes, que nous eussions l'histoire de son règne merveilleux écrite d'un style aussi noble, et avec autant d'exactitude et de discernement. La vertu qui conduit ses belles actions est si héroïque, et la fortune qui les accompagne, est si surprenante que la postérité douterait si ce serait une histoire, ou un roman. FIN [1].

LETTRE DE MME DE LAFAYETTE À PIERRE DANIEL HUET
(début 1669)

Mme de Lafayette conçut *Zayde* avec l'aide de Huet et de Segrais. Les *Mémoires* de Huet permettent de savoir qu'il corrigea le texte du roman à la fin de l'année 1668 et au début de l'année 1669. Ce billet, qui n'est pas daté, donne des indications sur la manière de travailler de Mme de Lafayette.

Je vous envoie le troisième et le quatrième cahier. Celui-ci n'est point du tout corrigé ni revu : aussi vous y trouverez bien à mordre : mais ne vous amusez guère aux expressions et prenez seulement garde aux choses ; car, quand nous l'aurons corrigé, vous y repasserez encore.

Si je n'avais point eu mille affaires, j'aurais été vous rendre une visite pendant votre maladie. Je vous prie de

---

1. Pierre Daniel Huet, *Lettre-traité de l'origine des romans*, publiée en préface à *Zayde, histoire espagnole*, Paris, C. Barbin, 1670, p. 3-11 et 91-99.

croire que je suis votre servante et votre amie d'une
manière dont je ne la suis de guère de gens.

– Servez-vous du crayon rouge : on ne voit pas le
noir [1].

Fragment-autographe pour Zayde, de François de La Rochefoucauld

Ces notes de la main de La Rochefoucauld, qui
proposent une variante pour un passage du roman
(voir p. 227), ont été trouvées et publiées par Victor
Cousin (*Journal des savants*, août 1851, p. 732). Elles
sont précédées d'une indication de la main de Vallant :
« M. de La Rochefoucauld donne ceci à juger ».

J'ai cessé d'aimer toutes celles qui m'ont aimé et
j'adore Zaïde qui me méprise, est-ce sa beauté qui produit un effet si extraordinaire, ou si ses rigueurs causent
mon attachement, serait-il possible que j'eusse un si
bizarre sentiment dans le cœur et que le seul moyen de
m'attacher fût de ne m'aimer pas, ha Zaïde ne serai-je
jamais assez heureux pour être en état de connaître si ce
sont vos charmes ou vos rigueurs qui m'attachent à
vous.

---

1. Cette mention est portée sur un fragment de feuille déchirée,
indépendant du billet. Source de cette lettre : copie Léchaudé
d'Anisy, BNF, ms. fr. 15188, fol. 22. L'original est conservé à Flo-
rence (Bibliothèque Laurentienne, Inserto 946). En appendice à
ce texte, Léchaudé d'Anisy a recopié une lettre de Huet du
27 août 1705 revenant sur l'attribution de *Zayde* à Mme de
Lafayette, et qui finit de la sorte : « Est-il présumable que l'auteur
de *Zahyde* ait fait imprimer cet ouvrage avec mon *Traité des romans*
sans que j'aie su qui était l'auteur de *Zahyde* ? M. de Segrais a ouï
souvent Mme de La Fayette me dire que nous avions marié nos
enfants ensemble. »

ha Zaïde ne me mettrez-vous jamais en état de connaître que ce sont vos charmes et non pas vos rigueurs qui m'ont attaché à vous [1].

Lettre de Roger de Bussy-Rabutin
à Mme du Bouchet
(5 février 1670)

Un échange de lettres entre Bussy-Rabutin et Mme du Bouchet commente la publication de *Zayde* [2]. Dans une lettre datée du 5 février 1670, Bussy fait la critique du roman, appréciant le style et les caractères, mais relevant plusieurs invraisemblances.

À Chaseu, ce 5 février 1670.

Je viens de lire le roman de Segrais, madame. Rien n'est mieux écrit. Si tous les romans étaient comme celui-là, j'en ferais ma lecture ; mais comme il n'y a rien de parfait, je vais vous en dire mon sentiment, sans prétendre que ce soit une décision sans réplique.

Les histoires de Consalve, de Nugna Bella, de don Garcie et de don Ramire sont très jolies ; il ne s'y peut rien désirer. Quant aux amours de Consalve pour Zayde, elles sont extravagantes. On la lui fait aimer sitôt qu'il la voit, ayant encore le cœur rempli de douleur des infidélités de sa première maîtresse et de la trahison de son ami ; d'ailleurs n'entendant point la langue de Zayde. Tout cela m'a paru hors de la vraisemblance, et je ne puis souffrir que le héros du roman fasse le per-

1. François de La Rochefoucauld, Fragment-autographe pour *Zayde*, dans *Portefeuilles de Vallant*, t. II, fol. 162-163.
2. Lettre de Mme du Bouchet à Bussy, 18 décembre 1669 et Lettre de Bussy à Mme du Bouchet, 22 décembre 1669, dans *Correspondance de Roger de Rabutin, comte de Bussy avec sa famille et ses amis (1666-1693)*, éd. L. Lalanne, Paris, Charpentier, 1858, t. I, p. 228-229 et 230-231.

sonnage d'un fou. Si c'était une histoire, il faudrait supprimer ce qui n'est pas vraisemblable, car les choses extraordinaires qui choquent le bon sens discréditent les vérités. Mais dans un roman où l'on est maître des événements, il les faut rendre croyables, et qu'au moins le héros ne fasse pas des extravagances. J'ai dit autrefois et je le maintiens contre ceux qui passent toutes les folies d'un amant, sous le prétexte d'un violent amour :

> *L'amour est fou dans une tête folle,*
> *Et sage dans un cœur bien fait.*

Il me paraît encore qu'Alphonse devait taire tout ce que la jalousie lui faisait penser. Segrais nous le représente dans sa retraite avec un caractère de sagesse qui ne s'accorde pas avec les discours qu'il lui fait tenir. Je sais bien que la jalousie fait imaginer toutes les plus ridicules sottises ; mais les honnêtes gens ne les font pas paraître. On croit voir dans Alphonse et dans Consalve deux fous qui se veulent guérir l'un l'autre de leur folie.

Du reste j'ai trouvé dans l'histoire de Consalve et de Nugna Bella tant de conformité avec la mienne, que je l'ai lue avec plus de plaisir que les autres. Mais je voudrais bien vous demander si mon don Ramire était un assez joli garçon pour faire excuser l'infidélité de ma maîtresse ; j'en doute un peu, car nous avons vu dans la vie de ma Nugna Bella tant de goûts bizarres, que celui-ci pourrait bien être encore de même. Nous en rirons quelques jours, madame ; car quand vous seriez toujours amie de l'infidèle, je suis assuré que vous la méprisez et que vous aimez avec estime le pauvre abandonné [1].

---

1. Roger de Bussy-Rabutin, Lettre à Mme du Bouchet du 5 février 1670. Citée dans *Poétiques du roman. Scudéry, Huet, Du Plaisir et autres textes théoriques et critiques du XVII⁰ siècle sur le genre romanesque*, éd. C. Esmein, Honoré Champion, « Sources classiques », 2004, p. 612-614.

SEGRAISIANA
OU MÉLANGES D'HISTOIRE ET DE LITTÉRATURE
DE JEAN REGNAULD DE SEGRAIS
(1722)

Plusieurs passages de ce recueil de pensées de Segrais reviennent sur la collaboration entre Mme de Lafayette et ce romancier, auteur d'un roman héroïque (*Bérénice*, 1648) et d'un recueil de nouvelles (*Les Nouvelles françaises*, 1657), ainsi que sur la réception de *Zayde* par les contemporains.

La *Princesse de Clèves* est de Mme de Lafayette, qui a méprisé de répondre à la critique que le Père Bouhours en a faite. *Zaïde*, qui a paru sous mon nom, est aussi d'elle. Il est vrai que j'y ai eu quelque part, mais seulement pour la disposition du roman, où les règles de l'art sont observées avec grande exactitude. [...]

Après que ma *Zaïde* fut imprimée, Mme de Lafayette en fit relier un exemplaire avec du papier blanc entre chaque page, afin de la revoir tout de nouveau, et d'y faire des corrections, particulièrement sur le langage ; mais elle ne trouva rien à y corriger, même en plusieurs années, et je ne pense pas que l'on y puisse rien changer, même encore aujourd'hui. La jalousie d'Alphonse qui paraît extraordinaire, est dépeinte sur le vrai ; mais moins outrée qu'elle ne l'était en effet. Il est plus difficile de faire des nouvelles qu'un roman, parce qu'il faut trouver un dénouement pour chaque nouvelle, et qu'il n'en faut qu'un pour finir un grand roman. [...]

Deux choses, que je vis faire en mon temps à Monsieur le Prince, me donnèrent une grande satisfaction : Il avait voulu lire ma *Zaïde*, et j'ai trouvé qu'il était mieux informé que moi de la scène de mon ouvrage, connaissant parfaitement les personnages que j'y avais introduits, tant de l'Espagne, de la France, que de l'Égypte, de Chypre et d'Asie, quoique ce fût dans un siècle dont tout le monde n'était pas obligé de savoir l'Histoire. [...]

Peu de temps après que ma *Zaïde* fut imprimée pour la première fois, le Père Bouhours me dit qu'il croyait qu'il n'y aurait pas grand mal à lire tous les autres romans s'ils étaient écrits de même : c'est que les effets de l'amour y sont écrits d'une manière plus historique qu'ailleurs, et que cela ne fait pas tant d'impression [1].

---

1. Jean Regnauld de Segrais, *Segraisiana ou Mélanges d'histoire et de littérature* (1722), dans *Œuvres diverses. Qui contient ses mémoires Anecdotes, où l'on trouve quantité de particularités remarquables touchant les personnes de la Cour, et les gens de Lettres de son temps*, Amsterdam, François Changuion, 1723, t. I., p. 10, 73-74, 101 et 216.

TABLE DES PERSONNAGES

Cette table présente les principaux personnages de Zayde.
*Elle a été établie à partir des ouvrages que Mme de Lafayette
avait pu consulter, et corrigée ou complétée par des ouvrages
récents.*

ABDALLAH : Émir maure de Cordoue, il régna de 888 à 912.

ABDÉRAME : Il s'agit d'Abderrahman III, huitième calife
omeyade d'Espagne. Il succède à Abdallah en 912. En
929, il se proclame « prince des croyants » et « défenseur
de la foi », et brise tout lien de dépendance avec Bagdad :
commence alors le califat de Cordoue.

ALAMIR : Prince de Tarse dans le roman. Mme de Lafayette
fait également référence à son père, prince de Tarse du
même nom qui apparaît chez Marmol [1]. Sa liaison avec
Zayde est fictionnelle et s'inspire sans doute de *L'Histoire
des guerres civiles de Grenade* de Perez de Hita, où un
Maure nommé Tarse s'éprend de Zayde [2]. Tarse est une
ville de la province de Cilicie en Turquie.

ALBUMAZAR : Astrologue arabe d'origine persane du
IXᵉ siècle, auteur d'un traité d'astrologie et d'un ouvrage
sur les grandes conjonctions.

---

1. Luys de Marmol-Carvajal, *L'Afrique*, trad. N. Perrot d'Ablancourt, Paris, Louis Billaine, 1667, t. I, chap. XXV, p. 232.
2. Ginès Perez de Hita, *L'Histoire des guerres civiles de Grenade*,
Paris, Toussaint du Bray, 1608, chap. VI.

ALPHONSE III LE GRAND (v. 833-910) : Il régna de 866 à
   910, selon les historiens modernes, et consolida son
   royaume en l'agrandissant du León et d'une partie de la
   Vieille Castille. Il eut quatre fils : Garcie, Ordogno, Fruela
   et Gonçalez. Selon les historiens espagnols, Alphonse,
   dépossédé par ses fils et par les comtes de Castille, se
   retira à Zamora [1].

ALPHONSE XIMÉNÈS : Le personnage est vraisemblablement
   fictif, mais Ximénès est le nom de la première famille
   royale de Navarre.

CAYM ADAM : Vingt-quatrième calife, qui aurait succédé à
   Ozman en 873 selon Marmol [2].

CONSALVE : Le personnage est inventé, mais Mme de
   Lafayette s'inspire sans doute de Fernand Gonzalez, qui
   fut en vérité le gendre ou le petit-fils de Nugno Fernandez, et que les historiens de l'époque présentent
   comme un héros pour sa vaillance et sa politesse.

DIEGO PORCELLOS : Comte de Castille, qui succède à son
   père en 873. Mariana fait remonter l'institution des
   comtes de Castille à la fin du VIIIᵉ siècle, et mentionne don
   Diego Porcellos et don Nugno Fernandez comme deux
   des plus puissants d'entre eux au siècle suivant [3].

FEZ (LE PRINCE DE), de la maison des Idris : Les Idrisides
   sont des chiites venus d'Orient. Idris, parent d'Ali, s'établit dans le nord du Maroc et prend Tlemcen en 789.
   Idris II fonde Fez en 801 ou 807.

GARCIE (DON) : Fils aîné du roi Alphonse III. Il se révolta
   contre son père qui le fit arrêter, mais les comtes de Castille, entraînés par Nugno Fernandez, dont la fille avait
   épousé don Garcie, le firent libérer et le mirent sur le
   trône. Il régna de 910 à 914. Don Garcie épousa la fille de
   Nugno Fernandez, mais aucun des historiens consultés
   n'évoque le biais d'un enlèvement [4]. La source de cet épi-

---

1. Louis de Mayerne-Turquet, *Histoire générale d'Espagne*, Paris,
Abel Angelier, 1608, t. I, livre VI, p. 240.
   2. Luys de Marmol-Carvajal, *L'Afrique*, *op. cit.*, t. I, chap. XXVI,
p. 233-240.
   3. Juan de Mariana, *Histoire générale d'Espagne*, Paris, Le Mercier-Lottin-Josse-Briasson, 1725, t. II, p. 140-141.
   4. *Ibid.*, p. 141.

sode, selon l'hypothèse d'Alain Niderst, est l'enlèvement d'Isabelle de Montmorency par Coligny, qui l'épousa ensuite.

HERMENESILDE : Épouse de don Garcie et sœur de Consalve dans le roman. Cette princesse apparaît chez Mariana et Mayerne-Turquet, qui ne la nomment pas. Le nom a peut-être été créé par la romancière d'après celui de l'archevêque d'Oviedo, Hermenegilde.

LÉON LE PHILOSOPHE : Il succéda à l'empereur Basile en 886 et reprit aux Arabes l'île de Chypre vers 895.

NUGNA BELLA : Fille de Diego Porcellos dans le roman. Celui-ci eut en réalité une fille nommée Sulla Bella ; le nom s'inspire peut-être aussi de celui de la mère d'Alphonse III, Nugna. Sulla Bella, fille de Diego Porcellos, épousa un seigneur allemand particulièrement pieux [1]. On a pu voir dans l'épisode du mariage forcé de Nugna Bella avec un seigneur allemand pieux et peu attirant une allusion à l'union d'Isabelle de Montmorency et du duc de Mecklembourg.

NUGNEZ FERNANDO : Comte de Castille, puissant et riche, dont le véritable nom est Nugno Fernandez.

OLMOND (DON) : Un personnage de ce nom est cité par Mariana [2], mais ses rapports avec Consalve paraissent inventés par Mme de Lafayette.

ORDOGNO (DON) : Également désigné comme le Prince de Galice dans le roman. Fils d'Alphonse III et frère de don Garcie. Il ne mourut pas, comme Mme de Lafayette le rapporte, face à Abdérame, mais il succéda à son frère sur le trône en 914, et la Galice fut alors absorbée par le royaume de León. Sa campagne malheureuse en Biscaye face au capitaine don Suria est rapportée par Mayerne-Turquet [3].

---

1. Voir Louis de Mayerne-Turquet, *Histoire générale d'Espagne*, *op. cit.*, t. I, livre VI, p. 245 ; Juan de Mariana, *Histoire générale d'Espagne, op. cit.*, t. II, p. 141.

2. Juan de Mariana, *ibid.*, t. II, p. 144.

3. Louis de Mayerne-Turquet, *Histoire générale d'Espagne, op. cit.*, t. I, livre VI, p. 239-240.

OSMAN : D'après Marmol, il est le vingt-troisième calife, et règne de 865 à 873 [1].

OSMIN : Frère de Zuléma et père de Félime dans le roman. Personnage imaginaire.

RAMIRE (DON) : Personnage fictif. Ce nom apparaît dans les chroniques et les *romanceros*.

REINE (LA) : Femme d'Alphonse III et mère de don Garcie et de don Ordogno dans le roman. Il s'agit d'une princesse française, nommée Ameline, qui se fit appeler Ximenia. Selon Mayerne-Turquet, elle incita son fils à prendre les armes contre Alphonse, puis ses autres fils et les comtes de Castille à délivrer don Garcie pour le mettre sur le trône [2].

ZAYDE : Fille de Zuléma et d'Alasinthe. Le prénom de Zayde est emprunté à *L'Histoire des guerres civiles de Grenade* de Perez de Hita, où il apparaît à plusieurs reprises. Mme de Lafayette emprunte très certainement des éléments de son récit aux amours du Maure Zayd et de la belle Zayde : les parents de la jeune fille lui ayant interdit de voir son amant, ils se rencontrent en cachette, mais un autre Maure, Tarse, également épris de Zayde, découvre leur stratagème et fait croire à la jeune fille que son amant se vante publiquement de ses succès amoureux. Après une brève mésentente entre les amants, Zayd se bat contre Tarse, le tue et épouse Zayde sur l'ordre du roi (chap. VI). D'autres personnages, moins centraux dans le récit de Perez de Hita, et dont il ne semble pas que Mme de Lafayette s'inspire, portent ce nom : une Zayde, fille du Gouverneur de Xerez, qui aime et est aimée de Gazul, se voit contrainte d'épouser à sa place un Maure gouverneur de Séville que son amant tue le jour du mariage (chap. XVII) ; un Zayde roi de Belchite combat contre un Maure nommé Atarse (chap. X) ; une jeune fille nommée Zayde est mentionnée parmi les personnes qui vivent à la cour de Grenade (chap. V).

ZULÉMA : Le personnage est vraisemblablement fictif. Néanmoins, deux éléments ont pu influencer l'auteur : il y a un

1. Luys de Marmol-Carvajal, *L'Afrique, op. cit.*, t. I, p. 231.
2. Louis de Mayerne-Turquet, *Histoire générale d'Espagne, op. cit.*, t. I, livre VI, p. 240.

« Zuléme ou Abenhamet Abencerrage » dans les *Guerres civiles* de Perez de Hita, dont sont rapportées les aventures galantes (chap. V) ; un seigneur maure devenu roi de Cordoue nommé Zuleima apparaît chez Mayerne-Turquet [1].

1. *Ibid.*, t. I, livre VI, p. 240.

CHRONOLOGIE

1633. 5 février : Mariage à Saint-Sulpice de Marc Pioche de La Vergne et d'Isabelle Péna. Marc Pioche, un ancien militaire de petite noblesse, est gouverneur du marquis de Brézé, le neveu de Richelieu. Isabelle Pena, issue d'une famille de médecins au service de la cour, appartient à l'entourage de Mme de Combalet.

1634. 18 mars : Baptême à Saint-Sulpice de Marie-Madeleine Pioche de La Vergne. Son parrain est le maréchal de Brézé, sa marraine Mme de Combalet.

1635. Avril : Naissance d'une deuxième fille, Éléonore Armande, qui entrera en religion pour favoriser l'établissement de son aînée.

1636. Naissance d'une troisième fille, Isabelle Louise, également destinée au cloître.

1636-1649. Marc Pioche accompagne le marquis de Brézé dans plusieurs campagnes. Lui et sa femme achètent des terrains en face du palais du Luxembourg et font construire plusieurs immeubles. Leur fille résidera dans l'un d'entre eux, rue Férou (ancienne rue Saint-Sulpice), jusqu'à sa mort.

1642. 4 décembre : Mort de Richelieu. Mazarin, bientôt promu cardinal, prend sa place au Conseil du roi.

1643. 14 mai : Mort de Louis XIII. Anne d'Autriche reçoit la régence du royaume.

1649. 20 décembre : Obsèques de Marc Pioche à Saint-Sulpice. Il avait reçu en mars le brevet de maréchal de camp, pour prix de sa fidélité à la cour lors des premiers troubles de la Fronde.

1650. 21 décembre : Isabelle Péna épouse en secondes noces Renaud René de Sévigné, oncle de la marquise. Cet homme cultivé fait rencontrer à Mlle de La Vergne l'érudit Ménage et le romancier Scarron.

1652. 25 décembre : Renaud René de Sévigné, proche du cardinal de Retz et qui a pris parti pour les frondeurs, reçoit l'ordre de se retirer dans ses terres d'Anjou. Il quitte Paris ; sa femme et sa belle-fille le rejoignent en février 1653. Il aide le cardinal de Retz à s'évader en août 1654.

1655. 15 février : Mariage à Saint-Sulpice de Marie-Madeleine Pioche de La Vergne avec François, comte de Lafayette. Le marié, de haute noblesse d'Auvergne, est veuf et âgé de trente-huit ans. Le couple rejoint ses terres en mars. Ménage envoie à la comtesse les livres d'actualité, notamment les premiers volumes de *Clélie* de Mlle de Scudéry (le roman, en cinq parties, est publié entre 1654 et 1660).

1656. 3 février : Mort d'Isabelle Péna. Printemps-été : Mme de Lafayette, de retour à Paris, est reçue dans différents cercles intellectuels et mondains, notamment les salons de Mme de Rambouillet, de Mlle de Scudéry et de Mme du Plessis-Guénégaud. Elle rencontre dans ce dernier de nombreux proches de Port-Royal, dont La Rochefoucauld et plusieurs membres de la famille Arnauld. Elle lit avec admiration les *Provinciales* de Pascal. Septembre : Mme de Lafayette rejoint son mari en Auvergne.

1657 (fin) : Le comte et la comtesse viennent habiter Paris. Mme de Lafayette occupe une remarquable position dans le monde. Deux jeunes Hollandais, les frères Villers, notent dans leur *Journal* qu'elle est « une des précieuses du plus haut rang et de la plus grande volée » (4 janvier 1658).

1658. 7 mars : Baptême à Saint-Sulpice de Louis de Lafayette (abbé, il mourra en 1729). Le comte et la comtesse retournent en Auvergne.

1659 (début) : Le comte et la comtesse reviennent à Paris. La comtesse fréquente deux hommes de lettres, Jean Regnault de Segrais et Pierre Daniel Huet. Elle publie dans le recueil de *Divers Portraits* publiés par Mlle de Montpensier un portrait de Mme de Sévigné. 17 septembre : baptême à Saint-Sulpice de René Armand de Lafayette (officier, il mourra à Landau en 1694).

1660 : Renaud René de Sévigné obtient des religieuses de Port-Royal le droit de faire construire un logement rue de la Bourbe, sur le mur d'enceinte du monastère de Paris. Il y mènera la vie d'un solitaire. Il loue à sa belle-fille la maison faisant le coin ouest de la rue Férou et de la rue de Vaugirard, où elle avait passé sa jeunesse et où elle demeurera jusqu'à sa mort.

1661. 9 mars : Mort de Mazarin. Louis XIV prend personnellement le pouvoir. 31 mars : mariage de Monsieur, frère du roi, avec Henriette d'Angleterre. Mme de Lafayette, qui est l'amie intime de celle-ci, a dès lors ses entrées à la cour. Mi-septembre : le comte rentre seul en Auvergne. Les époux ne se rencontreront plus que lors de rares et brefs séjours du comte à Paris. Mme de Lafayette tient salon et brille à la cour.

1662. 20 août : Achevé d'imprimer de *La Princesse de Montpensier*, dont le privilège est du 27 juillet.

1664. 27 octobre : Achevé d'imprimer de la première édition des *Maximes* de La Rochefoucauld. L'auteur devient l'ami intime de Mme de Lafayette.

1669. 20 novembre : Achevé d'imprimer de la première partie de *Zayde*, dont le privilège est du 8 octobre. Au cours de la rédaction, la romancière a consulté Segrais, Huet et La Rochefoucauld. Le premier signe l'ouvrage ; le second le fait précéder d'une *Lettre de l'origine des romans*.

1670. 2 janvier : Achevé d'imprimer de la première édition des *Pensées* de Pascal, très appréciées de Mme de Lafayette. 29 juin : mort soudaine d'Henriette d'Angleterre, avec qui Mme de Lafayette avait entrepris une *Histoire de Madame* (publiée en 1720). La comtesse commence à mener une existence plus retirée, mais s'entretient tous les jours avec La Rochefoucauld.

1671. 2 janvier : Achevé d'imprimer de la deuxième partie de *Zayde*.

1672 : L'abbé de Saint-Réal publie *Dom Carlos*.

1675 : Boisguilbert publie *Marie Stuart* et Boursault *Le Prince de Condé*. Le duc du Maine, second fils de

Louis XIV et Mme de Montespan, reçoit une « Chambre du sublime » où figurent les miniatures de Boileau, Bossuet, La Fontaine, La Rochefoucauld et Mme de Lafayette.

1678. 8 mars : Achevé d'imprimer de *La Princesse de Clèves*, dont le privilège est du 16 janvier.

1680. 16 mars : Mort de La Rochefoucauld.

1683. 26 juin : Mort du comte de Lafayette.

1686. Novembre-décembre : Correspondance de Mme de Lafayette avec l'abbé de Rancé, le réformateur de La Trappe, qui l'invite à se convertir.

1690. Novembre : Mme de Lafayette se place sous la direction de Duguet, prêtre de l'Oratoire, très lié avec Port-Royal.

1693. 25 mai : Mort de Mme de Lafayette, assistée par la nièce de Pascal, Marguerite Périer. Elle est inhumée le 27 mai à Saint-Sulpice.

BIBLIOGRAPHIE

ÉDITIONS DE *ZAYDE*
AUX XVIIᵉ ET XVIIIᵉ SIÈCLES

Le roman connaît une seule édition du vivant de Mme de Lafayette (1634-1693), où les deux parties sont publiées séparément :

Zayde, histoire espagnole, par Monsieur de Segrais. Avec un traité de l'origine des romans, par Monsieur Huet, Paris, Claude Barbin, 2 volumes, 1670 et 1671. Exemplaires de référence : Arsenal, 8° BL 18287 (1,2) ; BNF, Y2-1568-1569.

Le premier volume (441 pages) contient aussi le traité de Huet avec une pagination à part (p. 3-99). L'achevé d'imprimer est daté du 20 novembre 1669, le privilège du 8 octobre 1669. Le deuxième volume (536 pages) a un achevé d'imprimer du 2 janvier 1671.

Cette édition connaît aussitôt une copie hollandaise (Amsterdam, A. Wolfgang, 1671).

Le roman connaît ensuite huit éditions aux XVIIᵉ et XVIIIᵉ siècles, où le texte est inchangé et où figure systématiquement, à une exception près, le traité de Huet. À partir de la fin du XVIIIᵉ siècle paraissent des éditions qui réunissent soit l'ensemble de l'œuvre de Mme de Lafayette, soit les ouvrages de plusieurs auteurs dont Mme de Lafayette (associés à ceux de Mme de Tencin ou de Mme de Fontaines).

Principales éditions modernes

Zaïde, dans Mme de Lafayette, *Romans et nouvelles*, édition d'Émile Magne, Bordas, « Classiques Garnier », 1961.

Zaïde, dans Mme de Lafayette, *Romans et nouvelles*, édition d'Alain Niderst, Dunod, « Classiques Garnier », 1970, rééd. 1997.

Zaïde, histoire espagnole, texte établi d'après l'édition originale, édition de Jeanine Anseaume Kreiter, Nizet, 1982.

Zaïde, histoire espagnole, dans Mme de Lafayette, *Œuvres complètes*, préface de Michel Déon, édition de Roger Duchêne, Éditions François Bourin, 1990.

Sources historiques

FAVYN (André), *Histoire de Navarre*, Paris, Laurent Sonnius, Pierre Mettayer et Pierre Chevalier, 1612.

MARIANA (Juan DE), *Histoire générale d'Espagne*, Paris, Le Mercier-Lottin-Josse-Briasson, 1725, 3 tomes [éd. latine, 1592 ; éd. espagnole, 1605].

MARMOL-CARVAJAL (Luys DE), *L'Afrique*, traduit par Nicolas Perrot d'Ablancourt, Paris, Louis Billaine, 1667, 3 tomes [éd. espagnole, 1573-1599].

MAYERNE-TURQUET (Louis DE), *Histoire générale d'Espagne*, Paris, Abel Angelier, 1608 [1re éd., 1597 ; autre édition en 1635].

PEREZ DE HITA (Ginès), *L'Histoire des guerres civiles de Grenade, traduite d'espagnol en français*, Paris, Toussaint du Bray, 1608 ; autre édition en 1683, traduite par La Roche Guilhen [éd. espagnole, 1595].

Études sur le roman du XVIIe siècle

COULET (Henri), *Le Roman jusqu'à la Révolution*, Armand Colin, « U », 1967.

GRANDE (Nathalie), *Stratégies de romancières. De Clélie à La Princesse de Clèves (1654-1678)*, Honoré Champion, « Lumière classique », 1999.

HAUTCŒUR (Guiomar), *Parentés franco-espagnoles au XVIIe siècle. Poétique de la nouvelle de Cervantès à Challe,*

Honoré Champion, « Bibliothèque de littérature générale et comparée », 2005.

HIPP (Marie-Thérèse), *Mythes et réalités. Enquête sur le roman et les mémoires (1660-1700)*, Klincksieck, 1976.

L'Invention du roman français au XVIIᵉ siècle, XVIIᵉ *Siècle*, n° 215, 2002.

LEVER (Maurice), *Le Roman français au XVIIᵉ siècle*, PUF, 1981 ; rééd. sous le titre *Romanciers du Grand Siècle*, Fayard, 1996.

Perspectives de la recherche sur le genre narratif français du XVIIᵉ siècle, Actes du colloque de Pavie, octobre 1998, Edizioni Ets/Éditions Slatkine, « Quaderni del Seminario di filologia francese », n° 8, 2000.

PAVEL (Thomas), *L'Art de l'éloignement. Essai sur l'imagination classique*, Gallimard, « Folio Essais », 1996.

–, *La Pensée du roman*, Gallimard, 2003.

PIZZORUSSO (Arnaldo), *La Poetica del romanzo in Francia (1660-1685)*, Roma, Sciascia, 1962.

PLAZENET (Laurence), *L'Ébahissement et la délectation. Réception comparée et poétiques du roman grec en France et en Angleterre aux XVIᵉ et XVIIᵉ siècles*, Honoré Champion, « Lumière classique », 1997.

Poétiques du roman. Scudéry, Huet, Du Plaisir et autres textes théoriques et critiques du XVIIᵉ siècle sur le genre romanesque, édition établie et annotée par Camille Esmein, Honoré Champion, « Sources classiques », 2004 : édition critique de la Préface d'*Ibrahim* de Georges de Scudéry, du *Traité de l'origine des romans* de Pierre Daniel Huet et des *Sentiments sur les lettres et sur l'histoire avec des scrupules sur le style* de Du Plaisir, avec une anthologie de préfaces et traités.

Romanciers du XVIIᵉ siècle, sous la direction de J. Serroy, *Littératures classiques*, n° 15, 1991.

SGARD (Jean), *Le Roman français à l'âge classique (1600-1800)*, Librairie Générale Française, « Le Livre de Poche références », 2000.

SHOWALTER (Erich), *The Evolution of the French Novel (1641-1782)*, Princeton, Princeton University Press, 1972.

ÉTUDES GÉNÉRALES SUR L'ŒUVRE
DE MME DE LAFAYETTE

ASHTON (Harry), « Essai de bibliographie des œuvres de Mme de Lafayette », *RHLF*, 1913, p. 899-918.

–, « L'anonymat des œuvres de Mme de Lafayette », *RHLF*, 1914, p. 712-715.

Autour de Mme de Lafayette, XVIIᵉ Siècle, n° 181, 1993.

COSTENTIN (Catherine), « Le romanesque dans les œuvres de Mme de Lafayette : une fascination distanciée », dans *Le Romanesque*, dir. G. Declercq et M. Murat, Presses de la Sorbonne nouvelle, 2004, p. 85-103.

DELEZ-SARLET (Claudette), « Les jaloux et la jalousie dans l'œuvre romanesque de Mme de Lafayette », *Revue des sciences humaines*, n° 115, 1964, p. 279-309.

DUCHÊNE (Roger), *Mme de Lafayette*, Fayard, 1988.

FABRE (Jean), *Idées sur le roman, de Mme de Lafayette au marquis de Sade*, Klincksieck, « Bibliothèque française et romane », 1979.

FRANCILLON (Roger), *L'Œuvre romanesque de Mme de Lafayette*, José Corti, 1973.

–, « Mme de Lafayette : au carrefour des esthétiques du roman », *Perspectives de la recherche sur le genre narratif français du XVIIᵉ siècle*, *op. cit.*, p. 269-280.

GEVREY (Françoise), *L'Esthétique de Mme de Lafayette*, Sedes, 1997.

HIPP (Marie-Thérèse), « Quelques formes du discours romanesque chez Mme de Lafayette et chez Mlle Bernard », *RHLF*, n° 3-4, mai-août 1977, p. 507-522.

KREITER (Janine Anseaume), *Le Problème du paraître dans l'œuvre de Mme de Lafayette*, Nizet, 1977.

LAUGAA (Maurice), *Lectures de Mme de Lafayette*, A. Colin, « U2 », 1971.

–, « Mme de Lafayette, ou l'intelligence du cœur », dans « Romanciers du XVIIᵉ siècle », *Littératures classiques*, n° 15, octobre 1991, p. 195-226.

MAGNE (Émile), *Le Cœur et l'esprit de Mme de Lafayette. Portraits et documents inédits*, Paris, Émile-Paul, 1927.

Mme de Lafayette, Actes du congrès de Davis, éd. C. Abraham, États-Unis, Paris-Tübingen, Biblio 17, t. XL, 1988.

PINGAUD (Bernard), *Mme de Lafayette par elle-même*, Seuil, 1959.

POULET (Georges), *Études sur le temps humain*, t. I [1re éd. 1952], Éditions du Rocher, « Agora », 1989, chap. VII : « Mme de La Fayette ».

RAYNAL (Marie-Aline), *Le Talent de Mme de Lafayette*, Genève, Slatkine Reprints, 1978 [1re éd. 1926].

SCOTT (J.W.), *Mme de Lafayette, A Selective Critical Bibliography*, Londres, Grant and Cutler Ltd, 1974.

ÉTUDES SUR *ZAYDE* ET SUR LE ROMAN MAURESQUE

ACHOUR (Christiane), « Traditions françaises et influence hispano-mauresque dans *Zaïde* de Mme de Lafayette », *Cahiers algériens de littérature comparée*, n° 2, 1967, p. 37-65.

ALBERT (Alexandre), « Mme de Lafayette et le portrait perdu : une lecture de *Zayde* », *Le Portrait littéraire*, dir. K. Kupisz, G.-A. Pérouse et J.-Y. Debreuille, Lyon, Presses universitaires de Lyon, 1988, p. 131-140.

BEASLEY (Faith A.), « Un mariage critique : *Zayde* et *De l'origine des romans* », *XVIIe Siècle*, n° 181, 1993, p. 687-704.

BREDIF (Léon), *Segrais. Sa vie et ses œuvres*, Genève, Slatkine Reprints, 1971 [1863].

CAZENAVE (Jean), « Le roman hispano-mauresque en France », *Revue de littérature comparée*, n° 5, 1925, p. 594-640.

CHAPLYN (Marjorie A.), *Le Roman mauresque en France de Zaïde au Dernier Abencérage*, thèse de la faculté des lettres de Paris, Nemours, 1928.

DEJEAN (Joan), « No man's land : the novel's first geography », *Yale French Studies*, 1987, n° 73, p. 175-189.

FORCE (Pierre), « Doute métaphysique et vérité romanesque dans *La Princesse de Clèves* et *Zaïde* », *Romanic review*, vol. 83, 1992, p. 160-176.

GAMBELLI (Delia), « Progetto e disdetta (per una lettura di *Zaïde*) », *Il romanzo barocco tra Italia e Francia*, éd. M. Colesanti, Rome, Bulzoni, 1980, p. 239-257.

GRISÉ (Sister Magdala), « Mme de Lafayette's presentation of love in *Zaïde* », *French Review*, n° 36, 1962, p. 359-364.

GUELLOUZ (Suzanne), « Du héros au galant. L'apport du récit hispano-mauresque dans l'évolution du roman en France au XVIIe siècle », *Modèles, dialogues et invention. Mélanges offerts à Anne Chevalier*, dir. S. Guellouz et G. Chamarat-Malandain, Caen, Presses universitaires de Caen, 2002, p. 57-68.

HANSE (Joseph), *Rocroi, Le Grand Cyrus, Zayde et Bossuet*, Louvain, Extrait des *Lettres romanes*, t. VIII, 1954, p. 115-138.

HAUTCŒUR (Guiomar), « *Zaïde* de Mme de Lafayette ou les hésitations du genre romanesque au XVIIe siècle », *Formes et imaginaire du roman. Perspectives sur le roman antique, médiéval, classique, moderne et contemporain*, dir. J. Bessières et D.-H. Pageaux, Honoré Champion, « Varia », 1998, p. 49-64.

KAMUF (Peggy), « The gift of clothes : Mme de Lafayette and the origin of novels », *Novel*, vol. 17, 1984, p. 233-245.

KREITER (Janine Anseaume), *Zaïde, histoire espagnole : index et relevés statistiques*, Nizet, 1984.

–, « Le jeu signifiant des structures de *Zaïde* », *Romanic Review*, vol. 75, n° 4, 1984, p. 414-423.

KUIZENGA (Donna), « *Zaïde* : just another love story ? », dans *Mme de Lafayette*, Actes du congrès de Davis, États-Unis, Paris-Tübingen, Biblio 17, t. XL, 1988, p. 21-28.

LASSALLE-MARAVAL (Thérèse) et FALIU (C.), « *Zaïde* : du poncif mauresque à l'"incommunicabilité" », *Littératures*, n° 21, 1974, p. 149-164.

LYONS (John D.), « The dead center : desire and mediation in Lafayette's *Zayde* », *L'Esprit créateur*, 1983, vol. 23, n° 2, p. 58-69.

–, « Speaking in pictures, speaking of pictures. Problems of representation in the XVIIth century », *Mimesis. From Mirror to Method, Augustine to Descartes*, éds J.D. Lyons et S.G. Nichols, Hanovre et Londres, University Press of New England, 1982, p. 166-187.

PIZZORUSSO (Arnaldo), « Alphonse e Bélasire : il meccanismo della gelosia », *Prospettive seconde. Studi francesi*, Pise, Pacini Editore, 1977, p. 49-74.

ROUSSET (Jean), *Leurs yeux se rencontrèrent. La scène de première vue dans le roman*, José Corti, 1981.

SANZ CABRERIZO (Amelia), *Proyeccion de la novela morisca espanola (siglos XVI y XVII) en la narrativa galante francesa*

(1670-1710), Madrid, Universidad Complutense de Madrid, 2000.

SARLET (Claudette), « À propos de *Zayde* : corps romanesque et corps social », *Rivista di Letterature moderne e comparate*, XXXIX, 1986, p. 191-211.

TIPPING (Wessie M.), *Jean Regnaud de Segrais. L'homme et son œuvre*, Genève, Slatkine Reprints, 1978 [1933].

TABLE

LA PHILOSOPHIE DANS LA GF

—

GF-CORPUS

ARISTOTE
Petits Traités d'histoire naturelle (979)
Physique (887)

AVERROÈS
L'Intelligence et la pensée (974)
L'Islam et la raison (1132)

BERKELEY
Trois Dialogues entre Hylas et Philonous (990)

CHÉNIER (Marie-Joseph)
Théâtre (1128)

COMMYNES
Mémoires sur Charles VIII et l'Italie, livres VII et VIII (bilingue) (1093)

DÉMOSTHÈNE
Philippiques, suivi de **ESCHINE**, Contre Ctésiphon (1061)

DESCARTES
Discours de la méthode (1091)

DIDEROT
Le Rêve de d'Alembert (1134)

DUJARDIN
Les lauriers sont coupés (1092)

ESCHYLE
L'Orestie (1125)

GOLDONI
Le Café. Les Amoureux (bilingue) (1109)

HEGEL
Principes de la philosophie du droit (664)

HÉRACLITE
Fragments (1097)

HIPPOCRATE
L'Art de la médecine (838)

HOFMANNSTHAL
Électre. Le Chevalier à la rose. Ariane à Naxos (bilingue) (868)

HUME
Essais esthétiques (1096)

IDRÎSÎ
La Première Géographie de l'Occident (1069)

JAMES
Daisy Miller (bilingue) (1146)
Les Papiers d'Aspern (bilingue) (1159)

KANT
Critique de la faculté de juger (1088)
Critique de la raison pure (1142)

LEIBNIZ
Discours de métaphysique (1028)

LONG & SEDLEY
Les Philosophes hellénistiques (641 à 643), 3 vol. sous coffret (1147)

LORRIS
Le Roman de la Rose (bilingue) (1003)

MEYRINK
Le Golem (1098)

NIETZSCHE
Par-delà bien et mal (1057)

L'ORIENT AU TEMPS DES CROISADES (1121)

PLATON
Alcibiade (988)
Apologie de Socrate. Criton (848)
Le Banquet (987)
Philèbe (705)
Politique (1156)
La République (653)

PLINE LE JEUNE
Lettres, livres I à X (1129)

PLOTIN
Traités I à VI (1155)
Traités VII à XXI (1164)

POUCHKINE
Boris Godounov. Théâtre complet (1055)

RAZI
La Médecine spirituelle (1136)

RIVAS
Don Alvaro ou la Force du destin (bilingue) (1130)

RODENBACH
Bruges-la-Morte (1011)

ROUSSEAU
Les Confessions (1019 et 1020)
Dialogues. Le Lévite d'Éphraïm (1021)
Du contrat social (1058)

SAND
Histoire de ma vie (1139 et 1140)

SENANCOUR
Oberman (1137)

SÉNÈQUE
De la providence (1089)

MME DE STAËL
Delphine (1099 et 1100)

THOMAS D'AQUIN
Somme contre les Gentils (1045 à 1048), 4 vol. sous coffret (1049)

TRAKL
Poèmes I et II (bilingue) (1104 et 1105)

WILDE
Le Portrait de Mr. W.H. (1007)

DERNIÈRES PARUTIONS

DERNIÈRES PARUTIONS